北京古籍叢書

光緒順天府志

[清] 周家楣 [清] 繆荃孫 編纂

左笑鴻 點校

第十一册

圖書在版編目（CIP）數據

光緒順天府志．第十一册 /（清）周家楣，（清）繆荃孫編纂；左笑鴻點校．— 北京：北京出版社，2018. 2

（北京古籍叢書）

ISBN 978-7-200-13595-4

Ⅰ．①光… Ⅱ．①周… ②繆… ③左… Ⅲ．①北京—地方志—清代 Ⅳ．① K291

中國版本圖書館 CIP 數據核字（2017）第 282997 號

項目策劃：安　東　　項目統籌：許　可

責任編輯：喬天一　許　可　　責任印製：宋　超

裝幀設計：郭　宇

北京古籍叢書

光緒順天府志

第十一册

［清］周家楣　［清］繆荃孫　編纂

左笑鴻　點校

出　版　北京出版集團公司
　　　　北京出版社

地　址　北京北三環中路六號

郵　編　一〇〇一二〇

網　址　www.bph.com.cn

總發行　北京出版集團公司

經　銷　新華書店

印　刷　北京京華虎彩印刷公司

開　本　八八〇毫米×一二三〇毫米　三十二

印　張　十八點五

字　數　三三五千字

版　次　二〇一八年二月第一版

印　次　二〇一八年二月第一次印刷

書號　ISBN 978-7-200-13595-4

定價　128.00 圓

如有印裝質量問題，由本社負責調换

質量監督電話　010-58572393

官師志十六

國朝巡檢表八

德清傅雲龍纂　江陰繆荃孫覆輯

大興縣采育巡檢黃邨巡檢禮賢巡檢
宛平縣盧溝橋巡檢○齊家莊巡檢○龐各莊巡檢○石港口
武清縣河西務巡檢
寶坻縣蘆臺巡檢雍正九年入甯河。
密雲縣古北口巡檢兼驛丞
涿州北三汛巡檢
房山縣磁家務巡檢
霸州信安鎮巡檢淀河汛巡檢南六下巡檢
薊州中營巡檢
大城巡檢

	康熙四年前	十六	二十八
巡檢			
		章堯臣浙江山陰人，四月任。	張繼武魯山
	侯鳳鳴山西人。劉世名浙江人。余正綱浙江人。		

			人，十二月任。						
二十九			鄭綋江蘇上元人，十二月任。						
五十三			俞克類浙江上虞人。						
雍正五年			張奇智河南人，四月任。						
七			穆周士江蘇江甯人，六月						

	九年前	十
任。		劉成錦山西
	許商平九江人。張書行陝西人。任予榮聊城人。按：已上三人寶坻官，此後屬甯河。	

			臨汾人，十二月署。							
十一				王正章 江西安義人，四月任。						
十三			張慶年 山西翼城人，貢生，五月任。							
乾隆二年			王弘毅 湖廣武昌人，正月任。	胡學溶 山西平陸人，十二月任，七月卒						

	八	十七	二十
。	陳士彪浙江山陰人，二月任。	陳龍文江蘇吳江人，正月任。程珏浙江仁和人，四月任。	
			夏熙浙江上虞人，後署涿州吏目

	二十一	二十七
	葛士經江蘇崑山人，十一月任，二十七年九月遷東安主簿。	胡兆龍九月署，十二月去。 于世甯江蘇金壇人，十一
。		

二十九	
李國祥陝西華陰人，。禮賢。凌淇廣東平遠人，采育。朱生晉浙江蕭山人，黃邨。	
許開勳河南禹州人，。盧溝。鄭謙江蘇如皋人，齊家莊。沈錫夔安徽石埭人，王平口。祝其封江蘇	
陳常浙江會稽人。	
	月任，三十四年五月卒。
王鶚浙江蕭山人。	
席紹葛江蘇吳人。	
張企良江蘇婁人。	

	三十四	三十七
		賴澐江西瑞金人，禮賢。蔣士廉陝西渭南人，采育。劉培基山西
丹徒人，石港口。		張植江蘇元和人，齊家莊。馮騰浙江山陰人，王平口。李堯慶河南
		鄭謙江蘇如皋人。
	茹連發山西介休人，正月任。	
		陳棠四川巴州人。
		李麟浙江桐廬人。

	五十	五十八	嘉慶五年	八
平魯人，黃郵。				
河內人，石港口。				
	姚振鐸安徽貴池人。	項三賓浙江仁和人。	沈葵浙江仁和人。邵元炘浙江餘姚人。	徐開

	十二	十三	十四	十五
顥 浙江會稽人。	馮人驥 浙江平湖人，淀河汛巡檢，改自州判，始此。	錢廷熙 淀河汛。	馬錧 淀河汛。	陳禾 江蘇宿遷人，

	十九	二十	二十一
	王輅 江蘇鎮洋人，八月署，二十四年十月去。		
署淀河汛。 沈潮 安徽石埭人。	史渭 江蘇溧陽人，淀河汛。	歸懋修 江蘇常熟人，九月任，淀河汛。	陳佩蘭 江蘇
			俞萬清 江蘇

	二十二	二十四
		虞俊 江蘇丹徒人，十月署，道光元年七月去。
江甯人，三月任，淀河汛。	歸懋修 三月再任，淀河汛。	
江都人，六月任。葉時懋 江西廬陵人，九月任，二十五年二月去。		

二十五	道光元年
	白兆士 河南洛陽人，七月署，十月去。 姚思序 浙江錢塘人，十月署，四年八月去。
	戴百和 安徽婺源人，四月任，十三年四月去。
程裕臣 二月任，南六下汛巡檢，改自淀河汛。	
劉衢 四川鄰水人，十月任。	江禹績 安徽旌德人，正月任，三年三月去。

三	四
	韓景琦 四川華陽人，八月由從九署，十二月去。 張澐 河南夏邑人，
沈元文 浙江歸安人，二月任，南六下汛。	崔廣仁 九月由南七汛兼署南六下汛。
譚彝 廣東靈山人，三月任。 李嗣曾 河南洛陽人，九月任。	

	五	六
十二月署，七年二月去。		
	馬錫晉 江蘇常熟人，三月任，南六下汛。	崔廣仁 五月任，南六下汛。
		沈起林 江蘇吳人，四月任。 韓耀宗 四川合州人，十月任。

七	九	十
張瀛 江蘇蕭人，二月署，十年正月去。		王恆謙 山東福山人，五月署，八月去。 方鳴
	李振葉 安徽太湖人，二月任，南六下汛。	
	汪正泉 湖南沅陵人，十月任。	陳學灝 浙江山陰人，二月任。

	十一	十三
玉 江蘇江甯人，八月署，十三年十二月去。		
		馬霦 河南杞人，四月任，十八年八月去。
	程志達 河南商城人，二月任，南六下汛。	傅致泰 湖北江夏人，八月任，南六下汛。

十四	十五
余俊千 浙江會稽人，二月由從九署，十月去。 陳學灝 浙江山陰人，十月署，十七年三月卒。	
	屈惟域 江蘇常熟人，八月任，南六下汛。
王錫宸 安徽人，供事。	姚承澤 安徽人。

十六	十七
程椿 遷自通流河閘官，尋遷香河主簿。	
	李培文 廣東嘉應人，三月署，九月去。 張曰仁 陽城人，九月署，十九年五月去。
陳虎臣 浙江人。 席佺 江南人。	

十八	十九
	胡雲吉　安徽桐城人，五月署，十一月去。 汪桂　桐鄉人，十一月署，二十二年正月去。
段桂森	
李尚有　安徽黟人，八月任，二十四年去。	
	王士珍　湖北鄖西人，增貢，四月任，信安鎮巡檢移自禮賢，始此，二十二年二月卒。
狄薰　江蘇人，供事。	

二十	二十一
王國樑 陝西榆林人，自邢臺典史遷，二十一年移香河主簿。	
賈榮春 江蘇上元人。 張慶雲 河南温人，貢生。	
	金溶 上元人，二月署信安鎮，十一月去。 史恩壽 陝西華州人，十一月任信安鎮，
汪坤 浙江人。	

二十	二十二	
	羅世瑤 湖南新化人，正月署，二月去。汪桂 二月復任，十一月去。羅世瑤 十一月回任，二十七年五月去。	
	趙惟煥 江西南豐人。耿斐然 山西靈石人。	
		二十七年去。
陳孚		

三	二十四	二十五
		李墉署盧溝司。鍾景龐各司。秦蕖齊家司。白錫
	蕭端成浙江餘姚人，六月任，二十五年正月去。	岳奎齡湖北江夏人，吏員，二月任，二十九年十一月去。
治浙江人。		

	二十六	二十七
恩石港司。	鄭衍恆盧溝司。 張敦仁署齊家司。	鄒觀廷湖北漢陽人，齊家司。 薛培樟齊家司。
		蕭瑞成浙江餘姚人，五月署，十一月去。 廉紹頎山東
		李墉浙江山陰人。
		吳文瑛安徽休甯人，十二月任，信安鎮，咸豐元年去。

	二十八	二十九
	温應懷署盧溝司。	汪坤盧溝司。
		洪恩福署詳
，歷城人十月署，二十八年七月丁憂。	任爾會山西汾陽人，八月署。 宮家鳳安徽懷遠人，八月署，二十九年三月去。	錢塏浙江仁和人，
	程宣泗江蘇吳人。	王彥彬浙江
		李墉浙江山陰人，
		胡棨芳四月

	三十	咸豐元年	二
潘濟 署龐各司。	岳奎齡 龐各司。 晁鈺 署石港司。		孫國
固安典史。		黃謙受 雲南昆明人。	
三月任，咸豐五年正月去。			
，山陰人，後歷北路司獄，宛平、密雲、文安、固安典史。		倪寶琨 平湖人，供事。	
吏員，十一月署，三十年十二月去。	鄒覲廷 十二月任，咸豐九年十月去。		
			余居
	朱成章 雲南人。	王從西 湖北人。	
署。 李仙椿 八月署。	金賢良 山東汶上人，五月署。		

	三	四	五
均 石港司。	歐陽煒 署石港司。	查人翻 浙江海鹽人，石港司。 魯鏞 署盧溝司。	宮家
			焦耆
			王從
			亢如
義 江蘇上元人，五月署信陽鎮，七年五月去。			
			王式
		俞維詔 二月署。 許忠 三月署。	周翊

	六	七
鳳署龐各司。鄭衍恆盧溝司。	蕭端成浙江餘姚人，署齊家司。	王之慶齊家司。張輔廷陝西涇陽人。
齡江蘇上元人。		孫世忠奉天吉林人，十二月署，八年七月去。
酉湖北漢陽人，三月任，同治七年十二月去。		
垓江蘇吳人，署。王樊江蘇寶應人。		
		查人翿浙江海鹽人，五月署信安鎮，同治元年去。
金安徽人。		
三月署。唐成棨九月署。		

八	九	十
俞鶴齡龐各司。	金賢良盧溝司，後調武清主簿。 魯鏞齊家司。 汪賡才齊家司。	王宗周署齊
謝敬之安徽天長人，十二月任。	李成章山東歷城人，十月署，後署通州吏目，良鄉丞，懷柔典史，西路、南路司獄。	
劉文秀山陰人，七月任，光緒六年去。		
		林塄浙江山陰人。
	初效騫山東掖人，十月任，十一年四月去。	
		俞成德浙江
羅繼勳四月署。	蔣壽疇正月任。	

	十一	同治元年
家司。陳紹湛署龐各司。	吳崍齊家司。沈廷榮龐各司。狄廉惠署盧溝司。	許上珍盧溝司。毛桂
	陳文泉浙江山陰人。	
	葛慶森安徽懷甯人，四月任，同治五年二月去。	
		劉凝鈞山東昌邑人，六月
人，三月任。		

	二	三
榮署盧溝司。	徐祖望署石港司。邵登甲石港司。	
	劉儀署。	章元鑑安徽桐城人。沈承謨八月署。李成章九月
		洪治隆奉天甯遠人。
任，八年五月去。		

	四	五
	亢如坦盧溝司。	王恩爵署龐各司。王汝衡石港司。
再署，八年去。		
	杜友仁浙江山陰人。	李漢章浙江會稽人。
		潘詠惠浙江德清人，二月署，七月去。竇浩然陝西蒲城人，七月任，十一年二月去。
		顧燿五月署。

六	七	八
羅培宗 廣西平樂人，十月任，餘詳南路司獄。		
張雲霑 龐各司。邱景星 本任石港司。		
		亢如垓 江蘇吳人，四月任。
		張起鵬 浙江人，五月署，信安鎮，十年正月去。
		孟炳 浙江人，六月任。
	蔣壽疇 江蘇人，七月任。	

九	十
潘詠惠署龐各司。 劉鉞署石港司。 劉凝鈞十月由信安鎮署南路司獄，調署龐各司。	鄭官賢盧溝司。 徐大
左文元正月署。 王悅江蘇武進人，二月署，後署固安典史。 高鸞翔安徽貴池人。	
劉凝鈞山東昌邑人，信安鎮。	張雲需山東平原人，正月署，信安鎮。
章國詳浙江人。 孫肯堂山東掖人，九月任。	

	十一	十二
		徐承
經石港司。	杜揩齊家司。	
	沈士彬浙江人，二月署。洪恩福五月署，九月去，詳固安典史。竇浩然九月回任，光緒二十年二月去。	
十二年二月去。		張大
		王恩

	光緒元年	二	三
紱 江蘇清河人，八月任采育。			朱錫
		謝塏 署齊家司。 丁虞臣 齊家司。	唐維
	方珵 安徽桐城人。		
		潘詠 三月再署，七月去。 汪銓 浙江仁和人，七月任。	
受 奉天新民人，二月任，信安鎮。			
爵 十月任。			

	四
庚 浙江山陰人，九月任黃郇，四年兼理南路司獄，五年改署南路司獄，六年五月回任黃郇，七年丁憂。	
藩 盧溝司。 魏邦修 署石港司。 謝春城 湖南平江人，石港司。	周祐昌 湖南長沙人，龐各司，十一月補。 潘詠

	五	六	七
惠 齊家司。	姜良塏 江蘇六合人，監生，齊家司。		
			姚承祖 安徽
		郭允中 四月署。 安國斌 四月任。	龔兆熊 三月任。
	李漢章 浙江會稽人。	阮兆蘭 浙江山陰人，由東城兵馬司署。	
			何鋭 四月署。

	九
	何其泰 安徽鳳陽人，黃邨。 謝長齡 浙江上虞人，吏員，采育。
	黃從周 安徽合肥人，龐各司。
桐城人。	
馮永泰 七月署。 戴作哲 閏七月署。	

國朝總督分司表九

	總督　按：順治初置順天巡撫一，治遵化，今遵化非順天，故不表，今表治密雲之總督。	永定河南岸分司 北岸分司	密雲户部分司 工部分司	薊州户部分司
順治	宋權字雨恭，河南商邱人。 王維 王象乾（據密雲薛志）缺裁。		張繼曾定興人，户部分司。 楊宗岱，山西安邑人，户部分司，九年省入薊州。	
十六			王秉仁三韓人，工部分司，官至倉場總督。	
年未詳			連國輔三韓人。按：此後皆工部，故不注。	蕭疇豐福建人，進士。 周勳。福建人，進士 楊鼎。山西人，進士

				楊宗岱山西人，進士。 顧鏞江南人，進士。 周歷長山東人，進士。
康熙二年			李甲黃，山西潞安人舉人。	
六年未詳			壽以仁，浙江餘姚人進士。 費□□ 索額爾兔 依□□ 胡□□	
九年未詳			托必泰 傅達禮 柏大里 愛新泰 常保	

			辛□ 克□	
十九			法保	
二十一			巴克善	
二十二			納泰	
年未詳			法□ 巴圖	
三十七		朱成格鑲藍旗人，由吏部郎中任，南岸。 吳魯禮正白旗人，由郎中任，北岸。		
三十八		剛五達鑲紅旗人，刑部郎中任，南岸。 敦拜正白旗人，由工部郎中任，北岸。		

		齊蘇勒正白旗人，由主事任，南岸。		
四十		色圖渾正紅旗人，由吏部郎中任，北岸。		
四十二		郭治山東聊城人，進士，由正定知府調任，南岸兼北岸，四十三年遷南岸同知。		
四十三		皂保鑲藍旗人，由工部主事任，南岸。 色圖渾由内閣學士再任，北岸。按：是年復分司。		
四十八		根泰鑲黃旗人，由户部郎中任，南岸。		
四十九		吴圖洛鑲黃旗人，北岸。		

五十二		孫泰正紅旗人，由户部郎中任，北岸。		
五十三		齊蘇勒正白旗人。		
五十八		雅思海正紅旗人，由宗人府理事任，南岸。		
六十一		全寶鑲白旗人，甲午副貢。 蘇敏正黄旗人，北岸。		
雍正元年		按：是年南岸分司省入北岸。		
三		明壽，滿洲正紅旗人，由刑部員外任，北岸分司，四年隨缺改河道。		

國朝道表十

	順治元年	年未詳	二	三
永定河道				
通永道	蔣三捷詳傳。通州道。下三人同。		李廷梅遷自通州知州。	武以甯奉天人。
霸昌道	孟良胤鞏昌人，舉人。	金　桂奉天人。		
密雲兵備道	蕭時彥奉天鐵嶺人，舉人。			
密雲驛傳道				
霸州道	劉芳久貴州人，舉人。			李日芃滿洲□□旗人，降士賊李振等。
薊州兵備道				

						張儒秀遼東廣甯人。	
四			陳維新詳傳。			劉有道漢軍旗人。	
五						林起鳳奉天漢軍旗人。	
六		劉應錫奉天人，貢士。				于變龍遼東鐵嶺人。	
七年前				方大猷浙江人，進士。衣惟孝山東登州人，歲貢。李映昌奉天人。許兆麟			

七		李印昌奉天人。通密道，下三人同。					
年未詳			張　斌奉天人。				
十		王維屏山西人。				張　錦字文伯，山西翼城人。	
十一		劉餘慧江南人，官生。				趙維翰江南人，進士。	
十二		趙印翰江南人，進士。				范　周江南人，進士。	
十四年前			元發祥奉天人。 張自昌浙江		松　齡蒙古鑲黃旗人，員外郎。		李永昌奉天人，貢士。 孫率禮山西

十四	
杜溰詳傳。通薊道，下六人同。	
	人。朱國治遷自固安知縣，以按察司僉事任，入爲大理少卿，官至雲南巡撫，吳三桂執，不屈，死。（據一統志）
	榮惠蒙古正黃旗人，員外郎。齡昌蒙古鑲藍旗人，主事。崇本滿洲正紅旗人，主事。松鶴蒙古鑲黃旗人，郎中。德勝蒙古鑲白旗人，員外郎。
朱國治詳霸昌道表。	
	人。徐爲卿奉天人，貢士。按：畿輔志奪卿字。孫茂蘭奉天人，貢士。李中梧奉天人，貢士。劉應錫詳通永道表。馬登科奉天人，貢士。薛承偉奉天人，貢士。

十六		武攀龍奉天人。				傅夢籲遼東遷安旗人。	
十七		蔡祖唐江南人，進士。				安世鼎遼東人。○按：霸州周志云，十八年，今據畿輔志。	
康熙元年		相有度山東人，進士。				黃性震 許兆麟是年移治蠡，此後不入表。	
三		蔣龍光江南人，進士。					
七年前			石在閭山西人，貢士。 戴聖聰山西人，貢生。				

	七	八
	沈荃江蘇華亭人，進士，官至禮部尚書，謚文恪。	丁思孔奉天廣甯人，進士，歷湖廣總督。 錢世清浙江錢塘人，舉人。已下改通永道。
吴慎福建人。 耿繼先奉天人，廕生。 沈志禮	黄性震福建人，貢生。已上爲昌平道，已下爲霸昌道。	

十			耿繼先再任霸昌道，餘詳前。				
十一		崔誼之山東平度人，進士。					
十二		龔佳育浙江仁和人，官至太常寺卿，詳傳。					
十六		霍　炳山東青城人，進士。					
二十二		宋　犖河南商邱人，祀名宦。					
二十六		孟　卜河南					

		夏邑人，舉人，歷浙江按察使。					
三十一		沈志達鑲白旗漢軍人，蔭生。					
三十八		祝兆熊詳傳。					
三十九		李　錫奉天人，廕生。	郎廷棟奉天人。已下十五人，昌平志奪。				
四十四		王用霖奉天人，廕生。					
四十五		白爲璣奉天遼東人。					
五十		張連登陝西					

		咸陽人，貢士。					
五十一			祁國祚涇陽人，歲貢。				
五十二		張朝宗浙江人。張聖弼奉天人。					
五十四		張道源江南人。徐　炯江南崑山人。					
五十五		高　鑛奉天人。張安世奉天人。					

五十六			趙宏揆奉天人，監生。			
五十九		李繼謨奉天人。				
六十一			高鑛由通永道署。			
雍正元年		高鑛再任。	黃之孝南通州人，歲貢。湯之旭河南睢人，進士。			
二			卞之鑰奉天人，監生。			
四	明壽滿洲正紅旗人。		温儀陝西三原人，進			

	六	七	九
	石柱鑲黃旗人。		定柱正黃旗人。
	姜顯新江南如皋人，進士。	德希壽正紅旗滿洲人。	
士。高淳山西朔人，歲貢。	王永吉故城人，歲貢。	張慶曾安邑人，歲貢。李如梓山東曹人，歲貢。	甘汝來江西奉新人，進士。戴綸湖北江夏人，監生。

十一	八　十正白旗人。		吴士端江蘇長洲人，歲貢。			
十二	博恩岱正黄旗人。		孫　魯河南陽武人，監生。			
十三	齊　格鑲黄旗人。	鄭爲龍山西汾州人。宋壽圖江南長洲人。				
乾隆三年	六　格漢軍鑲黄旗人。					
四		鄂　昌正藍旗滿洲人。				
六		周　彬湖北監利人。				

八	十	十一	十四	十五
	八十復任。永甯正紅旗人。	吴謙志 玉麟正藍旗人。	僧保住正藍旗人。	英廉鑲黃
秦玠奉天鑲黃旗人。恆文滿洲正黃旗人。		秦玠再任。		

	十七	十八	十九
旗漢軍舉人。白鍾山正白旗人，由江南總督降。		宋宗元江南長洲人，由清河道署。邁拉遜正藍旗人，蔭生。	宋宗元復任。
僧保住詳前，由清河道兼署。	王楷河南人，進士。良卿滿洲正藍旗人，進士。	王楷再任。常亮滿洲正藍旗人。	

	魯成龍正紅旗人。					
二十		王檢山東福山人，進士。				
二十四		明琦滿洲鑲藍旗人，調口北道。				
三十		玉神保滿洲正黃旗人。	通明滿洲正藍旗人。			
三十二	克爾圖滿洲正紅旗人。	色明阿滿洲正黃旗人。 李湖江西南昌人，進士，調清河道，官至廣東巡撫。	色明阿由通永道任。			

三十三	李湖詳通永道，署。滿保鑲白旗人。	楊開鼎江蘇甘泉人，進士，調福建汀漳道。					
三十四		色明阿再任，調清河道。					
三十五		錫拉布滿洲正黃旗人，調口北道。					
三十七		劉峩詳傳。					
四十		宋英玉江南吳人，貢生。					
四十三	沈鳴皋江蘇	劉峩再任	盛住由通				

	元和人，由清河道署。蘭第錫詳傳。	。盛住正白旗人，調浙江杭嘉湖道，官至浙江布政使。	永道任。				
四十六		李調元四川緜州人，進士。					
四十八	陳琮四川南部人，副貢生，十四年五月去。	龍舜琴安徽蕪湖人，拔貢，八月任。					
五十四	王汝璧四川銅梁人，進士，署。羅瑛浙江上虞人，監生。						

五十七	劉斌由北岸同知護任。 羅瑛復任。						
五十八	劉斌再護。 歸朝煦江蘇長洲人，監生。 王錕江蘇吳江人，進士，署。						
五十九	喬人傑山西徐溝人，舉人。						
嘉慶四	稽承孟江蘇						

年	無錫人，監生。						
五	翟蕁雲浙江仁和人，監生，署。 王念孫江蘇高郵人，進士，六年六月去。		朱紹曾				
六	陳鳳翔江西崇仁人，監生。						
七	王念孫再署。						
八	陳鳳翔復任。 朱應榮廣西						

	臨桂人，舉人，署。
十一	陳鳳翔復任。 朱應榮再署。 陳鳳翔復任，十四年八月遷山東河南河道總督。
十四	孫樹本字立天，浙江烏程人，辛丑進士，由清河道署。（據吳興科第表） 王念孫

	再任，十五年去。						
十五	李亨特正藍旗漢軍人，十二月遷山東河道總督。 李逢亨陝西平利人，拔貢，遷自河間知府，十八年秋汛安瀾，賞戴花翎，纂永定河志。						
十七			士俊				
十八			誠端滿洲人。				
二十	李于培山東		齡住滿洲				

	安邱人，進士，五月去。葉觀瀾福建閩人，舉人，十二月任。		人，文生。				
二十一	孫豫元十一月由南岸同知兼護。李逢亨十二月再任。						
二十三		任銜蕙江蘇蕭縣人，丁丑進士。					
二十四	張泰運江蘇銅山人，廩貢，八月任，道光十四年去。						

道光元年			黄鳴傑安徽合肥人，己未進士。				
二		鍾　禄滿洲鑲黄旗人，署。	岱　齡滿洲人。				
三		董　湢山東鄒人，癸卯舉人。					
四		鄧廷楨江蘇江甯人，辛酉進士。 王庭華陝西大荔人，己未進士。					
五		徐寅第山西五臺人，辛酉拔貢，署。	惠　豐滿洲人。				

六	七	九
李德立山東濟寧人，己巳進士。 徐寅第再署。 慶綱滿洲正黃旗人。	李振翥安徽太湖人，壬戌進士，署。 周壽齡山東蓬萊人，戊午舉人。	
		王琦慶山東諸城人，甲戌進士，十

			一月任，十三年六月引見。				
十二		陳繼昌廣西臨桂人，庚辰一甲一名。					
十三			黃之瀾六月護理，七月去。王琦慶七月同任，十七年十二月去。				
十四	邵楠十一月由南岸同知兼護。						
十五	文沖滿洲	魏茂林福建					

	十六	十七
鑲紅旗人，廕生，二月任。	邵　楠四月再護。霍隆阿滿洲正黃旗人，監生，五月任。馮季曾八月由石景山同知兼護。徐受荃浙江鄞人，舉人，十二月任。	文　沖八月復任，十九年九月去。
龍巖人，己巳進士。		
		姜　梅河南汜水人，甲戌進士，十

			二月任，十八年四月去。				
十八			孫善寶山東濟寧人，丁卯舉人，四月任，十九年八月去。				
十九	邵楠九月復護。恆春滿洲正白旗人，進士，十二月任，二十四年二月去。	覺羅存興滿洲鑲藍旗人。	松林蒙古人，八月任，十一月去。豐林滿洲人，十二月任，二十一年八月去。				
二十一		高樹勳陝西城固人，癸未進士。	錫麟八月署，十月去。				

	二十二
豐林十月同任，二十二年四月卒。	史渭綸四月護，八月去。 朱鑾廷浙江烏程人，癸未進士，八月任，九月去。 劉遵海九月由北路同知護，十月去。 張鴻衢十月署，十一月去。

	二十四
	汪兆鵬 二月 由石景山同知兼護。 張起鵷 甘肅 古浪人，監生，二月任，二十七年去。按：固安陳志云，陞順天府尹，然攷題名碑無，而永定河朱志亦不言遷尹。
	龔裕 江蘇 清河人，丁丑進士。
張雲藻 江蘇 儀徵人，乙未進士，十一月任，崇儉薄斂，修書院，二十五年二月去。	

二十五			劉遵海再護。 劉師陸山西洪洞人，庚辰進士，十月任，二十七年六月去。				
二十六		劉延熙貴州大定人，癸酉舉人，署。 熊守謙江西新建人，癸酉舉人。					
二十七	李樹玉陝西大荔人，廪貢，正月由候補知府護。	李廷棨山東章邱人，己巳進士。	成山滿洲人，癸未進士，六月任，二十八年七月去。				

		二十八	二十九
	熊守謙五月調自通永道，二十九年八月去。		毛永柏八月由石景山同知兼護。熊守謙十月回任，咸豐元年去。
			喻元升雲南南甯人，乙卯舉人署。譚廷襄詳順天府尹兼尹表。丁希陶，署咸豐元年去。餘詳霸昌
		劉遵海七月復護，八月去。成山八月回任，三十年二月去。	丁希陶由南路同知署，四月去。

	咸豐元年	二
	穆清阿滿洲鑲黃旗人，貢生，三月任，三年正月去。	
道，南路同知，宛平縣。	周啟運廣西靈川人，丙戌進士。楊春和，署，餘詳霸昌道。	覺羅海瑛
成山四月回任，九月去。楊春和貴州貴筑人，庚子進士，九月署，尋去。文煜滿洲人，九月任。		慶岳滿洲

	三	四
	婁煜 正月由北岸同知兼護。 定保 正白旗滿洲人，二月任，十月去。 王仲蘭 十月由南岸同知兼護，四年十二月去，餘詳固安縣表。	崇祥 滿洲鑲紅旗人，十二月任，
滿洲鑲紅旗人，三年去。	丁希陶 再署。 楊春和 再署。 金肇洛 浙江仁和人，庚子進士，署。 覺羅海瑛 同任。 金肇洛 再署，五年去。	
人，乙未舉人，十月任，三年十月去。	范梁 十一月由北岸同知護，四年三月去。	明新 滿洲人，監生，三月任，五

	五
六年七月去。	
	石贊清貴州貴筑人，戊戌進士，署。 崇　厚自調霸昌道，六年調永定河道。
年五月去。	崇　厚滿洲內務府鑲黃旗人，己酉舉人，五月任，六月去，餘詳通永道、永定河道表。 黎鴻恩六月由南路同知護，八月去。 英　毓滿洲人，八月任，十一月去。 石贊清十一月署，六年四月去，餘

			詳通永道表。				
六	崇厚調自通永道，八年四月去。	春保滿洲鑲黃旗人，署。 錫祉滿洲內務府正白旗人，道光乙未進士，八年調永定河道。	怡昌滿洲人，文生，四月任，八年九月去。				
八	王仲蘭四月復由南岸同知兼護。 錫祉十二月調自通永道，十年四月去。	李澤長山東博山人，貢生，署。 孫治字琴泉，四川成都人，戊戌進士。	英毓滿洲人，九月再任，十年十一月去。				
九		振麟滿洲					

		德椿滿洲正藍旗人，監生。 鑲白旗人，署。				
十	王茂壎四月由石景山同知護，十一年去。	德林旗人，十二月任，同治四年九月去。	。范梁再署			
十一	徐繼鏞廣東番禺人，監生，三月任，同治五年去。					
同治元年		卞寶書江蘇儀徵人，監生，署。				
二		魁齡滿洲				

	三	四
卞寶書再署正紅旗人，壬子進士。 范梁詳霸昌道。	英良滿洲正藍旗人。	
		吕圻江西人，九月護，十一月去。 徵良滿洲人，監生，十一月任，十三年四月去。

五	七	八
蔭德泰滿洲鑲白旗人，廕生，二月去。 徐繼鏞五月再任，七年二月去。	王茂壎二月又由石景山同知兼護。 蔣春元湖南耒陽人，優廩生，三月任。 徐繼鏞十一月又任。	蔣春元八月復任。

	李朝儀十月任，光緒三年去，餘詳府尹傳。						
十三			鄒在人四月護，六月去。 穆特布滿洲人，繙譯生，六月任，光緒二年十月去。				
光緒二年			鄭沂十月由北路同知護，三年二月去。				
三	周馥安徽建德人，三月任。		續昌蒙古人，監生，二月任，四年				

	四	五
李朝儀五月復任。		朱其詔字翼甫，江蘇寶山人，監生，五月任。文沛滿洲鑲紅旗人，監生，八月任。
		任信成浙江山陰人，監生，署。李培祜雲南昆明人，道光丁未進士。
十月去。	蕭履中十月署，十一月去。裕昆滿洲繙譯生人，十一月任，五年十一月去。	鄭沂再護。

六	朱其詔 四月回任，續永定河志，七年三月去。		恩良 旗人，二月任。			
七	游智開 湖南新化人，三月任。					

華陽吳祖椿校

官師志十七

國朝同知表十一

德清傅雲龍纂　江陰繆荃孫覆輯

	康熙二十六年
東路同知	武廷括遷自固安知縣。潘得榮三十一年去。
南路同知	
西路同知	
北路同知	
永定河南岸同知 北岸同知 石景山同知	
北運河同知	
武清河西務關同知	
密雲同知廢	

三十一	韓鎬	趙弘燮 高應爵						張琳奉天鑲藍旗人。
三十五	祖延泰							祖允熹滿洲鑲白旗人。 陳九鵬漢軍鑲黃旗人。
三十六	郎秉和奉天甯遠人，監生。							
三十八								趙宏揆鑲紅旗人。
四十三					湯彝浙江仁和人，遷自樂亭知縣。北岸同知始			

					此。郭治山東聊城人，進士，由南岸分司改南岸同知。			
四十六					路永齡河南修武人，舉人，署北岸。劉天觀奉天人，北岸。			鄭富民漢軍鑲紅旗人。
四十九					鄭善述由固安知縣署北岸同知，詳傳。路永齡由北岸任南岸。			

五十					戴鐸由昌平知州遷北岸同知。			
五十一		馬兆辰浙江山陰人，遷知保定府。			陳超北岸。			
					杜於藩江南江都人，南岸。			
五十二					郎鑑奉天人，由鉅鹿知縣遷北岸同知。			
五十四								王績漢軍正黃旗人。
五十					李峻德			

九					漢軍正黃旗人，貢生，南岸。			
六十一					王開運 北岸。			
雍正元年		張鳳文 江南歙人，貢生，遷知天津府。			張漢 鑲黃旗人，北岸同知，七月併入南岸。 全寶 鑲黃旗人，甲午副貢，南岸。			趙垣 河南考城人。
年未詳								錫年
三	朱瑛 漢軍鑲藍旗人，舉人。				李峻德 回任。			

四	五	六
黃成章 由通州知州署，詳傳。 程文華 陝西長安人，廕生，遷知江西袁州府。		
	駱爲香 南岸。 艾朝陽 漢軍鑲黃旗人，南岸。	黃瑛 漢軍正白旗人，南岸。
	朱斐文 浙江上虞人，貢生。置同知始此。	

九	十	十一
齊格 鑲黃旗人。石景山同知始此。		魯錫久 趙州人，南岸。 李壇 山東壽光人，復設北岸同知。 張泰 由固安知縣署北岸同知。
程恂 安徽休甯人，甲辰進士，庶吉士。	盧承琦 漢軍鑲黃旗人。	

十三	乾隆元年
	劉源長 山西洪洞人，貢生。
	陳葵章 河南人，舉人，徙知冀州。
丁廷植 山東諸城人，進士，北岸。 張泰 再署北岸。 八十 正白旗人，石景山同知。	蔭槎 滿洲正白旗人，南岸。 任振功 南岸。 呂崇信 漢軍鑲藍旗人，監

	二
	胡文伯 山東海陽人，貢生。 韓亦詩 山西沁水人，貢生，署。 申夢璽 山西陽曲人，監生。 張金熹 安徽祁門人，貢生。
生，南岸。	張泰 南岸同知，詳傳。 呂崇信 由南岸調石景山。

三	四	五	六
	唐續祖 由三河知縣署。 馬爾洪阿 滿洲正藍漢人，監生。		
王者輔 江南天長人，遷知宣化府。			胡文伯 山東海陽人，遷知天津府。
陳起唐 江南甘泉人，北岸兼署石景山。	盧承琦 漢軍鑲黃旗人，南岸。 呂崇信 再任石景山。		馬日炳 漢軍鑲紅旗人，北岸。
	任宏業 浙江山陰人，庚戌進士。	彭景曾 遷自楊邨通判。	

八	十
杜甲江蘇江都人，貢生，遷知杭州府。 梁萬稷山西絳州人。 楊竿湖北鍾祥人，貢生，由易州知州署。 馬爾洪阿再任。	
	蔡學頤河南虞城人，廪貢，北岸。

十三	伊蘭泰 滿洲正白旗人，遷知保定府。							
十四	富爾勤 滿洲鑲藍旗人，由糧馬通判署。 誇喀 滿洲正白旗人，繙繹生員，遷知薊州。				閆有禮 山東博興人，南岸。按：固定陳志，閆作閻，今據永定河志。			
十五	富爾勤 再任。 毛振翧 四川成都人，舉人。				李永和 河南光山人，南岸。 陳之紀 東安人，監生，石			

					景山。		
十八	金山滿洲正黃旗人，調廣平府同知。				張人鑑四川金堂人，北岸。		
十九	伊蘭泰再任，調西路。				滿保鑲白旗人，北岸。 莊鈞由東安知縣署北岸。 王錫命奉天海城人，進士，南岸。		
二十二	范廷楷山東諸城人，進士				張景衡大興人，監生、石		

	，遷知遵化州。				景山。			
二十三	德敏 滿洲正藍旗人，舉人，由宣化府同知署。金文淳 浙江錢塘人，進士，署，遷知順德府。							
二十四	賽音布 滿洲鑲黃旗人，舉人，遷知湖南永州府。				麻廷敬 江西廬陵人，監生，石景山。張景衡 由石景山同知調南岸。			

二十六	二十八	二十九	三十一
王承業漢軍正黃旗人，監生，由候補同知署。清格滿洲鑲黃旗人，調自永平府同知。			色赫訥滿洲鑲藍旗人。
		周贇浙江仁和人，舉人。	
	單烺山東高密人，進士。		
王模山東諸城人，貢生。			
	李絳宛平人，舉人，南岸。	王榮勷正定人，石景山。	

	三十四
吴龍光 浙江錢塘人，舉人。 劉峩 詳傳。	
	蘭第錫 北岸，詳傳。 張光曾 由固安知縣署南岸同知。 吴剛 安徽桐城人，南岸。 朱曾敬 由三角淀通判署石景山同知。

三十五					王榮勳再任石景山。			
三十六	曹元端安徽歙人，舉人，遷知宣化府。	張曾份安徽桐城人，附貢。		謝洪恩安徽歙人，貢生。	朱曾敬再任石景山。 王榮勳由石景山調北岸。			
三十七			張家玫江蘇泰興人，監生。		陳琮由固安知縣署南岸同知，詳傳。 徐敬儒山西五臺人，舉人，南岸。			
四十一	沈承業浙江會稽人，舉人				劉楙安徽歙人，監生，北岸			

	，遷知保定府，歷天津道。				。王湘若由固安知縣署南岸。			
四十二					阮芝生北岸同知，詳三角淀通判。陳琮再任，南岸。			
四十三					王湘若再任，南岸。			
四十四					楊奕繡江蘇山陽人，監生，北岸。			
四十					賈悳山西			

五					陽曲人，進士，石景山。			
四十六	張在山西榆次人，舉人，由候補同知署，調署北路。 劉楙由候補同知署。 錡翮滿洲鑲白旗人，由候補同知署。			張在由東路調署。				
四十七	李汝琬遷自武清知縣。							
五十					黃碧海			

					福建莆田人，舉人，石景山。			
五十一					楊奕繡再任北岸兼署南岸。			
五十二					董杰浙江山陰人，監生，北岸。李光理由固安知縣署，南岸。嵇承孟江蘇無錫人，監生，南岸。李炳甘肅			

					皋蘭人，拔貢，石景山。			
五十三	汪大鏞 七月任。				李光理 復署南岸。 劉斌 江蘇陽湖人，監生，石景山。			
五十四					田怡 山東平陰人，貢生，署南岸。 嵇承孟 再任南岸。			
五十五					劉斌 由石景山調北岸。			

	五十七	五十八
	劉念拔江西奉新人，監生，六月任。	
張顔江蘇如皋人，貢生，署，南岸。 周震榮浙江嘉善人，舉人，南岸。 何裕崃浙江山陰人，監生，石景山。	汪廷樞安徽歙人，監生，南岸。	劉斌由石景山署，南岸。

	五十九
李騰蛟 山西芮城人，進士，南岸。 方其昀 安徽桐城人，監生，署，南岸。 盛惇復 江蘇陽湖人，由州同署，南岸。	劉樹坊 山西平遙人，進士，署，南岸。 賴邦本 江西廣昌人，舉人，南岸。

六十					翟萼雲南岸署，詳三角淀通判。			
年未詳	歸思燕由薊州州判累遷。							
嘉慶元年					劉斌北岸，詳前。			
三	薛學詩二月任。							
四					汪廷樞安徽歙人，石景山。 陳煜江蘇山陽人，北岸。			

六	七
方其昀 二月任，詳南岸。	莫景瑞 廣東安定人，拔貢，舉人，正月任。 王承休 山東濟甯人，舉人，三月任。 莫景瑞
馮瑛 浙江山陰人，北岸。 李逢亨 由三角淀通判遷南岸。 徐體劬 江蘇武進人，石景山。	孫豫元 浙江仁和人，附監，署，北岸。 田宏猷 由固安知縣署，北岸。

	五月再任。							
九	李元林 四川成都人，供事，五月署。 金鳴琴 山東福山人，舉人，六月任。 莫景瑞 十月再任。							
十一	歸思燕 三月再任。				翟蕚雲 署，北岸，詳前。			
十二					丁寶洲 江蘇無錫人，署，北岸。			

					張鳳藻江蘇蕭人，北岸。			
十三		何貞遷知江西廣信府。						
十四	陳世相十月任。	竇景燕山東臨朐人，丙午舉人，七月署，十一月補，十五年落職，後歷武清，復任。			陳春熙江蘇如皋人，監生，北岸。			
十五	周衡十月任。				張泰運江蘇銅山人，監生，廩貢，署，北岸。			

	十七
	徐楊炳十一月任。
吳懷浙江山陰人，供事，南岸。按：永定河志奪，今據固安陳志補。 張承勳江蘇睢甯人，署南岸，調北岸。 孫豫元南岸，詳前。	陳春熙署石景山，詳前。 丁寶洲石景山，詳前。

十九					張泰運再任北岸。			
二十	陳錫熊十月任。							
二十一					田宏猷正月任，石景山，詳前。			
二十二	甯雲鵬十月任。劉青蓮十二月任。				徐銈浙江德清人，監生，四月任，石景山。陳春熙八月任，石景山，詳前。			
二十三					馬金陛山東齊河人，監生			

	二十四
	甯雲鵬 再任。
，十二月任，石景山。	彭應杰 廣東陸豐人，監生，八月任，南岸。 徐銈 八月由石景山調北岸。 嵇承廉 江蘇無錫人，監生，八月任，石景山。 孫星衢 江蘇陽湖人，監生，十月任，石景山

	二十五	道光元年
	王殿傑 十月任。	吕嗣闗 河南新安人，舉人，七月任。
	甯雲鵬 署，道光元年二月任。	竇景燕 二月再署，二年八月去。
		盧奎 八月署。 徐寅第 山西五臺人，辛酉拔貢，十二月任，
。 支甯祥 江蘇山陽人，監生，十月任，北岸。	葉德豫 江蘇上元人，五月任，北岸。 徐銈 九月復任，石景山。	袁烺 山東長山人，監生，二月任，石景山。 徐銈 二月

	二
	徐寅第 八月山西路兼署，十月去。
二年兼署南路。	
任，南岸，詳前。 陶金殿 安徽滁州人，拔貢，四月任，北岸。 邵楠 浙江山陰人，監生，九月任，南岸。 竇喬林 山東諸城人，監生，十一月任，南岸。	

	三
	吳承寵 安徽人，監生，七月任。
秦承霈 十月由涿州知州署，十二月去。 楊本濬 雲南南甯人，戊辰進士，庶吉士，十二月遷自邯鄲知縣，五年署河間知府。	資鎮衡 四月由昌平知州署，尋因逃軍降調。
	秦承霈 正月由涿州知州署 李武曾 三月署。 劉用和 八月任。
	蔣宗墉 九月任，北岸。 李國屏 河南鄭州人，增貢，九月任，石景山。

年	一	二	三	四	五	六	七	八
			蔣兆璠 八月署。潘勤 二十月任，十年五月去。					
五	羅秉寅 湖北漢川人，舉人，五月任。辛文沚 山東蓬萊人，舉人，詳傳。							
六		楊本濬 二月回任，三月去，後補原缺。						
八	郭夢齡							

	十二月由三河知縣署。辛文沚十二月再任。								
九	包棻江西南城人，嘉慶乙丑進士，三月任。				周衡四川涪州人，舉人，十二月任，石景山。				
十		郭夢齡四月由三河知縣署，閏四月遷補，十一年病去。	萬鼎祥五月署。淡廷棻九月任。龍載恬十一月署。						
十一		張翰仙三月由宛平知縣署							

		，七月實任，十年九月去。						
十二		沈鋭 九月由薊州知州署，十四年調署北運河務關同知，詳傳。	潘相 八月署，尋實任，十五年三月去。	黃之潤 二月遷自寶坻知縣，十五年修署，二十一年七月去。	張起鵬 甘肅古浪人，監生，十一月任，石景山。			
十三	倪謦 浙江山陰人，監生，八月署。 包棻 十月任。							
十四		胡悳璜 四月遷自大興知縣			胡侍丹 正月任，南岸，七	沈鋭 由南路同知調署。		

	十五	十六
		楊本濬正月由署西路同知
。		
	楊本濬三月署，十六年署東路。潘相八月回任。	楊本濬十月再署，十七年
月任，石景山。邵楠四月任，南岸。	婁豫正月任，北岸。馮季曾山西屯留人，監生，正月任，石景山。陳億江西玉山人，舉人，五月任。	

	調署南路。何耿繩 山西靈石人，進士，八月任，二十年去。		署知薊州。					
十七					竇喬林 十一月任，石景山，詳前。			
十八		楊本濬 五月復任，二十二年休。	潘勤 五月再任，二十年去。		馮季曾 四月任，石景山。			
十九					竇喬林 調北岸，詳前。汪兆鵬 十月任，北岸。			

二十	二十一
項兆松 江西彭澤人，舉人，正月署。何耿繩 五月再任。	
汪文淵 九月署。史渭綸 九月署。陳之驥 十二月任，二十二年去。	
	嚴耿 七月由順天糧馬通判署，十二月去。劉遵海 河南祥符人，壬午進士，遷自薊州知州，十二月任，二十九年五月去。
喜禄 滿洲，正黃旗人，進士，六月任，南岸。	

二十二		劉炘陝西渭南人，戊子舉人，六月署，七月去。 高午十月由宛平知縣署，二十三年實任，二十四年署永定河北岸同知。	劉延熙五月署，尋實任。		汪兆鵬十月由北岸調石景山。 竇喬林十月任，北岸。			
二十三	白譜山西太谷人，舉人，四月署。 沈第江蘇華亭人，進士，六				馮德峋河南商城人，監生，十月任北岸。		桂超萬安徽人。	

	月任。							
二十四	祝恂 浙江秀水人，監生，十月署。	姜口 十月署，十二月去。 劉延熙 十二月由西路署，二十五年回任西路。	魏尊德 十二月署。		項兆松 七月任，南岸。 高午 十月由南路同知署，北岸。 馮德峋 由北岸調南岸。			
二十五	喻元升 雲南南甯人，舉人，五月署。 吴承祖 江西南豐人，戊寅舉人，九月由良鄉	丁希陶 四月由宛平知縣署，俸滿實任，三十年四月署霸昌道。	劉延熙 四月由署南岸回任。					

	知縣遷，咸豐三年六月兼攝三河縣事。						
二十六			王金相 三月署。 丁希陶 六月署。 劉延熙 八月回任，二十八年去。		祝恂 五月任，南岸，詳前。		
二十七					婁煜 十月任，北岸。		
二十八			劉遵海 二月任。 戚貞 七月		婁煜 十月由北岸調石景山。 王茂壎		

	二十九	三十
		孫口 十二月署，咸豐元年去。
署。丁希陶 十二月再署。	文在瀛 七月任。丁希陶 九月又署。	范梁 二月署。李正培 七月任。
	劉體直 由知霸州調昌平，五月兼署，七月去。范梁 八月遷自大興知縣，咸豐四年七月丁憂。	
山東福山人，附貢，十月任，北岸。	羅瀛 正月任，南岸。毛永柏 奉天甯海人，議敘，閏四月任，石景山。婁煜 五月復任，北岸。	

咸豐元年		丁希陶 同任，三年再護通永道。			陳嘉謨 正月任，南岸。			
二			俙彥 正月署。		王茂壎 十一月調南岸，詳前。			
三		李朝儀 六月由大興知縣署，四年八月去。	郭寶勳 十一月任。		婁煜 四月移石景山，詳前。 石贊清 貴州貴筑人，進士，四月任，北岸。 王仲蘭 八月任，南岸。 徐敦義			

	四	五
	何蘭馨 河南息人，舉人，五月署。 李朝儀 八月任，詳府尹傳。	鄧錫恩 九月由通州知州署。 高錫康
	黎鴻恩 八月遷自懷柔知縣，仍兼攝宛平，後署霸昌道。	張瀚 廣西馬平人，甲辰舉人，六月署，八月去
	吕圻 二月署，詳懷柔。	喬文蔚 三月任。 蔣大墉 八月署。
	黎鴻恩 閏七月由懷柔署，宛平知縣兼署，尋遷南路同知。 吴中順 閏七月由薊州知州署，五年三月去，餘詳宛平縣表。	吕圻 歷懷柔、密雲、昌平、西路同知，三月任
十二月由北岸通判兼署。	李載蘇 六月任，南岸。 婁煜 閏七月復任，北岸。 毛永柏 閏七月任，石景山。	王仲蘭 正月任南岸。

	六	七
江蘇泰州人，己酉舉人，十二月署。	李朝儀 三月再任。	
。黎鴻恩 八月由霸昌道同任，落職。	周紹曾 浙江仁和人，己酉舉人，八月署，七年五月去。	費濤 五月遷自大興知縣，十年隨營。
	喬文蔚 三月同任，十年七月去。	
，八年十一月去，知通州。		
	李載蘇 正月任，石景山。王茂壎 十二月任，北岸。	李載蘇 三月由石景山調北岸。王茂壎 三月由北岸調石景山。支履和

						六月任，北岸。			
八						方炳奎安徽懷甯人，進士，四月任，北岸。			
九						黎極新廣西永淳人，舉人，五月任，北岸。陳應樞山東濰人，舉人，九月任，北岸。			
十		齊士蕃歷署平谷、固安，九月署。賀瀛二十	鄧錫恩七月署。喬文蔚七月任。			李書堃山東臨清州人，監生，二月任，北岸。			

		月由大興知縣署，十一年三月去。			李載蘇 四月任，石景山。朱錫慶 五月任，南岸。			
十一		費濤 三月回任。			王茂壎 四月復任，石景山。			
同治元年	喬文蔚 山東高密人，進士，十月署。		陶彥壽 十月署，二年六月兼署治中，詳治中表。		凌松林 河南西華人，進士，二月任，北岸。			
二		余汝修 十二月由宛平知縣兼署。蕭履中			隆祥 滿洲鑲藍旗人，官學生，正月任，南岸。			

			十二月遷自密雲知縣，十一年遷治中。					
三				鄒在人 浙江錢塘人，五月任，歷東路同知、通州知州、治中。				
四	鄧錫恩 二月再由通州知州署。 徐綖 江蘇吳人，監生，二月任。 鄧錫恩 六月又由通州知州			陶彥壽 三月再署。				

	五	六	七
署。	余汝修 江蘇武進人，附貢，八月任。		
	鄒在人 二月回任。		
		陶彥壽 十二月署，十一年三月去。	
	程迪華 江西新建人，監生，七月任，北岸。	余汝偕 江蘇武進人，舉人，三月任，南岸。 王茂壎 八月由石景山同知兼署，北岸。	程迪華 正月任，北岸。 王茂壎 九月由石景山同知
			惲桂孫 江蘇陽湖人。

	八	十
	吕圻 十一月任，詳北路同知。	鄒在人 六月由西路署。
		孫樅 二月署。
	鄧錫恩 十一月由通州知州署，十年五月卒。	彭瑞麒 正月由昌平知州兼
兼署，南岸。	王維清 浙江諸暨人，監生，二月任，北岸。 朱錫慶 三月任，南岸。 張毓先 河南商城人，七月任，北岸。 王養壽 十一月由南上汛兼署。	朱津 四月任，南岸。
		馬淮 山西介休人。

			高霞 九月署。	護，二月去，餘詳大城縣表。 陶彥壽 二月署，十一年二月去。				
十一	郝聯薇 山東棲霞人，軍功，署三河縣，四月任。	陶彥壽 二月署，十二年去。	鄒在人 四月同任，光緒六年遷治中。	彭瑞麒 二月復由昌平知州代理，三月離。 鄭沂 三月遷自大興知縣，十二年葺署，光緒四年五月去。	唐成棣 十月任，石景山。		劉松嶺 山東濟陽人。	
十二		邱銘勳 二月遷自武清知縣						

	十三	光緒元年
，詳永清傳。	楊謙柄 四月由固安知縣兼護。 李賡雲 十一月由固安知縣署。	
	張毓先 十一月由北岸調石景山。 唐成棣 十一月由石景山調北岸。	吴廷斌 安徽涇人，二月任，南岸，十二月調北岸。 蔣廷皋 江蘇元和人，監生，八月任，石景山。 吴士湘
		俞紹萊 浙江德清人。

	二	三
	汪家勳，十一月任，五年正月去，詳大興縣表。	
安徽桐城人，監生，十二月任，南岸。	楊金鍔，山東壽光人，監生，四月任，石景山。 桂本誠，安徽貴池人，監生，南岸。 朱豫復，河南祥符人，北岸。	黃昭鑑，山東蓬萊人，監生

	四	五
		查光泰
	張邦慶 山東陽穀人，廪貢，五月由候補同知署，七月去。 鄭沂 七月同任，七年四月去。	
，十月任，南岸。 吴廷斌 復任，北岸。 吴士湘 十月調石景山，詳前。	吴廷斌 二月復任，南岸。 朱豫復 二月復任，北岸。	桂本誠
		桂本誠

	六	七	八
正月由三河知縣署。陶彥壽 六月調自順德同知。			
	石賡臣 八月署。	張濟康 浙江烏程人，監生。	
		張邦慶 四月再署。	陳象瀛 山東榮城人，監生，遷自糧馬通判。
十月任，南岸。			張起鵬 浙江秀水人，監生，任北岸。竇延馨
			吴廷斌
詳南岸同知。吴廷斌 倡勸兵民於運河兩岸種柳五萬株護隄。詳南岸同知。			
			文麟 蒙古鑲藍旗人。

					安徽霍邱人，監生，任石景山。			

國朝通判表十二

	雍正五年	十	十一	十二
通州倉場漕運河務通判				
通州理事糧馬通判				
固安三角淀通判				朱光瑛
固安北運河通判				
武清楊邨通判	張培微 棗强人。	任紀 河南靈寶人。	汪鐸 湖廣京山人。	張培微
甯河蘆臺場通判				
薊州糧河通判				

			江南宣城人。設官始此。		再任。		
十三			彭景曾浙江海鹽人，署。姚孔廞江南桐城人，監生。閆有信山東博興人，署。		楊恕瑛江蘇江都人。		
乾隆元年			徐文燦		裘允達浙江山陰人。燕宏祖山東歷城人。		
三			永壽鑲黃旗人。				

四	五	六	十	十六	二十
		胡君友詳楊邨通判。	劉杰鑲白旗人。	甘士琛正白旗人，監生。	徐大綱漢軍正藍旗人。
胡君友景州人，監生。彭景曾五年遷河西務同知。	禄格滿洲正白旗人。				

	二十八	三十四	三十六	三十八
	谷起豐潤。			
	長德滿洲鑲藍旗人。		五查里滿洲正白旗人。	
陳鐸東安人，由南三工涿州州判署。	朱曾敬山東歷城人，監生。	徐敬儒山西代州人，舉人。	李汝琬陝西咸甯人，附生。 張壬仕湖北漢陽人。	李光理安徽廬江人，拔貢，由北七
	陳鐸詳三角淀通判。			
			鍾秉惠遷自通州土壩州同。	

				工署。阮芝生江蘇山陽人，進士。				
四十二				曾成勳湖南興甯人，由淀河州判署。沈鶴源浙江湖州人，監生。董杰浙江山陰人，監生。				
五十七				翟蕚雲浙江仁和人，監生。				
六十				鄒試湖北漢陽人。				

			陳煜江蘇山陽人，附監，署。				
嘉慶元年			顧三秀				
二			陳煜再任。				
四			李逢亨陝西平利人，拔貢，遷自霸州州判。				
六			周景河南商城人，附貢，署。				
七			陳起鴻浙江山陰人。				
十			俞英世				

			浙江會稽人，監生，署。陳起鴻再任。				
十三			沈旺生浙江桐鄉人，監生，署。吳懷				
十五			孫星衢　張泰運署。				
十六			沈旺生再任。				
十七			張泰運再任。				
十九			鄭以簡南詳				

			頭上工，霸州同。				
二十			宋綸光江蘇長洲人，監生，八月任。				
二十一			陳春熙江蘇如皋人，監生，正月任。				
二十二			黃桂林江蘇碭山人，監生，五月任。				
道光二年			陳鎮標七月任。 徐銈八月任。				

			蔣宗墉十二月任。				
三	徐鏞浙江人，十二月任，八年去。		胡侍丹九月任，十一年去。				
八	葉德豫江蘇人，三月任，九年去。						
九	李僡陝西人，三月任，十二年去。						
十一			張夢麟七月由南六工汛霸州州判兼署。 婁豫浙江				

			山陰人，監生十一月任。			
十二	徐鏞 七月再任，二十八年去。		汪兆鵬 八月任。			
十九			蔣景暘 三月任。			
二十			褚裕仁 甘肅西甯人，進士，三月任。			
二十一			寶喬林 三月任。 翟宮槐 山東壽光人，進士，十月任。			

二十三			葉棨春浙江慈谿人，監生，閏七月任。			陳錫鈞廣東貴人，癸酉舉人，四月任，二十八年五月去。	
二十四			馬晉錫正月由南六汛任。				
二十五			羅瀛三月任。				
二十八	畢昌緒山東人，十一月任，咸豐四年去。					許之劭五月任，二十九年五月去。	
二十九			葉棨春正月再任。王仲蘭十二月任。			石贊清進士，正月任，咸豐三年四月去。	

咸豐三年			李載蘇 八月任。			黃楷 四月任，六年二月去。	
四	兆安 滿洲鑲黃旗人，五月任。 畢昌緒 五月回任。		司馬鍾 四月任。				
五	龔國瑞 江蘇長洲人，監生，九月任，六年去。		李載蘇 正月回任。				
六	戴沛 雲南人，二月任，九年去。		曹文懿 正月任。 汪桂 六月任。			連桂 滿洲人，二月任，十一年五月去。	
七			龔國瑞 六月				

	八	九	十一	同治二
		李昌祺雲南人，十二月任，同治二年去。		常森桂山西
任，詳前。	唐郁四川綿州人，監生，二月任。			
			陳寶浙江山陰人。	
			耆齡滿洲人，正月任，十二月去。 李鏡瀛十二月任，同治四年八月去。	

年							
年	人，八月任。						
二	李載蘇浙江人，六月任，八年去。						
四			汪玉藻五月任。			裘春錦八月任，五年六月去。	
五						陳耀昆六月任，六年九月去。	
六			朱津浙江歸安人，監生，十月任。			丁崇欽七月任，七年四月去。	
七		希凌阿滿洲鑲紅旗人，四月任，光緒元年去。				蔭禄滿洲人，四月任，十三年七月去。	

八	九	十	十三
常森桂三月回任。	丁崇欽字幼溪，雲南楚雄人，八月任，十三年去。		原振鈞山東人，二月任，光緒三年去。
		蔣士琦江蘇長洲人，監生，四月任。 趙書雲安徽涇人，監生，十二月任。	
			丁崇欽七月再任，光緒元年去。

光緒元年		徐本培浙江德清人，正月任。志道滿洲正藍旗人，二月任。				盧希植安徽無爲人，壬戌舉人，七月任。	
二		蔣壽頤江蘇人，十一月任，三年去。	程迪華二月任。宮兆庚十月任。				
三	程肇鑄江蘇人，三月任，五年去。	阿昌阿滿洲正黃旗人，二月任。	李占春雲南宜良人，三月任。				
四			宮兆庚復任。	李翊治河南固始人。			
五	李昌第山東		唐應駒浙江				

年未詳

人，九月任。

山陰人，二月任。

曾貫之　貴州安化人，乙酉拔貢。

存祿　蒙古正白旗人，庚子進士。

朱津　詳三角淀通判。

龔國瑞　詳三角淀通判。

陳元祿　浙江錢塘人。

趙書雲　詳三角淀通判。

潘漣　浙江歸安人。

					丁肇元江蘇武進人。陸錫曾浙江桐鄉人。竇延馨安徽霍邱人。		
六					李翊治河南固始人，己未舉人。		
九	丁崇欽回任。		李占春回任。				

國朝大使表十三

	大興遞運所大使廢	良鄉大使廢	通濟庫大使	寶坻大使廢	甯河大使
順治元年		吳之贊			

乾隆元年					徐國琛漢軍正藍旗人，三月任，六年七月去。
六					郭宷大興人，八月任，十八年三月去。
十八					崔緒池山西陽高人，四月任，二十六年十一月調長蘆小直沽批驗所大使。
二十六			范克仁四川華陽人。		閻思恭漢軍正黃旗人，十二月任。
五十一					李宗蕃山東惠民人，貢生。
六十					劉徽江蘇寶應人，監生。

嘉慶五年					張春宇江西永豐人，監生。
十七年前					沈蓮生
十七					劉佳珍江西新淦人。
道光二年					萬啟進江西南昌人。
二					郝夢槐。山西人
四					金承詔安徽桐城人。
十三					郝同綸
十六					胡蘭滋署。 汪俶。十二月任
十八					靈山，滿洲旗人，二月署。

					孫慧業江蘇金匱人，附監，十二月任。
二十七					章玉棨。六月任 朱徵宅安徽歙人，十一月任。
咸豐元年					胡蘭滋署。 王希賢江蘇吴人，監生，八月任。
十					陳焕署浙江紹興人，十二月任。
同治元年					張恆吉山東濟甯人，監生，四月任。
二					熙成，滿洲旗人，十月任。

三		丁學珠浙江山陰人，監生，十一月任。	程炳泰江蘇吳人，附生，七月任。
光緒五年		莊濠江蘇陽湖人，監生，四月任。	

國朝司獄表十四

	南路司獄	西路司獄	北路司獄
雍正年未詳。		吳大用浙江山陰人。	
乾隆二十九年	秦永邦四川射洪人。	邵萬業浙江山陰人。	賈悅山西汾陽人。
三十七年	趙國樞浙江山陰人。		
咸豐五年			朱咸章雲南通海人，三月任，六月去。 宮家鳳安徽懷遠人，六月任，同治二年正月

			去。
同治元年	潘詠惠十月署，二年九月去。餘詳北路司獄。		潘詠惠浙江德清人，四月署，十月署南路司獄。
二	陳廣煒浙江山陰人，九月任，六年三月移任宣化縣稍營。		錢椿，浙江山陰人，正月署，二月去。 蔣文海奉天承德人，二月任，六月去。 孫緒浙江會稽人，吏員，六月任，四年六月去。
四			任邦俊江西南昌人，四月署，七年五月去。
六	李重華三月署，六月去。餘詳三河典史表。 唐金壽江蘇江都人，調自宣化縣稍營巡檢，六月任，八年三月去，歷永清典史、武清楊郇驛丞。		
七		查興沃安徽懷甯人，五月任。	劉鉞，湖北江夏人，五月署，九月去。

	八	九	十一
	陳贊三月由永清典史署，十二月去。 羅培宗十二月由黃邨巡檢兼署，九年二月去。	王朝紀二月署，四月去。餘詳保定、大城典史表。 羅培宗四月復兼署。 劉凝鈞四月由信安鎮巡檢署，十二月調署龐各莊巡檢。 于德敏山東萊陽人，十二月署。	
袁壽芝山東歷城人，九月任，十月去。 劉鉞十月復署，八年十一月去。	徐上雲四川成都人，十一月任，十一年八月去。		翁步洲浙江蕭山人，八月署，十二年三月去。

十二	羅培宗八月復兼署。 魏邦偐山東惠民人，九月署，十二月去。 唐金壽十二月再任，三年十一月卒。		徐上雲三月回任，十二月去。 洪恩福十二月任，十三年四月去。餘詳固安典史表。
十三	羅培宗十一月復兼署。 李廷桂浙江會稽人，十一月署，光緒元年十二月去。		王汝衡浙江山陰人，四月任，光緒元年二月去。
光緒元年	章寶廉浙江山陰人，十二月任，三年八月去。	李成章十一月署，二年六月去。餘詳河西務巡檢表。	戴繼恩滿洲正白旗人，二月任，四年三月去。
三	李成章八月署，十月去。餘詳西路司獄。 章寶廉十一月回任，四年十二月去。		
四	朱錫庚十二月由黃村巡檢兼理，五年七月改專署司獄，六年五月回任黃村巡檢。		鄭沂三月由同知兼攝。 翁步洲四月署，五年四月去。

五			姚詩道安徽桐城人，四月任，九月去，十二月回任，六年六月去。 馮可珍浙江慈谿人，九月署，十二月去。
六	王錦章山東諸城人，五月任。		張起鵬浙江山陰人，六月署，十月去。 王恩爵安徽桐城人，十月任，七年五月去。
七			張鳳翥安徽桐城人，五月任，十月去。 潘詠蕙十月再署，十二月卒。 張邦慶十二月由同知兼攝。
八			王恩爵正月回任。
九		章毓秀浙江會稽人，監生。	胡文耆浙江上虞人，監生。

國朝驛丞表十五

	良鄉縣驛丞	通州和合驛兼巡檢潞河驛丞（和合驛官失考，入表者皆和合丞。）	武清縣楊邨驛丞兼巡檢河西務驛丞	密雲縣驛丞	涿州涿鹿驛丞	薊州驛丞
順治五年	殷國珍					
十二	舒天培					
十七	口殿臣					
康熙二年	口國臣					
七			徐師古（福建海澄人，任楊邨，十九年四月遷知淮安府。）			

年未詳	崔廣浙江紹興人。 口德浙江紹興人。 梁顔陝西三原人。					
十二				朱芳瀛江南上海人。按：此在改石匣丞之前，密雲鄭志入縣丞表，非。		
十六			張有芳鐵嶺衛人，十月任，河西務。			
十九			章名永浙江會稽人，八月任，楊邨。			
二十			吴光祖太原前衛			

五			人，四月任，河西務。			
二十九			張芝玉河南襄城人，十月任，楊郵。			
二十一年 前					胡啟賢浙江餘姚人。王文元浙江錢塘人。陳萬善浙江山陰人。張梓河南人。章獻謨浙江人。玉永玘陝西人。	賞萬章浙江山陰人，吏員。楊應傑浙江山陰人，吏員。趙明桂浙江會稽人，吏員，卒。王紹益浙江會稽人，吏員，遷江南英山典史。魯周銓浙江會稽人，吏員，革。

三十一						鄔棠浙江嘉興人，吏史，八月任，四十二年協修州志。
三十四			李瑤蓴江蘇無錫人，九月任，河西務。			
四十三			李好學山東臨朐人，十二月任，楊邨。			
四十五			華鸞陝西富平人，九月任，河西務。			
四十九			張爾恭陝西富平人，九月任，楊邨。賀爾功陝西耀州			

			人，九月任，河西務。			
五十六			蕭藻江西新城人，十二月任，楊邨。			
年未詳		辰之屏	宋珣任河西務。			
五十七			王煜山東濰人，十一月任，河西務。			
雍正元年			黃效愈浙江山陰人，六月任，河西務。			
三			余光連江南石塘人，八月任，楊邨。			
四年前					顧顯貴河南人。	

四					牛維翰江蘇淮安人。按：此後丞廢。	
五	王廷傑山西安邑人，吏員。					
七			董彪山西定襄人，十二月任，楊邨。			
九	張芝陝西富平人，吏員，九年調高陽典史。		高士元陝西富平人，三月任，河西務。			
十一	按：是年兼巡檢。		按：是年兼巡檢。			
十二		王宏珏甘肅張掖人，貢生，遷房山縣丞。				
乾隆元		滿清源四川峨嵋				

年		人，吏員。				
七			吴國甸甘肅甯朔人，四月任，楊郵。			
十一		張德亮山西浮山人，吏員。				
十六		蔣世壽浙江諸暨人，供事，遷福建崇安典史。				
十七		蔡士鼎浙江山陰人，調永定河工效力。				
十九		陳大有江南江甯人，吏員。				
二十九		鮑棠浙江錢塘人，監生。	朱啟發浙江會稽人，任楊郵。			

三十		姚廣安徽桐城人，監生，是年調大興采育巡檢。韓志溥四川成都人，監生。袁起淑江西宜春人，監生。			
三十七			王世景江蘇吳人。		
四十四		劉奉朝江西盧陵人，廩生。			
道光二十八年			馮鼎楊邨。		
三十		洪恩福署，詳固安典史。			

咸豐三年			鄒元武浙江蕭山人，任楊郈。			
七	沈承謨浙江歸安人，十月任，同治元年調武清楊郈驛丞。		李應華江西盧陵人，任楊郈。			
十一			翁步洲六月署。			
同治元年		杜友仁浙江山陰人，四月任。 張廷楷浙江山陰人，十一月任。	沈承謨四月任楊郈，調自通州和合驛丞。			
六			孫祖望九月署。			
七		陸鳳和浙江會稽人，七月任。	左元文江蘇陽湖			

		張文杰江蘇江寧人，九月任。	人，五月任，楊邨。			
九			唐金壽三月署南路司獄，署。			
十二			路聯奎安徽懷甯人，十月任，楊邨。			
光緒七年	葉蔭之九月署。 蔡廷栻十月任。					

國朝閘官表十六

	大興慶豐閘官 天豐閘官廢	宛平奉宸苑柳邨閘官 廣源閘官 雷家閘官	通州通流河閘官

康熙二年	解思讓慶豐閘。		
十七	陳一承慶豐閘。		
雍正七年			陳宏調自通州吏目。
乾隆二十九年	胡兆龍涿州人，慶豐閘。	吴萬榮浙江山陰人，柳邨閘。（据吴氏譜） 沈鵬翀浙江仁和人，柳邨閘。	楊龍翔山東歷城人。
道光十六年前			程椿江蘇甘泉人，監生，由未入流補，歷宛平巡檢、香河主簿。
二十五	胡力田		
二十六	徐慶錫咸豐六年去。		
咸豐六年	嵇蓮生		
七	李興沃		
八	王宗沂		

同治三年			吴廷鉅，江蘇丹徒人，六月任。
八		濮丙鑅，浙江山陰人，供事，六月補，柳邨閘。	
十	郭彥賓，署。		
十一	謝德馨，福建長樂人，十一月補，慶豐閘。		
光緒二年		陶克修，通州人，八月補，柳邨閘。	
四			陳慶蕃，浙江錢塘人，十一月補。
九	韓兆霖，山東章邱人，監生，補慶豐閘。	繆華增，安徽蕪湖人，監生，補柳邨閘。	

官師志十八

國朝學官表十七

德清傅雲龍纂　江陰繆荃孫覆輯

	順治元年
提督學政	
府滿漢教授訓導	
良鄉教諭訓導	谷起雲 山東人，訓導，遷知醴泉縣。
固安教諭訓導	
永清教諭復設訓導	
東安教諭訓導	
香河教諭訓導	
通州學正訓導漷縣教諭訓導	湯大臨 順天人，舉人，學正。 劉雲鶴 奉天人，貢生，學正。 杜元培

	二	三
	曹溶字潔躬，浙江秀水人，前丁丑進士。	
	孟應熊任縣人，教諭。	
		馮熙朝正定人，歲貢，教諭。 孟陳生灤州人，歲貢，訓導，遷知福建將樂縣。
直隸人，舉人，學正。 馮獻策欒城人，貢生，滦縣訓導。		

	四	五	六
1	張鳴駿 福建龍溪人，前庚辰進士。		
2			
3		盧熢 教諭，遷自香河訓導。 靳日煌 安平人，拔貢，訓導。	
4			
5	張我第 唐山人，教諭。 劉俊 博野人，訓導。		
6			潘鵬程 灤州人，歲貢，教諭。 頡光 清苑人，舉人，教諭。
7	盧熢 易州人，歲貢，訓導，遷良鄉教諭。		
8		劉世豸 雄人，舉人，學正。	

七	八	九	十
王昌廕 字雪園，山東淄川人，前丁丑進士。	朱鼎延 字嵩巖，山東平陰人，前癸未進士。	宗敦一 字凌霄，四川敘州人，前辛未進士。	程芳朝 字其相，江南桐城人，順治丁亥進士
唐琛 邯鄲人，歲貢，教諭。			王果 永年人，訓導。
	張國楨 南皮人，教諭。 佟希聖 奉天甯遠人，訓導。		

	，以編修任。							
十二			韓特犱 高陽人，舉人，教諭。按：良鄉志，末一字作犱，今攷字書，無犱字。		李鳳翔 甯晉人，訓導。			
十三			郭萬尋 東光人，歲貢，訓導。			傅爾鉁 衡水人，歲貢，訓導。		
十四	姜元衡 字玉璿，山東即墨人，順治己丑進士，以贊善任。		梁禎 灤州人，戊子舉人，教諭，遷翰林院待詔。					

十五	十六年 前
高履恭 威遠人，訓導。	
劉映斗 定州人，歲貢，訓導。	
	李思問 雄人，貢生。灤縣教諭，下二人同。 梁可薦 沙河人，貢生。 黃忱孝 永平人，舉人。 王直臣 保定人，貢生。灤縣訓導，下二人同。 馬勝任

	十六	十七年 前
	熊伯龍 字次侯，湖廣漢陽人，順治己丑進士，以祭酒任。	
		王言 欒城人，拔貢，教諭。
		熊世懿 湖廣麻城人，進士，教諭。 劉第 獲鹿人，貢生，教諭。 王嘉謨
	趙璧 河間人，教諭。	
		焦文華 東鹿人，歲貢，教諭，遷知宿遷縣。
永平人，貢生。 伊斐 阜平人，貢生。	傅廷俊 滄州人，舉人，學正，己亥進士。	趙耀文 訓導。 吳天麟 宣化人，訓導。 趙丕照 訓導。

	十八年 前
河間人，恩貢，訓導。仇琛器井陘人，歲貢，訓導。	
	唐承詰大同衛人，歲貢，教諭。邢傑吳橋人，歲貢，教諭。劉士模灤州人，歲貢，遷知懷甯縣。張大道北直人，舉人，卒。
	回趨聖學正。劉儐唐縣人，學正。白啟蒙南皮人，訓導。樊應薦訓導。

							劉承爵大名人，卒。	
十八						王夢明安肅人，歲貢，教諭。裁。		
康熙二年		張雲孫由宛平丞署教授。	耿所行高邑人，歲貢，訓導。					
		黃忱孝教授。						
三	汪煉南字治夫，湖廣黃岡人，順治壬辰進士，以侍讀學士任。							
四		洪德元				石光嶽		

	五	年未詳	六
			蕭惟豫字介石，山東德州人，順治戊戌進士，以侍讀任。
，正藍旗人，副貢，廷試授滿教授。海齡滿訓導。（二人竝據滿洲儒學碑）			
	賈一董雞澤人，訓導。		
昌黎人，歲貢，訓導。			
		客日章新城人，訓導。	高鈺清苑人，舉人，學正。董敏修訓導。按：是年缺裁。

年未詳

田應昇 昌黎人，舉人，教諭，入名宦。

孫逢年 冀州人，舉人，教諭。

尹珍 靈壽人，貢生，教諭。

祁正灴 安州人，歲貢，訓導。

滕立政 武邑人，歲貢，訓導。

王祚明

				慶都人，舉人，教諭，十七年署知縣。				
九	胡簡敬 字又弓，江南沭陽人，順治乙未進士，以侍讀學士任。							
十			李經世 無極人，歲貢，訓導。			邢師孔 新河人，歲貢，訓導。		
十一			郝鵬九 深州人，歲貢，訓導。			馬元調 任縣人，歲貢，與知縣王元美修志。		
十二	蔣超 字虎							

	臣，江南金壇人，順治丁亥進士，以編修任。							
十四					喬寯 懷安衛人，訓導，課士有法。			
十五	王澤宏 字涓來，湖廣黃岡人，順治乙未進士，以侍讀任。							
十六年前								閻允吉 盧龍人，舉人，學正。
十六	吳國對				王願庶	孫肯廷		劉祚昌

	字玉隨，江南全椒人，順治戊戌進士，以侍讀任。				邢臺人，歲貢，教諭。	正黃旗人，貢生，教諭。		饒陽人，貢生，訓導。
十七年 前							李可柱 新樂人，舉人，教諭，遷曲周教諭。 傅大倫 居庸人，歲貢，訓導，卒。	
十七							張士晉 東鹿人，拔貢，教諭。 王愈 訓導，課士多成就。	

十八	十九	二十	二十一年前
吴珂鳴 字新方，江南武進人，順治戊戌進士，以中允任。			
			張廷獻 景州人，教諭，遷知陝西三原縣。
陳又新 保安人，癸卯舉人，教諭，成進士。	魏孚嘉 柏鄉人，歲貢，訓導。按：缺是年復設。	楊文璟 晉州人，歲貢，三月任，訓導。	
			徐人望 學正，詳傳。

	二十一	二十二年前
	董訥字默菴，山東平原人，康熙丁未進士，以侍讀任。	
		徐懋賢江南人。張鋡山西人，進士。李如榴遼東人，貢生。王天成遼東人，舉人，官
孫國璽阜城人，歲貢，訓導。		
	傅鳳翔新河人，歲貢，訓導。	

至翰林院學士。

張萃 蠡人，乙未進士，官至四川提學道。

馬聖任 永平人，貢生。

高鳳彩 浙江人，廕生。

黄忱孝 永平人，舉人。

陳名世 新安人，舉人。

趙似祖 唐山人，舉人。

李九標 宣化人，舉人。

邢吉士 欒城人，舉人。

已上十二人教諭。

□國城

李載陽

□自然

魯讀書

李克己

高桂 保定人，歲貢，遷知尉氏縣。

李超俗

許琬 保定人，歲貢，遷知□

		縣。 許岳裔 真定人，貢生。 張調鼐 大名人，歲貢。已上十人訓導。						
二十三	李應鷹 字諫臣，山東日照人，康熙丙辰進士，以中允任。							
二十四					及纁 乙卯舉人，教諭。 韓同范 訓導。（據儒學碑）			

二十七	二十八	二十九	三十一
	朱皐字卽山，浙江山陰人，康熙庚戌進士，以詹事任。		李光地字晉卿，福建安溪
		楊天擢滄州人，歲貢，訓導。	
	李訓大名人，舉人，教諭，成進士。		崔璿易州人，歲貢，訓導。
	霍紹曾井陘人，舉人，教諭。		李銑高陽人，舉人，教諭。
南賡滿城人，貢生，學正，課士先器識，遷河間教諭，入名宦。	尹澍字霖，深州人，舉人，學正，修州志，力任校勘。		

	人，康熙庚戌進士，以詹事任。								
三十三	楊大鶴字大鵾，江南武進人，康熙己未進士，以諭德任。			劉鴻業正定人，戊午舉人，教諭。		張裕貞清河人，恩貢，訓導。		載璿字玉齋，滄州人，貢生，訓導，分校州志，入通州名宦。
三十五	顧藻字懿樸，江南崇明人，康熙丙辰進士，以侍讀任。								
三十六	楊名時字賓實，江南江陰人，康熙辛未進士		李維翰教諭，詳傳。						

	，以侍讀任。							
三十七						王熙運蔚人，恩貢，訓導。		
三十九	梅之珩字月川，江西南城人，康熙乙丑進士，以諭德任。							
四十				馬祖璧廣平人，辛酉舉人，教諭。 張蘊保定府左衛人，歲貢，訓導。		耿昇獻人，歲貢，訓導。		耿潢東鹿人，舉人，學正。

四十一	四十二	四十三	四十四	四十五	四十
	戴紱字道園，浙江烏程人，康熙辛未進士，以侍講任。				周起渭
		董錕豐潤人，教諭。			
戴曇滄州人，歲貢，教諭。			戈玠景州人，歲貢，教諭。	武昌鹽山人，歲貢，訓導。	劉扢芳

六	字漁璜，貴州新貴人，康熙甲戌進士，以詹事任。					滿城人，歲貢，訓導。		
四十七				耿永平 安肅人，丁卯舉人，教諭。				
四十八	李鳳翥 字雲麓，江西建昌人，康熙丁丑進士，以侍講任。 陳璋 字臨湘，江南長洲人，康熙甲戌進士，以			范繩祖 薊州人，歲貢，訓導。				

年								
侍講學士任。								
四十九						趙怡 盧龍人，歲貢，訓導。		
五十一年前								王廷詔 成安人，貢生，訓導。
五十一	查嗣瑮 字德尹，浙江海甯人，康熙庚辰進士，以侍講任。							及賁 交河人，學正。
五十三	張逸少 字天門，江南丹徒人，康熙甲戌進士							

	，以侍講任。							
五十六	吳士玉 字荆山，江南吳縣人，康熙丙戌進士，以内閣學士任。					袁履恕 阜平人，貢生，訓導。		林瀚 阜城人，廪貢，學正。 孫啟宗 容城人，貢生，訓導。
五十七								李堞 蠡人，舉人，學正。 載佩 奉天鐵嶺人，貢生，學正。
五十八	陳世倌 字秉之，浙江海甯人，康熙癸未進士							

	，以侍讀學士任。							
六十							牛好問 甯津人，歲貢，訓導。	
六十一						陳明揚 教諭。		
雍正元年	吳襄 字七口，江南青陽人，康熙癸巳進士，以詹事任。							馮樞 保定人，舉人，學正。
二								息如洵 東光人，舉人，學正。
三							黃之瀚 青縣人，舉人，教	

						諭。		
四								齊澤茂 奉天廣甯人，歲貢，學正。 賈三德 漢軍鑲藍旗人，歲貢，訓導。
五	孫嘉淦 字錫公，山西興縣人，康熙癸巳進士，以司業任。					汪仲玉 開源人，歲貢，訓導。 尹士奇 天津人，舉人，教諭，乾隆十三年遷國子監典簿。		王曾續 武強人，舉人，學正。
七	楊超曾							諸文燦

	字駿驪，湖廣武陵人，康熙乙未進士，以內閣學士任。							江蘇長洲人，供事，訓導。
八		閆九疇 漢教授。 鐵聲金 漢訓導。						尹樹德 長垣人，舉人，學正。
九	吳應棻 字小眉，浙江歸安人，康熙乙未進士，編修，以侍講任。				徐方杲 教諭。			
十一								張棠 南皮人，舉人，學正。

乾隆元年	三	五	六	八
錢陳群 以通政使任，餘詳兼尹表。			林令旭 字豫仲，江南婁縣人，雍正庚戌進士，以太常卿任。	趙大鯨
			楊聆 靈壽人，拔貢，教諭。	
	郭鳳雝 開州人，歲貢，訓導。			蘇文輝
張伸 奉天甯遠人，歲貢，訓導，遷南和教諭。		張名正 獻人，舉人，學正。		

	字橫山，浙江仁和人，雍正甲辰進士，以副都御史任。					海城人，歲貢，訓導。		
九	吕熾 字克昌，廣西臨桂人，雍正丁未進士，以工部侍郎任。							
十					喬基 訓導。（據儒學碑）			
十三						楊聆 教諭，徙自永清教諭。 張伸 署訓		

	十四	十五
		張泰開字履安，江南金匱人，乾隆壬戌進士，以禮部侍郎任。
	邸霦昌黎人，歲貢，教諭。	
導，詳漷縣教諭。	戈雲巖景州人，舉人，署教諭。金鼎元城人，拔貢，教諭。霍敏德井陘人，歲貢，訓導。	
	盧秉彝淶水人，舉人，學正。	

十六					孫可法臨城人，歲貢，訓導。			
十八	徐以烜字養資，浙江錢塘人，雍正庚戌進士，以禮部侍郎任。				孟爾讀唐山人，歲貢，訓導。			陳章西甯人，貢生，訓導。
十九				丁賢儒奉天甯遠州人，歲貢，訓導。				李中禮東明人，貢生，訓導。
二十一	莊存與字芳畊，江南武進人，乾隆乙丑進士，以內閣學士任。							

二十二			蔣吉相 教諭。 劉文瑞 訓導。				高其愉 昌黎人，副貢，教諭。 王元振 靜海人，歲貢，訓導。	賈維域 新樂人，歲貢，訓導。
二十三	金德瑛 字汝白，浙江仁和人，乾隆丙辰進士，以禮部侍郎任。	富炎泰 滿洲鑲藍旗人，進士，教諭。 高謙 滿洲 鑲黃旗人，拔貢，訓導。	張廷斌 正紅旗人，副榜，教諭。					郭珣 高陽 人，歲貢，學正。 董思易 豐潤人，貢生，訓導。
二十六	張泰開 以副都御史再任。		張自新 定興人，歲貢，訓		陳宗文 肥鄉人，歲貢，訓			閻曉 蔚州 人，舉人，明通榜

			導。		導。			，學正。
二十七					王作哲 故城人，歲貢，訓導。	莫廷榕 景州人，舉人，教諭。		
二十八	程巖 字巨山，江西鉛山人，乾隆己未進士，以工部侍郎任。							
二十九		常源 雄人，廪貢，訓導。		邊茂林 任邱人，舉人，教諭。 金恢祖 任邱人，歲貢，訓導。	秦永恭 藁城人，拔貢，教諭。	孟楫 南樂人，歲貢，訓導。		鄧時中 灤州人，貢生，訓導。

三十	德保字仲容，滿洲正白旗人，乾隆丁巳進士，以吏部侍郎任。							
三十二	蔡新字次明，福建漳浦人，乾隆丙辰進士，以刑部侍郎任。	傅彬滿洲鑲黃旗人，進士，滿教授。福山滿洲鑲白旗人，歲貢，滿訓導。			商珏奉天鐵嶺人，教習，訓導。			劉棟正藍旗包衣，舉人，學正。
三十三	倪承寬字餘疆，浙江仁和人，乾隆甲戌進士	程式溓臨榆人，歲貢，漢訓導。			徐元祐長垣人，庚午舉人，教諭。	李華蓋平人，拔貢，教諭。		

	，以禮部侍郎任。							
三十五					邊茂林署教諭，詳固安教諭。	王克仁唐縣人，歲貢，訓導。		
三十六	李宗文字延彬，福建安溪人，乾隆戊辰進士，以兵部侍郎任。		楊鹿鳴奉天鑲藍旗人，拔貢，教諭。		董思源玉田人，癸酉舉人，教諭。楊篤行靈壽人，歲貢，訓導。		金勇天津人，副貢，教諭。	
三十七		劉瑄天津人，進士，漢教授。	郭永盛河間人，舉人，訓導。				商鈺鐵嶺人，訓導。	魯有恆滄州人，舉人，學正。
三十九	羅源漢字方城，湖南長沙							

	四十	四十一	四十二	四十
人，雍正癸丑進士，以副都御史任。				汪廷璵
		梅汝龍 雄縣人，己卯舉人，署教諭。	劉焕 平山人，庚寅舉人，教諭。 王佑 祁州人，歲貢，訓導。	宋宗彝
	王沛 深澤人，舉人，學正。	張兆鵬 昌黎人，舉人，訓導。		

三	字衡玉，江南鎮洋人，乾隆戊辰進士，以內閣學士任。				奉天遼陽人，訓導。			
四十四	金士松 字亭立，江南吳江人，乾隆庚辰進士，以詹事府任。							
四十五年前				王朝英 訓導。				
四十五				周瑋 進士，教諭，入名宦。按：固安陳志，官師，瑋作璋，必有一譌。				

五十	沈初字景初，浙江平湖人，乾隆癸未進士，以兵部侍郎任。			訓導 蘇潢。倫蟠甲舉人，教諭。				
五十一	金士松以吏部侍郎再任。							
五十四	劉墉字崇如，山東諸城人，乾隆辛未進士，以內閣學士任。							
五十五	吴省欽字冲之，江南南匯人，乾隆癸未進士							

	，以工部侍郎任。
五十六	吴省蘭字泉之，江南南匯人，乾隆戊戌進士，以内閣學士任。
六十	吴省欽以工部侍郎再任。
嘉慶三年	趙佑字啟人，浙江仁和人，乾隆壬申進士，以吏部侍郎任。
六	曹城字顧崖，安徽歙縣人，

	八	九	十
乾隆辛卯進士，以吏部侍郎任。	王懿修 字春圃，安徽青陽人，乾隆丙戌進士，以禮部侍郎任。	陳嵩慶 字聲谷，浙江錢塘人，嘉慶辛酉進士，以翰林院侍講學士任。	戴均元 字可亭，江西大庾人，乾隆乙未進士
	張玉柱 教諭。 尚冠軍 訓導。		
		李文德 奉天人，舉人，教諭。	

	，以吏部侍郎任。							
十一	周兆基 字廉堂，湖北江夏人，原籍江蘇吴江，乾隆甲辰進士，以工部侍郎任。							
十二	劉鐶之 字珮循，山東諸城人，乾隆己酉進士，以户部侍郎任。				王發楠 正定人，己酉拔貢，教諭。			張雲騰 四月任，學正。
十三				崔杰 東明人，舉人，教諭。			牛增承 静海人，己亥舉人，大挑二等，九月	

							任，訓導。	
十四	吴芳培字雲樵，安徽涇縣人，乾隆甲辰進士，以詹事府詹事任。		趙令家教諭。					
十五	吴烜字鑑菴，河南固始人，乾隆丁未進士，以詹事府詹事任。		陳敬思天津人，舉人，訓導。					
十七			田嘉燕新城人，廪貢，署教諭。					
十八	戴聯奎							

	十九	二十
字紫垣，江蘇如皋人，乾隆乙未進士，以兵部侍郎任。吳芳培以兵部侍郎再任。		杜堮字石樵，山東濱州人，嘉慶辛酉進士，以翰林院侍讀學士任。
	耿廷梅冀州人，戊午副貢，教習，二月任教諭，丁憂去。	

二十一年前				牛□ 舉人，訓導。				
二十一				劉若梅 鹽山人，訓導。				
二十二					王發南 正定人，己酉拔貢，教諭。			
二十三							張槐 遷安人，乙卯舉人，大挑二等，十二月任訓導，道光十八年致仕。	
二十四	吴其彥 字美存，河南固始		牛震 獻人，舉人，署教諭。					

	人，嘉慶己未進士，以兵部侍郎任。							陳華十二月任訓導。
二十五								
年未詳			霍壽□東光人，舉人，教諭。	王之蕙祁州人，舉人，訓導。 劉杰遷安人，貢生，訓導。 梅景懷來人，舉人，訓導。				
道光元年				董蘭芬豐潤人，舉人，教				

				諭。				
二	毛式郇 字伯雨，山東歷城人，嘉慶己未進士，以宗人府府丞任。				索觀 安肅人，甲子舉人，訓導。			
四					李澤 交河人，訓導。		張槐 八月由訓導兼署教諭。 鞏壽基 隆平人，九月署教諭。	袁丕振 十月署學正。
五	彭邦疇 字春農，江西南昌人，嘉慶乙丑進士				元在功 靜海人，戊辰進士，教諭。		趙元圻 易州人，己卯副貢，二月任教諭，七	馬敦紀 二月署學正。 朱垂廣

	七	八	年未詳
，以侍讀學士任。		沈維鎬 字鼎甫，浙江嘉興人，嘉慶壬戌進士，以大理寺少卿任。	
			邊佛慧 任邱人，教諭。
			袁丕振 任邱人，舉人，教諭。 王廷建
月卒。	王相舉 交河人，己卯舉人，三月署教諭。	李振鐸 獻人，辛酉舉人，大挑二等，五月任教諭，二十二年病去。	
五月任學正。		王德教 四月署訓導。 譚仲璐 昌黎人，甲子解元，八月任訓導，入名宦。	

	十	十一
		劉彬士 字筠圃，湖北黃陂人，嘉慶辛酉進士，以光祿寺正卿任。
	顧彧 安州人，拔貢，教諭。	胡天相 博野人，副貢，教諭。
教諭。紀堪銳 獻人，拔貢，訓導。		
	王相舉 教諭，詳香河教諭。趙光烈 甯晉人，戊辰舉人，教諭。	

十二	帥承瀚 字海門，湖北黃梅人，嘉慶乙丑進士，以少詹事任。							吴日銑 十二月署學正。
十三				朱珏 豐甯人，教諭。				王賢舉 六月任學正。
十四	吴文鎔 字新語，江蘇儀徵人，嘉慶己卯進士，以侍讀學士任。							
十六	潘錫恩 字芸閣，安徽涇縣人，嘉慶辛未進士							

	十七	十八
，以兵部侍郎任。		
		張自立 深州人，舉人，訓導。
		張升 蔚州人，訓導。
	王叔常 鹽山人，舉人，十一月任，訓導，咸豐六年去。	
		丁北苑 豐潤人，丙子舉人，三月署訓導。 栗金珂 廣平人，丙子舉人，大挑二等，六月署訓導。 佟珍 朝陽人，己卯舉人，大

							挑二等，八月任訓導，二十年兼署教諭，二十二年丁憂。	
十九					蘇啟綬 交河人，教諭。 栗金珂 訓導，詳香河訓導。	田有棠 唐縣人，拔貢，訓導，八月任，咸豐二年去。		
二十	馮芝 字吾園，山西代州人，嘉慶戊辰進士，以禮部侍郎任。				李桐楓 肥鄉人，乙酉拔貢，教諭。 張麟臺 武强人，辛巳舉人，訓導。		佟珍 七月由訓導兼署教諭。 郁洵 玉田人，辛巳舉人，大挑二等，十二月任	

							教諭，咸豐八年致仕。	
二十一					劉閣如 阜平人，教諭。 盧鳳祥 博野人，訓導。			
二十二			王太平 曲周人，副貢，教諭。 王樹榮 吳橋人，舉人，署訓導。		楊寶善 遷安人，辛巳舉人，教諭。 劉斯紹 南皮人，辛巳舉人，訓導。		李雲光 邢臺人，拔貢，正月署訓導。 孔毓瑚 海甯人，歲貢，十一月任訓導，二十五年卒。	谷勳 七月署訓導。 張蕃育 十二月任訓導。

二十三	王廣蔭 字蔆堂，江蘇通州人，道光癸未進士，以正詹事任。		王應召 教諭。					張洛源 十一月署訓導。
二十四			顧光勳 交河人，署教諭。 傅逵 署訓導。 陳錦 安州人，舉人，教諭。					張鵬程 三月任訓導。
二十五		孟岱齡 漢教授，七月兼署訓導。 趙士希	鄭紹和 新河人，舉人，訓導。				谷勳 蠡人，壬午副貢，歷威縣教諭，三月署訓導。	陳世勳 四月署學正。 韓德昌 七月署訓導。

	二十六
	徐士芬字松庵，浙江平湖人，嘉慶己卯進士，以户部侍郎任。朱嶟字椒堂，雲南通海人，嘉慶己卯進士，以內閣學士任。
漢訓導。	呂全漢訓導。
李儀豐潤人，八月任訓導，咸豐元年丁憂。	
王晉康滄州人，舉人，八月任學正。劉昺任邱人，十月任訓導。	葛淩九故城人，十月任訓導。

二十九	程庭桂 字楞香，江蘇吳縣人，道光丙戌進士，以通政使任。							
三十年前			勝保 字克齋，滿教授，擢至統兵大臣。	荆恂怡 安肅人，優貢，訓導。				
三十				紀煐適 獻人，訓導。				
咸豐元年							龐慧珠 任邱人，丁酉舉人，大挑二等，十月署訓導。	
二	龔文齡	侯本臨				徐界清	潘履謙	劉有庚

	四年前	四
字西園，福建侯官人，嘉慶庚辰進士，以大理寺正卿任。		
署漢教授。 魯方 漢教授，四年兼署訓導。		張本崇 訓導。
	魏峻 柏鄉人，歲貢。	吳三峯 南宮人，甲午舉人，教諭，光緒七年去。 吉縉 玉田人，訓導。
天津人，舉人，五月任教諭，九年二月卒。		
奉天甯遠人，歲貢，七月任訓導，同治四年病去。		
舉人，四月署學正。 蔣樹森 盧龍人，舉人，十二月任學正。		

五	六	七
張祥河 字詩舲，江蘇婁縣人，嘉慶庚辰進士，以吏部侍郎任。	李清鳳 字古廉，江蘇新陽人，道光丙申進士，以副都御史任。	
		孫孝先 漢訓導，八年兼署教授。
夏琨瑚 威縣人，舉人，教諭。 周佐堯 鉅鹿人，拔貢，教諭。		盧明堂 清豐人，廩貢，署教諭。 王書俊
王鍾秀 滄州人，二月署學正。 孫懷珍 清豐人，舉人，七月任學正。	紀瑛選 獻人，己酉優貢，訓導。	
		陳溶 青縣人，訓導。
	趙基復 新城人，正月署訓導。	萬樹樟 景州人，三月署訓導，八年二月去。
		王雲臺 閏五月任訓導。 何點 鉅鹿人，六月任訓導。

	八
	萬青藜 字藕舲，江西德化人，道光庚子進士，以兵部侍郎任。
	莫勒賡額 滿洲正白旗人，舉人，滿教授，擢至御史。
河間人，舉人，署訓導。 郝文照 南宮人，副貢，教諭。 劉清潭 鹽山人，舉人，訓導。	紀熯適 教諭，詳固安訓導。 由餘枚 定州人，舉人，教諭。
	龐魁泰 束鹿人，副貢，九月任訓導，同治二年去。
	劉永錫 任人，己未舉人，訓導。
	何德金 正定人，舉人，二月任訓導，同治五年卒。
	李椿 天津人，優貢，由知縣改教，十二月署教諭。

九	十	十一
	楊式穀 字詒堂，河南商城人，道光辛丑進士，以禮部侍郎任。	汪元方 字嘯盦，浙江餘杭
趙維颺 盧龍人，拔貢，教諭。		王宗顏 肅甯人，歲貢。
祝壽仁 教諭。	韓釗 樂亭人，辛未進士，教諭。	
孟鴻文 豐潤人，舉人，四月署教諭，七月去。 裴維智 遷安人，恩貢，七月任教諭，光緒四年十月卒。		
王心學 唐山人，恩貢，二月任教諭。		
		周煥文 鹽山人，舉人，七

	人，道光癸巳進士。							月署學正。
同治元年		海受滿洲 鑲黃旗人，副貢，滿訓導。					張錫朋 蠡人，九月署教諭。	
二				許宗岳 任邱人，甲午舉人，署訓導。 葛之覃 南皮人，廩貢，訓導，九年去。	陳宗玉 安州人，戊子舉人，訓導。		范鳴珂 肅甯人，恩貢，三月任教諭，四年被議。	陳良玉 漢軍鑲白旗廣東駐防人，舉人，五月任學正。
三	龐鍾璐 字寶森，江蘇常熟人，咸豐壬子進士。	芮繼宗 漢教授。	陳宗玉 陳錦再任教諭，更名。		季有騏 吳橋人，歲貢，訓導。			

	四	五
，以禮部侍郎任。		
蘇霖瑞 交河人，舉人，訓導。		陳慶元 玉田人，廩貢，教
		趙連星 博野人，恩貢，八
	張振元 正月任訓導。 曹大元 甯津人，乙未舉人，大挑二等，閏五月任訓導。 唐殿華 清苑人，優貢，十一月署教諭。	劉道一 阜平人，四月任教

	六	七
	賀壽慈 字雲甫，湖北蒲圻人，道光辛丑進士，以刑部侍郎任。	
		承玉 滿洲 鑲黃旗人，舉人，九月授滿教授。
諭。		
月署訓導。 王儀 大名人，歲貢，十二月任訓導，七年卒。		張國琳 獻人，舉人，七月署訓導。 郭鴻遠 赤峰人，舉人，十
諭，八年卒。		
		馬際清 灤州人，舉人，正月署學正。 王夢松 阜平人，舉人，閏

						一月署訓導，光緒四年卒。		四月任學正。
八		張光紱 署漢教授。					曹大元 五月由訓導兼署。 王承憲 慶雲人，拔貢，九月任教諭，光緒二年俸滿。	
九	鮑源深 字花潭，安徽和州人，道光丁未進士，以户部侍郎任。	齊方書 漢教授。		于文鑑 滄州人，乙卯舉人，署訓導。 劉杏林 廩貢，閏十月任訓導。	張莘 邢臺人，訓導。			

十	夏同善 字子松，浙江仁和人，咸豐丙辰進士，以兵部侍郎任。				馮守身 柏鄉人，歲貢，訓導。			
十一								王之屏 任邱人，優貢，四月署訓導。 李紹閔 阜平人，廩貢，八月任訓導。
十二	錢寶廉 字湘吟，浙江嘉善人，道光庚戌進士，以刑部侍郎任。						王承憲 四月由教諭兼署訓導。 杜文祥	劉長容 天津人，坿貢，閏六月署學正。

							五月任訓導。 王夢熊 成安人，壬戌舉人，大挑二等，八月任訓導，捐河南知府。	
十三		王茂堂 漢教授。	籍鳴珂 易州人，廩貢，訓導。		馮守身 三月由訓導兼署教諭。			閻寶善 天津人，舉人，正月任學正。
光緒元年		王茂堂 由教授兼署訓導。 劉正思 漢教授。	劉嚮五 豐潤人，舉人，訓導。					

二	三
何廷謙 字地山，安徽定遠人，道光乙巳進士，以刑部侍郎任。	
姚醐 漢訓導。 劉正思 署漢訓導。	宗琦 鑲紅旗人，舉人，正月任滿訓導。 温如春 永平人，舉人，正月任漢訓導。 劉正思 宣化人，舉人，正月任漢教授。
戴祺 青縣人，廩貢，訓導。	鄭鈺 豐潤人，舉人，訓導。
	趙椿齡 十一月任教諭，光緒四年十二月兼署訓導。
王承憲 六月回任教諭，海運以知縣在任候選。	

四	五
	祁世長字子禾，山西壽陽人，咸豐庚申進士，以工部侍郎任。
于湯齊東光人，歲貢，署教諭。趙榮勳平泉人，舉人。	
	齊躍龍二月任訓導。榮甲河間人，增貢，三月任教諭。
李澄瀛交河人，歲貢，八月署訓導。李升廷唐山人，歲貢，十月署教諭。魏紳內邱人，舉人，十二月任訓導，五年丁憂。	張瀛三鹽山人，舉人，九月任教諭。
	宋大椿昌黎人，乙亥副貢，十月署訓導。
李樹瀛交河人，附貢，二月署學正。儲鉞博野人，拔貢，四月署學正。袁琥雄人，舉人，六月任學正。	齊德傑隆平人，拔貢，二月任學正。高作賓

	六	七
	徐致祥 字季和，江蘇嘉定人，咸豐庚申進士，以內閣學士任。	孫詒經 字子綬，浙江錢塘
	孫瑞 東明人，舉人，署訓導。 郝錫疇 南皮人，歲貢，訓導。	
		李華祝 長垣人，廩貢，六
魏廷翰 保定人，舉人，四月任訓導。		
	張鵬兆 棗强人，坿貢，二月任訓導。 張肆三 鹽山人，舉人，四月任訓導。 劉慶集 鹽山人，歲貢，八月任訓導。	
	王承憲 二月再由教諭兼署訓導。 高振岡 七月任訓導。 夏彝 廣平人，辛未舉人，九月任訓導。	
鹽山人，舉人，閏三月任學正。		

		順治元年	三	年未詳
人，咸豐庚申進士，以户部侍郎任。	三河 教諭 訓導			
	武清 教諭 訓導			
	寶坻 教諭 訓導	李復陽 大興人，教諭，官至耀州道。		楊復煒 安肅人，歲貢，教
月署教諭，八年十月去。吴寶善 灤州人，乙亥舉人，十月任教諭。	甯河 教諭 訓導			
	昌平 學正 訓導			
	順義 訓導			
	密雲 教諭 訓導		張宿星 陝西人，教諭。	
	懷柔 訓導			

			諭。					
四			母鶴慶詳傳。					
七							樊龍慶都人，教諭。	
九							谷起雲興濟人，教諭。	
年未詳							張漢教諭。	
十一							張大道隆平人，教諭。	
十三							李奇徹甯晉人，教諭。	
十四							曹從文	

	年未詳
	李樞教諭。焦恆馨訓導。毛允中教諭。董國憲隆平人，歲貢，訓導。曹從文慶都人，教諭。張守賢慶都人，歲貢，訓導。劉彩訓導。
	郝暹定州人，歲貢，教諭，遷知縣。王國賓浙江人，拔貢，州同，改授訓導，署教諭。張國棟平鄉人，歲貢，教諭，遷知□□縣。冷然善遼東人，歲貢，遷教諭。張應運
河間人，教諭。	羅綸宣化人，教諭，官至知府。劉肯武鹽山人，教諭，官至知青潤縣。董紹泗

	康熙三年
何子榮 清苑人，舉人，教諭。 劉顯祖 天津人，訓導。 殷乘輅 甯津人，歲貢，訓導。	
	□□□ □□□□衛人，歲貢，訓導，遷知蔚州。 李克仁 新城人，歲貢，訓導，遷順天府訓導。
内邱人，歲貢，教諭。 劉繹祖 新安人，歲貢，教諭。	

三	年未詳
□□□盧龍人，歲貢，訓導，是年裁訓導缺，遷儀徵縣丞。	莫爾濬大興人，舉人，教諭，遷國子監博士。劉子鼐唐縣人，歲貢，教諭，遷開平衛教授。李振圻清苑人，舉人，教諭。

	四	七	九
蔣成章 平山人，歲貢，教諭。 黃忱孝 樂亭人，舉人，教諭，遷順天府教授。	李衷繡 新安人，舉人，教諭，課士先德行，遷知浙江慶元縣。		
		林鴻鳴 天津人，訓導。	劉沼 保安

	十一	十二年 前
	李之魁 完人，歲貢，訓導。	
	苑育 雞澤人，教諭，協修縣志，入名宦。	
		張于鼎 山東人，貢生，遷知潼關廳。學正，下七人同。 李世澄 順德人，舉人，遷國子監助教。 馬聖任 廣平人，貢生，遷
人，訓導。	楊定國 撫甯人，訓導。	

順天教諭。

姚時俊 永平人，貢生。

秦星樞 真定人，貢生。

朱之寀 任邱人，舉人。

劉綵 保定人，貢生。

張爾猷 真定人，貢生，遷知河内縣。

十二					徐應升順德人，舉人。			
十三	郭定成安人，歲貢，訓導。	何如維東光人，舉人，教諭。						
十六	李庭徵河間人，拔貢，教諭。							
十七	張睿明順德人，例貢，教諭，遷知口縣。 李敷榮元城人，歲貢，訓導。							

十九	劉承禄 遷安人，歲貢，訓導。	陳際隆 盧龍人，歲貢，復設訓導始此，重修崇聖祠。						
二十一年前					楊友桐 保定人，舉人，學正。			
二十一					劉世安 真定人，舉人。			
二十二		楊毓先 奉天錦人，舉人，教諭，重修崇聖祠。						
二十三	傅甘霖 衡水人，歲貢，訓							

	導。劉士譽東强人，歲貢，訓導。						
二十四	武士宏南樂人，歲貢，訓導。						
二十六	王澤久廣平人，貢生，教諭。	蘇達大名人，舉人，教諭。按：蔡志，蘇譌張，今據舊志。					
三十二	談宇濟奉天人，例貢，教諭。						
三十	梁允章						

三	正定人，貢生，教諭。劉志宏東明人，歲貢，訓導。							
年未詳							李奇蔭 楊茂齡 張於世 張祖功四人並訓導。	
三十六							房素訓導。	
三十七							朱芾保安人，教諭。	
三十	陳宗元城							

九	人，歲貢，訓導。							
四十	及賁交河人，訓導。							
年未詳		王象春龍門人，歲貢，訓導。						
四十二		吴德鐵嶺衛籍，無錫人，舉人，教諭。按：蔡志奪。						
四十三		王日新東鹿人，貢生，訓導。						
四十							王問制	

四							奉天海城人，訓導。	
四十五		李毓楧 東鹿人，貢生，訓導。						
四十六							崔三成 蠡人，教諭。	
四十七							劉炳 永平人，教諭。 張鍾 祁州人，訓導。	
四十九							陳芝秀 錦縣人，訓導。	
五十							馬子隲	

一							正定人，教諭。	
五十三	張文運 奉天人，訓導。							
五十五	谷一柱 盧龍人，例貢，教諭。 穆九疇 蠡人，訓導。	鞠聖庭 赤城人，貢生，五月任訓導。						
五十七	張炎 天津人，訓導。						侯世憲 深州人，教諭。	
六十年前	靳維清 副貢，教諭。		張名慈 新安人，歲貢，訓導。 李迪恭			王廷鑾 河間人，舉人。 許嶽偉 安肅人，貢生。		柴口 郭如阜 馮華翰 王永新 張宏譽

高陽人，歲貢，訓導。

張爾蘊 祁州人，訓導。

侯寶訓 遷安人，歲貢，訓導。

趙續美 保定府人，貢生，訓導，遷國子監助教。

張如旭 宣化人，歲貢，訓導。

多元朗 阜城人，訓導，以

祕業興 河間人，舉人。

李秀 滄州人，歲貢。

黃建極

譚可興 永平山海衛人，歲貢。

劉調元 蔚州人，歲貢。

齊天寵 完人，歲貢。

任重 清河人，歲貢。

孟養正

徐端

陳標

王允恭

于二酉 滄州人，歲貢。

張逵 高陽人，歲貢。

劉綰 天津人，歲貢。

劉紳 昌黎人，歲貢。

謝玉成 延慶人，歲貢。

	六十	雍正三年
		張純邢臺人，己卯舉人，十一月任教諭，修學宮。按：蔡志云四年，非。
品學者。呂大夏元城人，歲貢，訓導。張廷遴曲周人，拔貢，葺文廟。		
	王怡歲貢。	

四	五	六	八	九
	姜蘂 奉天人，舉人，教諭。			
侯曾 容城人，歲貢，二月任訓導。		王隆 宣化人，廩生，訓導，修廟學。		
			石日珽 正月任教諭。 王道明 奉天人，五月任訓導。	
				牛恭 懷來

				人，拔貢，九月任教諭。 朱宗禮 錦縣人，歲貢，十月任訓導。				
十二年前	程□□ 鐵嶺人，訓導。 鄭經 景州人，訓導。							
十二	馮紹 訓導。							
年未詳			劉廷臣 蠡人，歲貢，教諭。					

乾隆元年	三	年未詳	六	七
賀來策 肥鄉人，歲貢，訓導。				
	李挺秀 廣宗人，歲貢，十月任訓導。			龍翬 棗强人，壬子舉人，九
		孟昺 武邑人，歲貢，教諭。		
			高品 阜平人，拔貢，正月任教諭，八年八月卒。	

	九	十	十八
		楊湛 元城人，拔貢，教諭。	劉德用 獻人，歲貢，訓導。
月任教諭。 尹廷樞 清河人，歲貢，六月任訓導。			
	賈念祖 故城人，貢生，教諭，遷國子監典簿。		
	蔡涵 定興人，拔貢，三月任教諭，二十三年九月丁憂。	郭珣 高陽人，廩貢，十二月任訓導。	

十九	二十一	二十三	二十四	二十
薛文儒曲陽人，拔貢，教諭。			李溥高邑人，歲貢，訓導。	
		范廷鈞景州人，進士，教諭。	白鳳臨南皮人，歲貢，訓導。	
	王國甯七月任訓導。	薛晉英清苑人，廪貢，訓導。	楊登紳奉天開原人，歲貢，教諭。	
		呂國觀漢軍鑲紅旗人，己酉舉人，十一月署教諭。	王欲善行唐人，歲貢，五月任訓導，二十五年十二月去。	李清彥
			張晟武强人，拔貢，教諭。	
			張聯耀奉天廣甯人，歲貢，訓導。	

五	二十六	二十七	二十九	三十
詳傳。	常源 雄縣人，廩貢，七月任訓導，二十九年七月遷順天府訓導。	魏泰 天津人，舉人，訓導，二十七年十一月任，修學宮。		梅修和
		杜迪吉 東鹿人，歲貢，訓導。	商彭齡 平山人，舉人，學正。	
			張隨 唐縣人，歲貢，訓導。	
	白無瑕 成安人，訓導。		許文燦 甯津人，歲貢，訓導。	

一				新安人，歲貢，二月任訓導，三十六年八月卒。				
三十七	韓世良 武强人，教諭。 鹿荃 定興人，訓導。	郭大成 甯遠人，歲貢，教諭。 戴濟世 柏鄉人，歲貢，訓導。		馬家駒 井陘人，歲貢，三月任訓導，三十九年二月休致。	楊賀鱗 撫甯人，舉人，學正。 王毓崑 安州人，舉人，訓導。			劉立登 唐山人，歲貢，訓導。
四十			李上林 三月任訓導。 王元俊 六月任教諭。					

四十二				牛可大 新河人，歲貢，二月任訓導，四十四年協修縣志。				
五十九			田謙 九月任訓導。					
六十			劉敦若 十月任教諭。					
年未詳			魏子學 南樂人，舉人，教諭，修崇聖祠，造祭器。					
嘉慶十六年				姚希崇 天津人，廩貢，七				

				月任訓導，道光六年四月去。					
二十			魏青選四月任訓導。						
二十一			常翼清三月任教諭。						
年未詳		王曒字畏寅，天津人，舉人，教諭。							
道光四年		王者聘教諭。							
五				張懷遠平鄉人，丁酉拔貢，十一月任教諭，					

	六	八
		李塏二月任訓導。魏廷模九月任教諭。
十年六月去。	王作模宣化人，四月任訓導，七年四月去。張景良南欒人，拔貢，四月署訓導，八年正月去。	李崇儒平鄉人，貢生，正月任訓導，九月去。馬敦紀井陘人，廩貢，十

	九	十
月署訓導，九年三月去。	張九思 邢臺人，廩貢，三月任訓導，七月去。	蕭令韶 武邑人，庚午舉人，六月署教諭，十月去。 王德教 安肅人，甲寅舉人，七月署訓導，十一年八月去。 陳來悳

				易州人，庚午舉人，十一月任教諭，二十五年五月去。				
十一				張晙 蔚州人，廩貢，八月署訓導，十三年八月去。				
十二							計鵬年 臨榆人，舉人，教諭。	
十三				高繼第 滿城人，廩貢，訓導，二十年十一月去。				

年未詳	十八
王殿昇 訓導。	蕭令韶 浙江山陰人，貢生，訓導。案：此與十年之甯河署教諭之蕭令韶同名，似是一人。又學官改本省，縣志云浙江，亦不可解。 于正中 字竹坪，訓導，祀名宦。 謝正儒

							開州人，廩貢，訓導。	
二十				馬興業 任人，優貢，十一月署訓導，二十一年六月去。				
二十一				馬德稱 東光人，辛巳舉人，六月任訓導，二十二年十月去。				
二十二				顧光勳 交河人，乙酉舉人，五月署教諭，九月去。				

	二十三	二十四
周際昌 青人，壬午舉人，九月任教諭，二十五年十一月去。 孫林 吳橋人，廩貢，十月署訓導，二十四年二月去。		遲珍 成安人，附貢，二月任
	睦恆 天津人，乙酉舉人，閏七月任。	

					訓導，三十年五月去。			
二十五					**袁體乾** 廩貢，十一月署教諭，二十七年八月去。			
二十六年前						**王家彥** 訓導。下四人同。 **靳魁榜** 大名人，貢生。 **于之奇** 奉天人，貢生，遷四川知縣。 **謝命官** 宣化人，貢生。		

	二十六	二十七	二十八
	安聯甲 永平人，舉人，教諭。 吳廉善 定州人，戊子舉人，訓導。	劉子潭 天津人，庚子副貢，教諭。	
			章廷鼐 十月任教諭。
		齊保傅 天津人，戊辰副貢，八月任教諭，二十八年八月去。	章耀宗 清苑人，壬辰舉人，八月任教諭，十二月去。
王錫侯	王起文 學正。 萬青選 訓導。		

	三十	咸豐元年
孫煥翔 靜海人，辛巳舉人，十二月任教諭，同治五年十一月去。	金汝勵 遷安人，歲貢，五月署訓導，八月去。 陳珍 安州人，坿貢，八月任訓導，咸豐八年十月去。	
		金汝礪 七月署，詳霸州訓

								導。郝元聚，東鹿人，十月任。
二年前		劉協夢，蠡人，舉人，訓導，遷大名府教授。						
二		趙文光，威人，訓導，同治十二年八月去。						
三	李攀鱗，永平人，乙酉舉人，教諭。宋振德，宣化人，恩貢，教						王鍾秀，滄州人，貢生，教諭。龐慧珠，饒陽人，舉人，訓	

	四	六	七
論，十一年四月去。	金其相 河間人，坿貢，訓導。 范鳴鳳 河間人，壬辰舉人，訓導，十年二月去。		
		胡士彥 天津人，舉人，教諭。	劉元震 任人，丙午舉人，
	王錫祜 二月任訓導。	張錫田 二月任教諭。 龐濯 三月任訓導。	魏文笏 二月任訓導。
導。	程煥勳 開州人，坿貢，教諭。 賈東儒 遵化人，壬辰舉人，十一月任訓導。		
		賈東儒 八月由密雲訓導兼理。	王之屏 任邱人，優貢，三

	1	2	3	4	5	6	7	8
		教諭，同治二年九月去。	蘇啟經 十二月任訓導。					月署。陳應韶 南皮人，甲辰舉人，九月任。
八				魯松 豐潤人，道光甲辰舉人，十月署訓導，九年三月去。		劉泮林 天津青人，乙未舉人，三月授訓導。		
九				遲珍 三月復任訓導，同治七年八月去。				
十	宋振德 二月由教諭兼署訓導。		李貫珠 四月任教諭。					陳應詔 南皮人，舉人，教諭。

	十一
王士珍永平人，坿貢，七月任訓導，十一年四月任教諭。	劉仁堂天津人，乙酉拔貢，六月任教諭。劉鈞深州人，恩貢，十二月任教諭。
	李淑二月任訓導。李金錫九月任教諭。李貫珠十二月再任教諭。
王雲臺清豐人，舉人，訓導。陳麒鳴南宮人，貢生，教諭。姚醐青縣人，舉人，訓導。	

同治元年	程學顏 冀州人，丁酉舉人，十月任訓導。							王之翰 任邱人，歲貢，十一月任。
二		趙文光 九月兼署教諭，詳訓導。張原偀 十一月任教諭。	李貫珠 七月由教諭兼署訓導。劉復文 九月任訓導。					
三			張鎮 正月任訓導。				程澤清 交河人，舉人，教諭。	
五		王福綬 奉天遼陽人，甲辰舉人，八月任教諭。		張大崑 隆平人，貢生，十一月署教諭，六年二月去。				

六	七年前	七
段文珠 宣化人，坿貢，四月任教諭。 程學顏 十一月由訓導兼理教諭。 溫際庚 定州人，壬子舉人，七月任教諭。		
袁國政 阜平人，廩貢，二月任教諭，七年八月兼理訓導，十一年四月丁憂。		韓玉田 河間人，坿貢，八月任訓導，八年三月去。
	夏騰蛟 學正。	

八	九	十
程學顔 三月復由訓導兼理教諭。 魏用中 定州人，坿貢，七月任教諭。		王維麟 遵化人，癸卯舉人，十一月任教諭。
		李樹桐 二月任訓導。 王以慶 四月署教諭，五月任訓導。
傅樸 撫甯人，辛亥舉人，三月訓導，十年五月去。		王重報 南和人，庚子舉人，五月署訓導，七月去。 韓冠英
劉汝漣 滄州人，舉人。		
	祝鈞 保定人，訓導，丁憂服闋，五月任。	

	十一	十二
		程學顔 十月由訓導兼署教諭。
		王福綬 八月由教諭兼署訓導。
郝芬 六月任教諭。		吉綵 七月任教諭。 王以慶 十二月由訓導兼署教諭。
盧龍人，副貢，七月任訓導，光緒五年五月去。	張畊 景州人，廩貢，四月署教諭，十二年五月去。	李鍔 高邑人，辛酉拔貢，五月任教諭，閏六月去。 韓冠英 七月署教諭。 金殿元

				武强人，己未舉人，九月署教諭，十二年五月去。				
十三	沈春臺 河間人，恩貢，四月教諭，光緒元年十一月兼署訓導。	沈學敏 正月署訓導。 齊繼坡 棗强人，辛酉拔貢，四月任訓導。	宋鳳池 二月任教諭。 姜有筠 六月任教諭。	董光鑑 高陽人，壬戌舉人，五月任教諭。				
年未詳					任秉鉞 孟蓉		張振元 定興人，訓導。	
光緒二年	李金錫 深州人，優貢，正月任訓導。 沈春吉				田桂林 清河人，增貢，四月任訓導。			劉泮林 八月由順義訓導兼理。

	三
五月由教諭兼理訓導。 姚宇清 天津人，坿貢，八月任訓導。	姚宇清 六月由訓導調署教諭。 張汝繩 永平人，丙午舉人，六月任訓導。 張樹森 天津人，丙午舉人，十二月任教諭。
	王福綬 十二月再署訓導。
	姜有筠 三月由教諭兼署訓導。 曹夢筆 四月任訓導。
	張慶壬 磁州人，辛酉舉人，教諭。

四	五	六
魏培榮 二月署訓導。 楊占春 昌黎人，庚午舉人，五月任訓導。		
侯寅賓 三月任訓導。		侯寅賓 十月由訓導兼署教諭。
董光鑑 九月由教諭兼署。	任式典 獲鹿人，坿貢，正月任訓導。 田士龍 撫甯人，坿貢，八月任訓導。	
	何若綺 故城人，辛酉拔貢，署訓導。	劉恆裕 河間人，歲貢，署訓導。

	七	八	順治元年
涿州學正訓導			
房山教諭訓導			
霸州學正訓導	孫瑞齡正月任教諭。朱昌時五月任教諭。		石國柱山西人，訓導。
文安教諭訓導		王樹屏永平人，舉人，教諭。蒲璧遵化州人，廩貢，訓導。	
大城教諭訓導		李鳳山永平府人，舉人，學正。	
保定訓導		張藝林永平府人，舉人。	
薊州學正訓導		馮啟漢深州人，舉人，訓導。	
平谷教諭訓導	田桂林十一月由昌平訓導兼理。	于湯齊八月署，詳良鄉教諭。朱晉曾南皮人，舉人，五月任。	

三	四	五
		高射斗 景州人，訓導。
江中耀 玉田人，教諭，歷官刑部郎中。 高桂 清苑人，訓導，署知縣事。	陶成瑜 遼東人，舉人，教諭。	
	張廣業 行唐人，歲貢，教諭。 閻紹美 永甯人，歲貢，訓導。	
楊琦 保定人，教諭。		

七					魏三台安州人，歲貢，教諭。			郭養梓大名人，教諭。
八				崔林晉州人，貢士，教諭。	紀國典開平衛人，歲貢，訓導。			
九				王振剛濬人，貢生，訓導。				
十				張大道隆平人，舉人，教諭。				王篤親安肅人，教諭。
十一			王永命正定人，訓導。		楊玹新城人，歲貢，教諭。			
十二				湯□□				

	十三	十五	十七	年未詳
				蕭啟泰 樂亭人，貢士，教諭。 杜復盛
	郝陞 南宮人，貢士，教諭。			
廣平人，貢士，訓導。	王瑾 饒陽人，歲貢，訓導。		程續南 永平人，舉人，教諭。	
		王時雍 深州人，歲貢，教諭。	毛應麒 長垣人，歲貢，訓導。後裁。	
				王文皞 甯晉人，貢生。學正，下三人同。 劉國柱
				董極 內皇人，拔貢，教諭。 王觀政 浙江人，舉人，教

皐平人，貢士，訓導。

朱咸賀 北直人，貢生，教諭。

喬用世 東光人，貢士，訓導。

何良策 舉人，教諭，修學宮，遷知四川峨嵋縣。

程恕 北直人，貢士，訓導。

安州人。

田芸 宣府衛人，貢生。

齊國璧 廣平人，貢生。

諭。

李可迪 深州人，訓導。

張秀 曲周人，訓導。

李應泰 安州人，訓導。

康熙元年	四	五	六	九
	秦應泰 深澤人，貢士，教諭。			
王嘉言 延慶衛人，訓導，修學宮。	張之良 無極人，訓導。	紀肇修 開平縣人，學正，修學宮。		
		鄭選 唐縣人，貢士，教諭，遷開平教諭。		謝孟燦 延慶州人，舉人，教諭，丁艱。
	王嘉吉 教諭。			
			李桂明 曲陽人，教諭。	

	十	十一年　前
		江之鯤學正。下六人同。陳于篤　劉廷齡　吴三元　胡兆麟河間人。楊晉隆平人。趙璧河間人，修學宮。
	王胤芳大名人，教諭，造就者衆，癸丑進士。	
		師若渠安肅人，舉人，教諭。孫琮直隸人，訓導。

十二					陳食采 獻人，歲貢，教諭。				
十八					劉向遠 真定人，舉人，教諭，二十八年遷知陝西鳳縣。				
十九					杜蘅 鉅鹿人，拔貢，復設訓導。				
二十二				石聲宏 學正。潘繡 訓導。二人同修學宮。					

二十八				王道興奉天鐵嶺人，舉人，教諭。				
三十二				韓更昌安平人，歲貢，訓導。				
三十五				梁薛一滄州人，歲貢，訓導。				
三十六				張煒新安人，歲貢，訓導。				
四十				齊承嗣静海人，舉人，教諭。				
四十二							蔡宏璧	韓雄裔

年前
雄縣人，己亥進士。學正，下五人同。 白津 清豐人，貢生。 崔冕 安平人，舉人，遷知江南盧江縣。 魯斯 曲周人，舉人，遷國子監典簿。 郭濬 雄人，舉人。
高陽人，舉人，教諭。 梁祚昌 永平人，教諭。 韓□ 直隸人，訓導。 王業榮 獻人，訓導。 王楷 保定人，教諭。 柴文煜 保定人，拔貢，教諭。

孫可憲 衡水人，舉人，遷知浙江樂清縣。 李宗枏 晉甯人，舉人。 李成龍 貢生。訓導，下九人同。 陳怡贍 清苑人，貢生。按：薊州沈志，怡譌貽。 張奎 雄縣人，貢生，遷知蕪
楊文輝 訓導。 塗宗震 延慶人，教諭，修學宮，遷知江西廬陵縣。 馮明珽 興濟人，訓導。 郭□ 贊皇人，訓導。

湖縣。

張燦然 廣平人，貢生。

董敏遊

梁士滋 正定人，貢生。

左方焯 河間人，貢生，丁憂去，遷冀州學正。

李琬 滄州人，貢生，丁憂去，補玉田訓導。

傅攀龍 奉天開原人，貢生

	年未詳
，卒。 馮嵤天津衛人，貢生。	
	王錫璠灤州人。教諭，下四人同。 王湛景人，副貢。 崔璠遷安人，拔貢。 沈孟球浙江人，拔貢。 李中義邢臺人，拔貢。

	乾隆五年前	五	八
		于沂 滄州人，學正。	
石嶒 沙河人。訓導，下三人同。 鄧柱臣 順德人。 賀文鏡 廣平人。 張肯堂 大名人。	盧儁 淶水人，恩貢，教諭。	潘志潛 慶都人，拔貢，教諭。	崔嵓 長垣

								人，丙辰舉人，教諭。
十一	邊中寶 任邱人，訓導，課士勤。							
十二								張宗美 昌黎人，壬子舉人，教諭。
十四	王隆 宣化人，學正，葺學宮，飭祭器。						呂國觀 鑲紅旗人，舉人，學正。	
二十一		李瑶 奉天鐵嶺人，教諭。						李長人 邯鄲人，拔貢，教諭。 賈蒲 平山

	二十四	二十六	三十二
	陳王模故城人，舉人，學正。陳蔚直隸冀州人，歲貢，訓導。		
		唐廷佐錦縣人，歲貢，訓導。	
	郭樹人學正，二十六年修學宮。	陳宗文訓導，重修學宮。	麻正望都人，廩貢，訓導。
	程瑍臨榆人，歲貢，訓導。		董巨湖高陽人，舉人，教諭。
			曲俊故城人，舉人，教諭。赫皎奉天人，歲貢，訓導。
	曹瑋河間人，歲貢，訓導。		□□臨城人，訓導。
			單錫鄘撫甯人，歲貢，訓導。
人，歲貢，訓導。			鄔廷楝臨榆人，拔貢，教諭。

三十六年前
王壁光 蠡縣人。訓導，下五人同。 牛晥 南樂人。 劉珏 山西人。 張萬機 獻人。 郭允中 遷安人。 陳椿齡 清豐人。 王爾烈 遼陽人，乙酉舉人，教諭，成辛卯進

	三十六	三十七	三十八	三十九	四十
		陳蔚訓導，署學正。	吴典平山人，舉人，三月任學正。	陳蔚正月再署學正。	梅汝龍
		王歧鳴束鹿人，舉人，學正。	閻大有錦縣人，貢生，訓導。		
	趙益新安人，訓導。				
	崔階元大名人，教諭。				
	李實生祁州人，學正。	張日𤩽武强人，貢生，訓導。			
士，庶吉士。	賈鳳吟武强人，拔貢，教諭。	田之錫無極人，歲貢，訓導。			

	四十七	四十八
雄縣人，舉人，二月任學正。賈慤 蔚州人，二月任訓導。張朝英 任邱人，歲貢，十一月任訓導。	楊國祚 撫甯人，歲貢，十一月任訓導。	董元文 唐山人，歲貢，三月任訓導。

四十九	五十二	五十四
董元文三月由訓導署學正。梅汝龍閏三月回任學正。	董元文正月署學正。王廷訓容城人，舉人，六月任學正。李鍾英南宮人，舉人，十二月任學正。	
		常繩獻縣

年前	五十四	五十五
	李作哲 深州人，十二月任訓導。	姚俊儒 青人，廪貢，三月任訓導。
人，舉人，學正，下一人同。 金世熊 天津人，舉人。 劉倣曾 雄縣人，舉人。訓導，下同。 高日新 阜平人，歲貢。	龐俊明 蔚州人，舉人，學正。	

五十七	李鍾英 由學正署訓導。 姚俊儒 八月回任訓導。	郭壽英 武强人，拔貢，十一月任教諭，嘉慶十六年八月去。						
五十九							李吉人 任邱人，庚寅舉人，十一月授學正，嘉慶十七年三月去。	
嘉慶三年	孟思恭 祁州人，舉人，四月任學正。 李諤 完人，舉人，十月任學							

	正。							
五年前							李震果高邑人，歲貢，訓導。孫肖曾廣昌人，廩貢，訓導。	
五							劉振聲阜平人，廩貢，六月任訓導，十九年正月去。	
六	徐德聰臨榆人，廩貢，二月任學正。鄧鶴雲							

	十	十一	十三
高陽人，舉人，七月任學正。	李玉琇 灤州人，歲貢，十二月任訓導。	楊昆 清苑人，舉人，四月任學正。 趙瞵 東光人，舉人，十月任學正。	
			侯逢吉 蔚州人，廩貢，六

		月署訓導，十四年七月去。						
十四		耿懷珻 延慶州人，舉人，七月任訓導，二十年四月去。						
十六		楊長禄 安肅人，副貢，八月任教諭，二十四年二月去。						
十七							杜清泰 元氏人，庚申舉人，五月署學正，十二月去。	

	十九	二十
		張傑 廣宗人，廩貢，五月任訓導。吳彰 天津人，舉人，八月任
		秦步瀛 靜海人，舉人，四月任訓導，道光十一年九月去。
	王㚖成 十一月任教諭。	解坫 三月任教諭。鹿廷芳 五月任訓導，十一月兼教諭。
沈懋 鹽山人，己亥舉人，十二月任學正，道光四年正月去。	劉夔龍 滄州人，戊午舉人，二月任訓導，道光十一年正月致仕。	

	訓導。							
二十一	王允升趙州人，廩貢，五月任學正。錢玉書承德人，貢生，八月任學正。							
二十三	郭玉鏞任邱人，舉人，四月任學正。張月林獻人，舉人，九月任學正。		谷懷珍蠡人，舉人，訓導。					
二十四			張炳辰					

年前	二十四	道光四年
	金奉璽永年人，拔貢，二月任教諭，道光二十三年十一月去。	
天津人，舉人，學正。		孫桐豫獻人，舉人，訓導。
		楊蘭五月任訓導。 鄒鈞五月任訓導。
		吴思觀河間人，廪貢，正月由訓導署學正，七月去。 梁建猷廣昌人，廪貢，七月遷自訓導，十年十月遷知口縣。

五	六
吳彰 三月由訓導署學正。袁德芳 滄州人，貢生，三月任學正。張藻龍 靜海人，舉人，七月任學正。郝澍 任邱人，貢生，十一月任訓導。	陳允治 青人，舉人，六月
	劉協夢 蠡人，庚午舉人，

	七	八	九
任訓導。			張藻龍 十二月由學正署訓導。
	蘇元翼 交河人，廩貢，署訓導。 孫寬 甯晉人，舉人，訓導。		
		李元壽 四月署訓導。 魏振科 十一月任訓導。	
大挑二等，十一月署學正，十一年六月去。			

	十	十一
張鏡原 南皮人，舉人，十二月任訓導。	郝淳 雞澤人，廩貢，四月任訓導。	耿廷梅 冀州人，副貢，十月任訓導。
		馬步麟 西甯人，舉人，九月任訓導，咸豐二年六月去。
	王銘祖 六月署教諭。	彭沐 三月任訓導。
		石凌雲 永平灤州人，癸酉舉人，大挑二等，二月任訓導，六月去。 李炳文 河間景州人，壬子舉人，六月任學正。

	十二	十三
	李恆雲 衡水人，舉人，二月任訓導。	李恆雲 正月由訓導署學正。 鄭以恂 三月任學正。 陳復禮
，二十三年四月卒。 許震 保定高陽人，庚午舉人，六月選訓導。		

	平泉人，舉人，七月任學正。							
十四								牛昌籙 靜海人，副貢，六月任教諭。
十五	李晉覲 蠡人，廩貢，四月任訓導。 陳復禮 十月由學正署訓導。						高守貴 永年人，癸酉舉人，四月任訓導，咸豐五年六月去。	
十六	孫晉墀 玉田人，廩貢，三月任訓導。							

十八					于之翕 五月署訓導。			郝淳 雞澤人，貢生，十月任訓導。
十九			李雲光 邢臺人，拔貢，署學正。 張廷柏 撫甯人，舉人，教諭，主講益津書院。		王文炳 六月署教諭。 劉振聲 七月任教諭。 陳允治 七月任訓導。			戴嵐 滄州人，舉人，二月任訓導。
二十	侯恕 靜海人，廩貢，八月任訓導。 李恆雲 十一月同任訓導。							

二十二	錢淇青人，廩貢，七月任訓導兼署學正。石汝諧樂亭人，舉人，八月任學正。				張鵬程三月署訓導。潘文會七月任訓導。			
二十三	魏棻安州人，舉人，正月任訓導。王聘三錦人，舉人，四月任學正。	禹啟堂天津商籍人，廩貢，十一月任教諭，二十五年七月去。			劉有壽二月署教諭。李戴庚閏七月任教諭。		李攀麟灤州人，乙酉舉人，五月署學正，七月去。劉元珍滄州人，戊子舉人，十月署學正，二十四年八月去。	

二十四	二十五	二十六
	李樹桐 深州人，廩貢，七月任教諭，咸豐元年三月去。	
李思平 束鹿人，廩貢，署訓導。 周元慶 開州人，舉人，三月任訓導。		金汝礪 遷安人，歲貢，二月署訓導。 朱世錕
	李遇清 十二月任訓導。	
		高樹雨 十一月署訓導。
傅周庠 欒城人，戊子舉人，八月任學正，三十年八月卒。		

			安州人，廩貢，四月訓導，同治四年修學宮。					
二十七	王海春 交河人，廩生，三任學正。劉正思 蔚州人，舉人，十二月任學正。			谷清弼 十二月任教諭。	張文田 二月任訓導。			
三十	紀世勳 任邱人，廩貢，三月任訓導。張葆誼 南皮人，貢生，六						趙德輿 天津鹽山人，辛巳舉人，十一月署學正，咸豐元年三月去。	

	月任訓導。							
咸豐元年	馬崐任邱人，廩貢訓導。	王肇濂深州人，拔貢，舉人，三月任教諭，七年五月去。		蘇啟綬二月署教諭。彭繼坤五月任教諭。			馮銘南宮人，辛巳舉人，咸豐元年三月任學正，七年三月去。	
二		荆詢詔安肅人，優貢，六月署訓導，三年十月去。						
三	張葆誼正月回任訓導。	孫孝先豐潤人，拔貢，十月任訓導，六年調順天府訓導。						

四	五	六
		劉吉士青縣人，副貢，十月署訓導，七年正月去。
王海春交河人，廩貢，五月署學正。孫堪清苑人，舉人，九月署學正。		顧學純阜平人，歲貢，四月署學正。王勳永年
謝灯七月任教諭。		栗瀛源十二月署教諭。
	陳寶廉靜海人，道光己酉舉人，六月任訓導。	
許宗岳任邱人，舉人，八月任教諭。周遇隆樂亭人，舉人，十一月任教諭。		

	七	八
	吉謙 漢軍正藍旗人，舉人，正月任訓導，同治元年閏八月卒。 寇焜璜 阜城人，恩貢，五月任教諭，光緒五年七月去。	
人，舉人，九月任學正，著有保甲管見，同治四年修學宮。		
	馬書升 五月任教諭。 朱學禮 八月署訓導。 王理澄 十一月任訓導。	
	池珍 咸安人，三月署學正，六月去。 李服周 豐潤人，甲辰舉人，六月任學正。	
	潘焯 行唐人，舉人，六月任訓導。	韓光緒

	九
	祝鈞河間人，歲貢，六月任，丁憂，服闋，授懷柔訓導。
鑲白旗，舉人，七月任教諭。 程煥勳開州人，舉人，十月任教諭。 崔國慶正白旗舉人，十二月任教諭。	竇書生景州人，舉人，四月任訓導。 劉吉士青縣人，貢生，十一月任訓導。

十一				李冠卿四月署教諭。張鶴齡天津人，舉人，六月任教諭。					陳麟鳴南宮人，六月任訓導。
同治元年		楊汝芳天津人，閏八月署訓導，二年十一月卒。							
二		李清淑樂亭人，舉人，十一月任訓導，五年三月去。							許文鏞易州人，舉人，十一月任教諭。
三	劉正思			馬崐五月					

	四月由學正署訓導。 王士珍 灤州人，副貢，六月任訓導。			署訓導。				
五		戴淇 青縣人，優貢，三月任訓導，七月去。 朱思榜 東明人，舉人，七月任訓導，八年八月遷知貴州銅仁縣。	陳朝棟 清苑人，舉人，三月署訓導。 史聯盛 撫甯人，歲貢，八月任訓導。			李金錫 深州人，七月任，十一年五月去。		
六				李寶經	王振鏞			

	七	八
		王心學 唐山人，恩貢，八
正月署訓導。喬永欣 五月任訓導。		閃連仲 四月任訓導。
十二月署教諭。	唐文智 五月任教諭。唐殿華 七月署訓導。宮毓椿 八月任訓導。李紹源 十二月署訓導。	
	童華國 邢臺人，優貢，十一月任訓導。	魏清雅 大名人，歲貢，三

		月署訓導，十一年九月去。						月任訓導。
九				童華國 九月署訓導。 朱紫貴 十一月任訓導。				
十一		温如春 欒亭人，甲辰舉人，九月任訓導，光緒三年二月去。				周鈐 武邑人，辛亥舉人，五月署，光緒二年四月去。		
十三								馬俊卿 欒城人，三月任訓導。

光緒元年	二	三
	張鵬兆 棗强人，九月署學正，五年去。	
		魏嘉彬 柏鄉人，廩生，二月署訓導，五月去。 張以文 遷安人，丙午舉人，五月任訓導。
	李樹桐 二月署訓導。 高鵬程 四月任訓導。	
李廷振 二月署訓導。 宮毓椿 四月任訓導。		
	李邦俊 灤州人，己未舉人，四月署，五年閏三月去。	
		紀世勳 任邱人，廩貢，四月任教諭。

四	五	六
	康依仁 深州人，八月署學正，六年去。	時景昌 贊皇人，十一月署學正。
	田邦基 衡水人，坿貢，十一月任教諭，十二月去。 彭夢齡 河間人，十二月任教諭。	
李升廷 五月署訓導。 周世芳 冀州人，廩貢，八月任訓導。		
	王致泰 祁州人，辛亥舉人，閏三月任。	
傅檏 撫甯人，舉人，八月任訓導。		高肯堂 雄人，三月任教諭。

七	邊崇綖 任邱人，庚午舉人，十月任學正。	李恩霈 奉天甯遠人，三月署訓導，八月去。潘昌祚 南皮人，壬子舉人，八月任教諭。			李升廷 正月署訓導。			馬成章 安州人，舉人，六月任訓導。陰步雲 容城人，副貢，八月任教諭。
八					洪昌鳳 六月任訓導。			
九			姚振鐸 漢軍正白旗人，學正。					

武進屠 寄校

官師志十九

國朝駐境都統提鎮表十八

德清傅雲龍纂 江陰繆荃孫覆輯

	密雲副都統	直隸提督	通永鎮總兵	密雲總兵	通州總兵改副將	武清鳳河副將王慶坨副將務關營兼管副將	密雲石匣副將	昌平副將
順治六年						王一正 王慶坨副將，七年遷陝西提督。		冷允登 遼東人。 石萬鍾 奉天人。

十四							蘇登福建南安人。	潘立勳三屯人。
康熙二十九年							王廷彪福建人，三十一年遷總兵。	
三十				蔡元福建人。				
三十一				王廷彪遷自石匣副將。				
三十二							馬進良陝西人，三十四年遷總兵，四十二年遷提督。 呂八音	

三十三				何應元福建人。				
三十四				馬進良遷自石匣副將。				
三十五							劉虎	
三十七							江琦	
三十九							孟大志	
四十							王以謙	
四十二		馬進良遷自總兵。						
四十三							王朝輔	

四十四							師懿德	
四十五							楊鑄遷總兵。	
五十							司九經	
五十一							鄭明	
五十三				楊鑄詳石匣副將。				
五十四				保柱滿洲人。			趙坤	
五十六							張致	
五十八							韓良輔	

五十九				董象緯 奉天人，雍正元年遷提督。			王國安	
六十							楊謙	
雍正元年		董象緯 遷自密雲總兵。 何祥書 奉天人。						
四		宋可進 陝西人。 郭成功 陝西人。						
五		楊鯤 山西人。						
七		魏經國 奉天人。						

八		范時捷奉天人。 路振揚陝西人。						
十						李逢春陝西人，八月兼管副將。		
乾隆元年		璋格宗室正藍旗人。 德沛宗室鑲藍旗人。				賽都漢軍正紅旗人，七月兼管副將。		
二		瞻岱滿洲正黃旗人。						
三		永常滿洲						

		正白旗人。						
四						齊元輔東鹿人，四月兼管副將。		
五		黃廷桂漢軍鑲紅旗人。			蕭口			
六		邵銓 塞楞額滿洲正白旗人。						
七		保祝滿洲鑲黃旗人。						
九					王口			
十		馬璽拜滿洲正白旗人。						

十一					海沖阿			
十二		索拜滿洲鑲黃旗人。 拉布敦滿洲鑲黃旗人。			陳暲暲			
十三		滿福滿洲鑲藍旗人。 傅清滿洲正黃旗人。			薩音圖			
十四		李繩武漢軍正黃旗人。 潘紹周陝西人。						

		海亮滿洲正黃旗人。 布蘭泰滿洲正白旗人。						
十五					得綏 李□			
十六					德保			
十七		馬負書漢軍鑲黃旗人。						
十八		吳進義						
十九					納漢泰			
二十一					張□			
二十					吳□			

二								
二十五					楊□			
二十九		永泰滿洲鑲黃旗人。						
三十二		王進泰			雅□			
三十三					常□			
三十八		曹瑞 段秀林						
四十	都爾嘉滿洲正白旗人。							
四十二			常青					

四十五					林□			
四十六					海□			
四十七		剛塔						
四十八					葉□			
四十九	恆山保滿洲正黃旗人。 積善蒙古正白旗人。				葉甯阿			
五十二		李奉堯			德齡			

五十三	富昌滿洲正白旗人。								
五十五					達□				
五十七	觀音保滿洲鑲黃旗人。	慶成漢軍正白旗人。							
嘉慶元年		愛星阿			音德				
二	富善鑲紅旗人。				違格				
三	全福滿洲正黃旗人。								
四		阿迪斯特清額			楊進才				

五					佛雲			
六	永慤滿洲鑲黃旗人。							
八		長齡			胡沆 圖興阿			
九	多善滿洲正藍旗人。	范建豐 薛大烈						
十一	達崇阿滿洲正白旗人。 佛蘭保滿洲正黃旗人。	色克通阿						
十二	朱勤亨滿洲正黃旗人。				托雲泰			

	雙喜 滿洲 正白旗人。							
十三		福長安			佛雲			
十四	普薩保 滿洲正黃旗人。				德里布			
十五	積拉堪 滿洲正紅旗人。 玉秀 滿洲 正紅旗人。 多福 滿洲 正紅旗人。	積拉堪 詳副都統。 喜明 滿洲 正藍旗人。						
十七	策丹 蒙古 正黃旗人。							

十八		毓秀　文甯			克什布			
十九		徐琨			七十一			
二十一	西凌阿滿洲正黃旗人。							
二十三	富清阿蒙古鑲黃旗人。							
二十四	福蔭滿洲正紅旗人。							
三十	阿隆阿滿洲鑲黃旗人。							
道光元年		楊芳貴州松桃人，行伍。						

二	三	四	五	六	七	八
松福滿洲正白旗人。		興住蒙古正黃旗人。				霍忠武
	武隆阿滿洲正黃旗人。		觀喜 何占鼇四川成都人，行伍。	海陵阿	馬騰龍	胡超四川
					長英	

	滿洲鑲黃旗人。佈勒亨滿洲正白旗人。	長壽人，行伍。齊慎河南新野人。						
九	六十五漢軍正藍旗人。				興文泰 太平保十八年更名斐音泰。			
十	那當阿漢軍正黃旗人。恆格漢軍鑲白旗人。							
十二		薛陞貴州畢節人。						

十五		周悅勝甘肅皋蘭人。						
十七	特依順滿洲正藍旗人。							
十八	雙德滿洲正藍旗人。	唐俸						
十九		劉允孝						
二十一		長春 昌伊蘇						
二十二		陳金綬四川岳池人，行伍。						
二十三			向榮四川人，二月任，二十		阿隆阿			

			八年九月去。					
二十四					雙銳滿洲正白旗人。			
二十五					吉興保			
二十八	德順蒙古正白旗人。							
三十			陶煜文良鄉人，九月任。					
三十二	禧恩滿洲正白旗人。		魁明滿洲人，十月任，十二月去。保恆滿洲		居隆阿 甘恪修			

			正藍旗人。					
咸豐元年	倫恭滿洲正紅旗人。							
二		保恆遷自通永鎮。						
三		張殿元直隸清苑人，行伍。	李致和廣西馬平人，十二月授，未到任。 伊綿阿滿洲人，十二月署，四年正月去。		達年 甘恪修再任。			
四	扎拉芬滿洲正黃旗人。		碩林滿洲人，正月護，七月					

	穆隆阿滿洲鑲黃旗人。劉恇漢軍正紅旗人。		去。穆隆阿七月署，五年二月去，詳副都統。					
五	郭什訥滿洲正藍旗人。		伊綿阿二月復任，四月去。碩林四月復護，六年六月去。		黃起鵬漢軍正白旗人。崇福			
六		雙鋭詳通協副將。國瑞宗室鑲黃旗人。	嵩棟漢軍正紅旗人，二月護，四月去。張際平		張秉鐸			

		黃起鵬 詳通協副將。	四月署，七年三月去。					
七	哈福那 蒙古正紅旗人。		黃起鵬 三月署，十月去，詳通協副將。 虎坤元 十月任，八年六月去。					
八	博崇武 滿洲鑲藍旗人。	托明阿 史榮椿 九年出師天津，陣亡。	戴文英 六月授，未到任。 黃起鵬 六月復署，十月去。 李致和 十月署，正月去，		敬文			

			詳前。					
九		樂善 十年出師天津，陣亡。	劉季三 正月授，未到任。 李致和 正月復署，八月去。 海綏 滿洲人，九月署，十年十月去。					
十		成保 滿洲人。	佈克坦 滿洲人，十一月授，未到任。					
十二	德興阿 滿洲正藍旗人。	成明 滿洲人。	伊綿阿 正月授，未到任。		李炳業			

同治元年	連成滿洲正黃旗人。	崇厚 寶山	那□二月授，未到任。 徐廷楷湖北襄陽人，四月任，三年三月去。					
二		恆齡 江長貴四川人，行伍。						
三		訥欽湖北襄陽人，壬午武舉。 劉銘傳安徽六安州人。	長椿漢軍正藍旗人，道光壬辰武進士，三月護，九月去。 陳濟清					

			九月任，五年五月去。					
五	德明蒙古正藍旗人。		黃仁遺五月署，六年四月去。					
六	定安滿洲正藍旗人。	婁雲慶安徽人。 鄭魁士	崔福泰山東菏澤人，四月授，未任，丁憂。 黃仁遺四月復署，八月去。 春霖八月署，七年八月去。		恩崇			

七	景豐滿洲鑲黃旗人。 濟祿		王佐臣撫甯人，八月署，九年十二月去。		麟紱			
八		傅振邦山東昌邑人，丙申武進士。						
九			周德勝湖南長沙人，十二月任，十三年十一月卒。					
十					德元			
十一					文林漢軍鑲藍旗人。			
十三			吳殿元					

				安徽人，十一月署，光緒四年四月去。				
光緒四年				唐仁廉 湖南東安人，四月任。				
六			郭松林 湖南湘潭人。					
七			李長樂 安徽人，行伍。					

華陽吳祖椿校

光緒順天府志九十一

人物志一

先賢一

南海廖廷相纂　江陰繆荃孫覆輯

漢

韓嬰（孫商）　徐樂　韓延壽　韓福

後漢

蓋延　寇恂（曾孫榮）　盧植

三國魏

田疇　田豫（閻柔）　盧毓　徐邈　張特

蜀

張飛　簡雍

晉

盧欽（子浮姪志志子諶）　張華（子褘）　劉沈　霍原

前燕

陽　裕　陽　騖　李　産子績　周　存

宋

張穆之

齊

鮮于文崇　盧紹之

梁

張宏策子緬 緡　戍景儁　盧　廣

魏明帝時，撰海内先賢傳，見於舊唐志。晉長仲穀撰山陽先賢傳，見元和姓纂。嗣是厥後撰述甚夥，大抵追述里閈，景仰名德，遺言逸事，甄采靡遺，所以傳前哲之風規，示後人以法式，意至美也。紀録順天人物，始陽休之幽州人物考，書久不存。若左伯桃、羊角哀，僅見小説。周醜子家行事無考，景仰流風，難以立傳。惟韓太傅經明行修，卓然爲西漢大師，故志人物以之託始。謹用阮文達儒林傳例，擘積成語，間坿考異。自漢至明，類同史鈔，近時所益，全据采訪，庶免瞻徇之失，不無陋略之譏也。志先賢。

漢

韓嬰，史記作生。燕人也。孝文帝時爲博士。景帝時至常山太傅。其人精悍，處事分明。漢書儒林傳。武帝卽位，招賢良文學之士言詩，於魯則申培公，於齊則轅固生，於燕則韓太傅，其語頗殊，然其歸一也。史記儒林傳。嬰推詩人之意，漢書列傳。爲韓故三十六卷，內傳四卷，外傳六卷，韓説四十一卷，漢藝文志。四庫提要附録：韓詩外傳十卷，歲久散佚，惟韓故二十二卷，新唐書尚著録，歐陽修稱今但存外傳，則亡在北宋間，外傳至今尚存，自隋以後，較漢志多四卷，蓋後人所分。或取春秋采雜説，咸非其本義。漢志。四庫提要謂指外傳之類。淮南賁生受之，自是之後，燕趙言詩者由韓生。漢書列傳。韓氏二篇，漢志。唯韓氏自傳之。武帝時，嬰嘗與董仲舒論於上前，仲舒不能難也。史記列傳。韓生亦以易授人，推易意而爲之傳。燕趙間好詩，故其易微。漢書列傳。按：武帝云云，漢書承韓氏自傳之下，當指易言。經典釋文序録屬之韓詩，非是。孫商爲武帝博士，史記列傳。孝宣時涿郡韓生，其後也，以易徵，待詔殿中，曰所受易，卽先太傅所傳也。嘗受韓詩，不如韓易深，太傅故專傳之，蓋寬饒見韓生説易而好之，卽從受焉。漢書列傳。按：史傳紀人物，多僅稱郡國，年代既遠，無從確考。燕、涿、漁陽、范陽、廣陽，雖不盡今府地，而屬府地者多。又其治皆在今府屬，故凡古所稱此諸郡國人者，今皆纂入。至舊志所載，如周郭隗，見國策、史記者，但言燕昭王師事之，其爲燕人，本無明文。漢蒯徹，史漢以爲范陽人。范陽漢屬涿郡，據一統志，爲今保定府定興縣地，與唐以後范陽不同。後漢王梁見范書列傳者，言漁陽、安陽人，攷郡國志，漁陽郡有安樂，無安陽，安陽或安樂今順義之譌，然蔚宗言郡縣多用前漢舊名，班志漁陽郡有安樂，有要陽，故蓋延傳言漁陽要陽人，則安陽亦難定其非要陽之譌也。嚴授見范書獨行傳、鮮卑傳者，祇言漁陽兵馬掾，漢掾屬雖多，除用本郡人，然京房傳言，房爲魏郡太守，自請得除用他郡人，則亦有不盡然者。酈炎見范書文苑傳者爲范陽人，與蒯徹同。北齊祖鴻勳、隋盧楚，史傳皆言涿郡范陽人，蓋亦沿漢舊郡名，非今府屬，故不録。

徐樂，燕郡無終人，漢書列傳。史記作趙人。元光元年，上書言世務，史記主父偃傳。按：漢紀屬元光二年之下，通鑑改繫元朔元年。考異曰：漢書主父偃云，元光元年，三人上書。按嚴安書云，徇南夷，朝夜郎，降羌僰，畧薉州。此等事皆在元光二年後，蓋誤以朔字爲光字耳。攷史記西南夷傳，建元六年，大行王恢擊東越，東越殺王郢以報。恢因兵威使番陽令唐蒙風曉南越。南越食蒙蜀枸醬。蒙歸，問蜀賈人，言，獨蜀出枸醬，多持竊出市夜郎。夜郎，臨牂柯江，足以行船，南越以財物役屬夜郎，西至同師。蒙乃上書言，制越請通夜郎。上許之云云。然則略通西南夷之議，早發於建元六年，故嚴安書言，今欲徇南夷云云，又言議者美之，漢書取史記刪去今欲二字，通鑑遂據爲已然之事，改上書屬元朔，殊誤。漢紀屬二年，與史漢異，亦誤。曰：臣聞天下之患，在於土崩，不在瓦解，古今一也。何謂土崩？秦之末世是也。陳涉無千乘之尊、尺土之地，身非王公大人名族之後，鄉曲之譽，非有孔、曾、墨子之賢，陶朱、猗頓之富也，然起窮巷奮棘，矜偏袒大呼，天下從風，其故何也？由民困而主不恤，下怨而上不知，俗已亂而政不脩。此三者，陳涉之所爲資也。此之謂土崩。何謂瓦解？吴、趙、齊、楚之兵是也。七國謀爲大逆，號皆稱萬乘，帶甲數十萬，威足以嚴其境内，財足以勸其士民，然不能西攘尺寸之地，而身爲禽於中原者，其故何也？非權輕於匹夫而弱於陳涉也。當是之時，先帝之德未衰，而安土樂業之民衆，故諸侯無境外之助。此之謂瓦解。此二體者，安危之明要，賢主之所留，意而深察也。間者關東五穀數不登，年歲未復，民多窮困，重之以邊境之事，推數循理而觀之，民宜有不安其處者矣。不安，故易動。易動者，土崩之勢也。故賢主獨觀萬化之原，明於廟堂之上，而銷未形之患也。其要期使天下無土崩之勢而已。史記主父偃傳，漢書列傳。據通鑑删節。時主父偃、嚴安同日上書，漢紀十一。書奏，天子召見，謂曰：公等皆安在，何相見之晚也？乃拜樂爲郎中，數見上疏言事，詔遷樂爲中大夫。史記主父偃傳。武帝自卽位好士，既舉賢良，赴闕上書自衒者甚衆。樂以材能在左右，每大臣奏事，令與辨論之，中外相應以義理之文。漢紀十一。

韓延壽，字長公，燕人也。少爲郡文學。父義爲燕郎中。漢書列傳。元鳳元年，燕王旦謀反，漢昭帝紀。義數諫數字據燕王旦傳補。而死，燕人閔之。漢書列傳。久之，文學魏相對策，以爲日者燕王無道，韓義出身彊諫，爲王所殺。義無比干之親而蹈比干之節，宜顯賞其子以示天下，明爲人臣之義。乃擢延壽爲諫大夫，通鑑二十三。遷淮陽太守，治甚有名，徙潁川。漢書列傳。承趙廣漢搆會吏民之後，俗多怨讎，延壽改更教以禮讓，召故老與議定嫁娶喪祭儀品，略依古禮，不得過法，百姓遵用其教，賣偶車下里僞物者棄之市道。通鑑二十六。數年，徙爲東郡太守，漢書列傳。政治大理，吏民畏而愛之，其或欺負之者，延壽痛自刻責，吏民聞之自傷悔，不復欺犯。漢紀二十。其縣尉至自刺死，及門下掾自剄，人救之不殊，因瘖不能言。延壽聞之，對掾吏涕泣，遣醫治視，厚復其家。延壽嘗出，臨上車，騎吏一人後至，敕功曹議罰白，還至府門，門卒當車願有所言。延壽止車問之。卒曰：孝經曰：資於事父以事君而敬同，今日明府早駕，久駐未出，騎吏父至府門不敢入，騎吏趨出謁，適會明府登車，以敬父而見罰，得毋虧大化乎？延壽舉手輿中曰：微子，太守不自知過。歸舍召見門卒，卒本諸生，漢紀作老書生。聞延壽賢，無因自達，延壽遂待漢紀作特。用之。其納善聽諫，皆此類也。在東郡三歲，令行禁止，斷獄大減，爲天下最。漢書列傳。宣帝神爵三年，入爲左馮翊。漢百官表。行縣至高陵，人有兄弟訟田自言者，延壽大傷之，身自責，稱病不聽事，臥傳舍。而縣令、丞、三老亦自繫待命。於是訟者自悔，皆髡鉗肉袒謝罪，以田相讓，及死不敢復爭。延壽見勉勵之，乃起視事。郡中翕然，轉相勸勵。漢紀二十。恩信周徧二十四縣，莫敢以辭訟自言者，推其至誠，吏民不忍欺紿。延壽代蕭望之爲左馮翊，望之遷御史大夫，漢書列傳。以延壽代己，而有能名出己之上，故忌害之，欲陷以法。漢書傳注。聞延壽在東郡時，散放官錢千餘萬，使御史案之。延壽聞之，即部吏案校望之在馮翊時，廩犧官錢散放百餘萬。望之自奏，職在總領天下，聞事不敢不問而爲延壽所拘持，上由是不直延壽，各令窮竟所考，望之卒無事實。而望之遣御史案東郡者，得其試騎士日奢僭踰制，又取官銅物，候月食鑄刀劍，效尚方事，乃取官錢私假徭使吏治飾車甲三百萬以上。延壽竟坐不道棄市。通鑑二十七。光禄勳楊惲上書訟之，不得。漢書楊敞傳。吏民數千人送至渭城，老小扶持車轂，争奏酒炙。延壽不忍距逆，人人爲飲，計飲酒石餘，使掾史分送謝者：遠苦吏民，延壽死無所恨。百姓莫不流涕，漢書列傳。時五鳳元年也。見漢宣帝紀。延壽爲吏，上禮義好古教化，所至必聘其賢士，以禮待用，廣謀議，納諫争，表孝弟有行。春秋鄉社，陳鐘鼓管弦，盛升降揖讓，及都試講武，設斧鉞旌旂，習射御之事，治城郭，收租賦，先明布告其日，以期會爲大事。吏民敬畏，趨嚮之。又置正五長相率以孝弟，不得舍姦人，閭里什伯有非常，吏輒聞之，姦人莫敢入界。其始若煩，後吏無追捕之苦，民無箠楚之憂，皆便安之。黄霸代延壽居潁川，因其迹而大治。漢書列傳。然訐上不信，以失身墮功，哀哉！漢書傳贊。司馬温公曰：周禮，司寇之法有議能，延壽之治民，可不謂能乎？雖有死罪，猶將宥之，況罪不至死乎？揚子以延壽之懟蕭爲臣之自失，夫所以使延壽犯上者，望之激之也。上之不察，而延壽獨蒙其辜，不亦甚哉！延壽三子皆爲郎吏，且死，屬其子勿爲吏，以己爲戒。子皆以父言，去官不仕。至孫威，迺復爲吏，至將軍。威亦多恩信，能拊衆得士死力，又坐奢僭誅，延壽之風類也。漢書列傳。按：史言延壽以禮義教民，儀品不得過法，何至自蹈奢僭，罪至棄市？御史所案者，不過車騎，服色間耳，況御史卽望之所遣者也，司馬公謂上之不察，殆有微詞歟？威亦延壽風類，其所坐恐亦類此。

韓福者，涿人，以行義修潔著名。昭帝時，霍光秉政，表顯義士，郡國條奏行狀。天子謂福等五人行誼最高，徵至京兆，病不得進。元鳳元年詔策曰：朕愍勞福以官職之事，賜帛五十匹遣歸，其務修孝悌，以教鄉里。福歸，終身不仕，卒於家。高士傳。按：漢書儒林傳論云，涿郡韓福，以德行徵，而無事實。今據高士傳補入。

後漢

蓋延，字巨卿，漁陽要陽人也。按：要陽，今密雲縣東南，郡都尉治。身長八尺，彎弓三百斤。邊俗尚勇力，而延以氣聞。歷郡列掾，州從事，所在職辦。彭寵爲太守，召延署營尉，行護軍。後漢書列傳。時王郎遣將徇漁陽、上谷，急發其兵，北方疑惑，多欲從之。通鑑紀事本末二十九。延與吴漢同謀歸光武，後漢書列傳。并與狐奴令王梁同勸寵，續漢書。寵甚然之，後漢書吴漢傳。乃發步騎三千人，以吴漢行長史，與延及王梁將之，南攻薊，殺王郎大將趙閎。紀事本末二十九。延至廣阿，拜偏將軍，號建功侯，從平河北。光武卽位，以延爲虎牙將軍。建武二年，更封安平侯。遣南擊敖倉，轉攻酸棗、封邱，皆拔。其夏，督駙馬都尉馬武、騎都尉劉隆、護軍都尉馬成、偏將軍王霸等南伐劉永，故更始將蘇茂與俱，軍中不相能，茂遂反，據廣樂降永。延等擊破永，別將遂圍睢陽數月，通鑑輯覽二十一。晝收野麥，夜梯其城入。永驚懼，引兵走出東門，延追擊，大破之，永棄軍走譙。後漢書列傳。茂與佼彊、周建合軍三萬人救永，延與戰於沛西，大破之，茂奔還廣樂，彊建從永走保湖陵。通鑑輯覽十八。延遂安沛楚臨淮，修高祖廟，置嗇夫、祝宰、樂人。三年，睢陽復反城迎劉永，延復率將圍之百日。後漢書列傳。城中食盡，永與茂、建走酇。後漢書劉永傳。延追急，永將慶吾斬永首，降。蘇茂、周建奔惠垂。四年春，延又擊蘇茂、周建於蘄，進與董憲戰留下，皆破之，因率平敵將軍龐萌攻西防，拔之，復追敗周建、蘇茂於彭城。茂、建亡奔。董憲將賁休舉蘭陵城降，憲聞之，自郯圍休。後漢書列傳。延及平狄將軍山陽龐在楚，請往救之。帝敕曰：可往擣郯，則蘭陵自解。延等以賁休城危，遂先赴之。憲逆戰而陽敗退，延等因拔圍入城。明日，憲大出兵合圍，延等懼，遽出突走，因往攻郯。帝讓之曰：間欲先赴郯者，以不意故耳。今既奔走，賊計已立，圍豈可解乎？延等至郯，果不能克，而董憲遂拔蘭陵，殺賁休。通鑑紀事三十二。延等往來要擊憲郯將於彭城郯邳之間，戰或日數合，頗有尅獲。帝以延輕敵深入，數以書誡之。延上書辭曰：臣幸得受干戈，誅逆虜，奉職未稱，久留天誅，常恐汚辱名號，不及等倫，天下平定已後，曾無尺寸可數，不得預竹帛之編，明詔深閔，儆戒備具，每事奉循詔命，必不敢爲國之憂也。東觀漢記。五年春二月，遣將軍龐萌、蓋延擊董憲。通鑑輯覽二十一。時詔書獨下延而不及萌。萌以爲延譖己，自疑，遂反，襲延軍，與董憲連和，自號東平王，屯桃鄉之北。紀事本末三十二。延與戰，破之。東觀漢記。按：後漢書云，萌引軍襲敗延，延走，北度泗水，破舟楫，壞津梁，僅而得免，與此所紀不同。詔書勞延曰：龐萌一夜反畔，相去不遠，營壁不堅，殆令人齒欲相擊，而將軍有不動之節，吾甚美之。續漢書。六年春，遣屯長安。九年，隗囂死，延西擊街泉、略陽、清水諸屯聚，皆定。十年，與中郎將來歙，攻陷河池，乘勝遂進，蜀人大懼，使刺客刺歙未殊，歙馳召延，延見歙，因伏悲，哀不能仰視。歙叱延曰：虎牙何敢然！今使者中刺客無以報國，故呼巨卿，欲相屬以軍事，而反效兒女子涕泣乎！延收淚强起，受所誡，後漢書來歙傳。以病引還，拜爲左馮翊將軍如故。後漢書列傳。視事四年，人敬其威信。列傳章懷注引續漢書。十三年，增封定食萬户。十五年，薨於位。子扶嗣。後漢書列傳。

寇恂，字子翼，上谷昌平人也。後漢紀作上谷北平人。按：郡國志，右北平、上谷皆爲幽州郡，不得連言上谷北平也。郡國志，昌平屬廣陽郡。劉昭注謂世祖并省上谷，永平八年復屬。蓋據其初言之也。世爲著姓。後漢書列傳。恂好學，爲郡功曹，後漢紀二。太守耿況甚重之。更始立，使使者徇郡國，曰：先降者復爵位。恂從耿況迎使者於界上。況上印綬，使者納之，一宿無還意。恂勒兵入見使者，就請之。使者不與，曰：天王使者，功曹欲脅之邪？恂曰：非敢脅使君，竊傷計之不詳也。今天下初定，使君建節銜命以臨四方，郡國莫不延頸傾耳。望風歸命，今始至上谷，而先墮大信，何以號令他郡乎？使者不應。恂叱左右，以使者命召況。況至，恂進取綬印帶況。使者不得已，乃承制詔之。況受而歸。及王郎起，遣將徇上谷急況發兵，後漢書列傳。王鳴盛十七史商榷云，當作急發況兵。北州疑惑，多欲從之。通鑑三十九。恂説況曰：邯鄲拔起，難可信向，今聞大司馬劉伯升之母弟，尊賢下士，可攀附也。況曰：邯鄲方盛，力不能獨拒，如何？恂對曰：今上谷完實，控弦萬騎，可以詳擇去就。恂請東約漁陽，齊心合衆，邯鄲不足圖也。況然之。後漢書列傳。會耿弇自薊間行歸上谷，後漢紀二。因説況擊邯鄲，通鑑三十九。乃遣恂至漁陽，説太守彭寵。寵遂發兵。後漢紀二。恂至昌平，襲擊邯鄲使者，殺之，奪其軍，遂與況子弇後漢書列傳。及漁陽兵合軍而南，後漢書耿弇傳共攻薊，誅王郎大將趙閎等。按：通鑑敍攻薊於恂還上谷之前。攷耿弇傳，言光武至薊，聞邯鄲兵方到，欲南歸，弇言：今兵從南來，不可南行。漁陽太守，公之邑人，上谷太守，弇之父也。發此兩郡，控弦萬騎，邯鄲不足慮也。光武官屬不肯，曰：死尚南首，何爲北行入囊中？光武指弇曰：是我北道主人也。云云。則薊當在漁陽上谷之南，漁陽兵不當攻薊後始與上谷兵合，後改次攻薊於恂還上谷之後。所過攻下郡邑，誅其將帥，後漢紀二。凡斬首三萬級，定涿郡、中山、涿鹿、清河、河間二十二縣，遂及光武於廣阿。耿弇傳。拜恂爲偏將軍，號承義侯，後漢書列傳。使還領其兵，耿弇傳。遂破羣賊。數與鄧禹謀議，禹奇之，因奉牛酒交歡。光武南定河内，而更始大司馬朱鮪等盛兵據洛陽，又并州未安，光武難其守。問於鄧禹，禹曰：寇恂文武備足，有牧人御衆之才，非此子莫可使也。乃拜恂河内太守，行大將軍事。後漢書列傳。謂恂曰：河内富實，帶河爲固，北通上黨，南逼洛陽，吾將因是以濟。高祖留蕭何守關中，吾今委卿以河内。後漢紀二。光武於是北征燕代。恂移書屬縣，講兵肄射，伐淇園之竹，爲矢百餘萬，養馬二千匹，收租四百萬斛，轉以給軍。朱鮪聞光武北，而河内孤，使討難將軍蘇茂、副將賈彊將兵三萬餘人渡鞏河攻温。檄書至，恂卽馳出，並移告屬縣發兵。會温軍吏皆諫曰：洛陽兵渡河，前後不絶，宜待衆軍畢集，乃可出也。恂曰：温，郡之藩蔽，失温，則郡不可守。遂馳赴之。旦日合戰，而馮異遣救及諸縣兵適至，恂乃令士卒乘城鼓譟，大呼言曰：劉公兵至！蘇茂軍聞之，陳動，恂因奔擊，大破之。（後漢書列傳。）茂兵自投河，死者過半。斬其副將賈强，遂乘勝渡河，環洛陽城而還。（後漢紀二。按：後漢書言，追至洛陽，斬賈强，與馮異過河而還，攷洛陽在河南，序次非是，故改從袁紀。）自是洛陽震恐，城門晝閉。光武傳聞朱鮪破河内，有頃，檄書至。光武曰：吾知寇子翼可任也。諸將軍賀，因上尊號。於是即位。（後漢書列傳。）時軍食不足。寇恂轉運不絶，百官賴焉。數璽書勞恂。（後漢紀三。）同門生茂陵董崇説恂曰：上新即位，四方未定，而君以此時據大郡，内得人心，外破蘇茂，威震鄰敵，功名發聞，此讒人側目，怨禍之時也，（後漢書列傳。）宜從功遂身退之計。恂然其言，稱病不視事，自請從上征。上曰：河内未可離也。固請，不聽。恂乃遣兄子寇張、姊子谷崇願爲前鋒。上悦，乃以爲偏將軍。建武二年，坐繫治上書者免，會潁川不静，復以爲潁川太守。郡中悉平，封恂爲雍奴侯，（後漢紀四。）邑萬户。（後漢書列傳。）時執金吾賈復南擊召陵新息，（通鑑四十。）其部將殺人於潁川，恂捕得，戮之於市。復以爲恥。還過潁川，謂左右曰：吾與寇恂并列將帥，而爲其所陷，今見恂必手劍之。恂知其謀，不欲與相見。谷崇曰：崇，將也，得帶劍侍側，卒有變，足以相當。恂曰：不然，昔藺相如不畏秦王，而屈於廉頗者，爲國也。乃敕屬縣，盛供具，儲酒醪。執金吾軍入界，一人皆兼二人之饌。恂乃出迎於道，稱疾而還。賈復勒兵欲追之，而吏士皆醉，遂過去。恂遣谷崇以狀聞，帝乃徵恂。（後漢書列傳。）恂至，引入。時復在前欲起。上曰：天下未定，兩虎安得私鬭？詔令并坐，極歡，遂共車出，結友而去。後漢紀四。恂歸潁川，郡中政理，盜賊不入。東觀漢記。三年，遣使卽拜爲汝南太守。清淨無事，乃修鄉校，聘能爲春秋者親受學焉。七年，代朱浮爲執金吾。明年，從車駕擊隗囂。後漢書列傳。而潁川盜賊寇没屬縣，河東守守兵亦叛，京師騷動。後漢書光武紀。帝乃引還，謂恂曰：潁川迫近京師，當以時定，後漢書列傳。卿著威信於潁川，後漢紀六。獨卿能平之耳。從九卿復出，後漢紀作復爲二千石，按下云竟不拜郡，則帝初意本不令爲二千石也，傳改出字較是。以憂國可也。後漢書列傳。恂對曰：潁川剽輕，聞陛下遠踰險阻，有事隴蜀，故狂狡乘間相詿誤耳。如聞乘輿南向，賊必惶怖歸死，臣願執鋭前驅。卽日車駕南征，恂從至潁川，盜賊悉降，而竟不拜郡。百姓遮道曰：願請陛下借寇君一年。後漢書列傳。乃留恂潁川，范書作長社。按：長社乃潁川一城，且非郡治，故改從袁紀。撫吏民，受餘降，後漢紀六。修禮樂教授。有豆生於郡界，收得十餘萬斛，以給諸營。御覽八百四十一引續漢書。時隗囂將高峻據高平第一，十年，帝入關，將自征之。恂時從駕，范書列傳。諫曰：車駕止長安，隴西足以震懼，且去關東不遠，此從容一處，而制四方，今士馬勞倦，遠履險阻，非萬乘之固也。前年潁川之役，可以爲戒。不從，後漢紀六。進軍，及汧峻猶不下，帝議遣使降之，乃謂恂曰：卿前止吾此舉，今爲吾行也。恂奉璽書至第一，峻遣軍師皇甫文出謁，辭禮不屈，恂怒斬之，遣其副歸告峻曰：軍師無禮，已戮之矣。欲降則降，不欲，固守。峻惶恐，卽日開城門降。諸將皆賀，因曰：敢問斬其使而降其城，何也？恂曰：皇甫文，峻之腹心，其所取計者也，今來辭意不屈，必無降心，全之則文得其計，殺之則峻亡其膽，是以降耳。遂傳峻還洛陽。（後漢書列傳。）恂居九卿位，饗大國租，皆以施朋友，給故人，學行並修，名重朝廷。（後漢紀六。）時人歸其長者，以爲有宰相器，（後漢書列傳。）才足内外之任，雖蹔撫河内，再綏潁川，未足展其能也。（後漢紀六。）十二年卒，（後漢書列傳、袁紀作十年，誤。）謚曰威侯。子損嗣。恂同產弟及兄子、姊子以軍功侯者凡八人，終其身，不傳於後。十三年，復封恂庶兄壽爲洨侯，後徙封損扶柳侯。損卒，子釐嗣，徙封商鄉侯。釐卒，子襲嗣。恂女孫爲大將軍鄧騭夫人，由是寇氏得志於永初間，恂曾孫榮。（後漢書列傳。）

榮，少知名，桓帝時爲侍中，性矜絜自貴，於人少所與，以此見害於權寵。而從兄子尚帝妹益陽長公主，帝又聘其從孫女於後宮，左右益惡之，乃陷榮以罪。（按：范書附傳，此上有延熹中三字。然攷袁宏紀於延熹元年書誅侍中寇榮，而榮亡命數年，始上書被誅，則其免歸當在延熹之前。通鑑書於延熹七年，蓋據范書，延熹中陷罪逃竄數年而云然耳。袁宏在范蔚宗之前，當必有據，今從袁紀删去。）故郡吏承望風旨，持之浸急。榮恐不免，奔闕自訟。未至，刺史張敬追劾，榮以擅去邊，有詔捕之。榮逃竄數年，會赦令不得除積窮困。延熹元年，（據袁紀補。）乃自亡命中上書。（袁紀作亡命山中。）帝省章愈怒，遂誅榮。寇氏由是遂衰。（後漢書寇恂傳。）

盧植，字子幹，涿郡涿人也。（後漢書列傳。）剛毅多大節，常喟然有濟世之志，不苟合取容，言論切直，不好文詞，師事扶風馬融，（後漢紀二十五。）能通古今學，好研精而不守章句。融外戚豪家，多列女倡歌舞於前，植侍講積年，未嘗轉眄。融以是敬之。學終歸，闔門教授，後漢書列傳。不應州郡之命。後漢紀二十五。時皇后父大將軍竇武援立，靈帝初秉機政，朝議欲加封爵，植雖布衣，以武素有名譽，乃獻書規之，謂宜辭大賞以存身名，依古禮置諸子之官，徵王侯愛子、宗室賢才，崇訓道之義，息貪利之心，簡其賢能，隨用爵之彊幹弱枝之道。武并不能用。後漢書列傳。建甯中，徵爲博士，補九江廬江太守。病，去官。後漢紀二十五。按：范書列傳，以拜九江廬江太守繫熹平四年，攷本紀，熹平四年三月立石經，植上書，當在此時，既以病去官，作尚書章句、禮記解詁。則其爲九江太守早矣。續漢書屬建甯中，當得其實。其徵拜議郎，當由上書之故。袁紀以補廬江太守并屬建甯中，今從之。作尚書章句、禮記解詁。續漢書。按：范書列傳云，作三禮解詁。攷隋書經籍志，植注禮記十卷，經典釋文，植注禮記二十卷。唐藝文志同，而不見三禮之名。即植上書，亦止言今之禮記特多回冗，臣前以周禮諸經發其粃繆耳。續漢書所云較是。熹平四年三月，詔諸儒正五經文字，刻石立於太學門外。後漢靈帝紀。植乃上書曰：臣少從通儒故南郡太守馬融受古學，頗知今之禮記特多回冗，臣前以周禮禮經發起粃繆，敢率愚淺爲之解詁，而家乏無力供繕寫上，願得將能書生二人，共詣東觀，就官財糧，專心研精，合尚書章句，攷禮記得失，庶裁之聖典，刊正碑文，古文科斗近於爲實，而厭抑流俗，降在小學，中興以來，通儒達士，班固、賈逵、鄭興父子并敦悦之。今毛詩、左氏、周禮各有傳記，其與春秋相表裏，宜置博士，爲立學官，以廣聖意。按：後光和三年，詔公卿舉能通尚書、毛詩、左氏、穀梁、春秋各一人，即從植議也。徵拜議郎，與馬日磾、蔡邕、楊彪、韓説等，并在東觀，校中書五經記傳，補續漢記。蔡邕傳作後漢記。轉爲侍中尚書。光和元年日食，植上封事諫，略陳八事，一曰用良，二曰原禁，三曰禦癘，四曰備寇，五曰修禮，六曰遵堯，七曰御下，八曰散利。帝不省。後漢書列傳。中平元年，鉅鹿人張角反，後漢紀二十五。其部師三十六萬，皆著黄巾。後漢靈帝紀。四府舉植拜北中郎將，持節發天下諸郡兵征之。後漢書列傳。植破圍張角於廣宗，垂拔。帝遣小黄門左豐觀賊形勢，或勸植賂豐，植不從。豐言於帝曰：廣宗，賊易破耳，盧中郎固壘息軍，以待天誅。後漢紀二十四。帝怒，遂檻車徵植，減死一等。及車騎將軍皇甫嵩討平黄巾，咸稱植行師方略，嵩皆資用規謀，濟成其功。以其年復爲尚書。後漢書列傳。六年，帝崩，皇子辯即位。大將軍何進請盡誅諸常侍，謀洩，中常侍張讓、段珪等斬進，因將太后、天子及陳留王從複道走北宮。植執戈於閣道窗下，仰數段珪。珪等懼，乃釋太后，復將帝與陳留王數十人步出穀門，奔小平津。植夜馳河上，後漢書何進傳。按劍責珪。珪等皆涕泣説罪，自投於河。後漢紀二十五。明日，公卿百官乃奉迎天子還宫。何進傳。初，何進謀誅閹宦，而太后不許，乃呼董卓將兵入朝，以脅太后。後漢董卓傳。植知卓凶悍難制，必生後患，固止之，進不從。及卓至，果凌虐朝廷。後漢書列傳。乃大會羣臣於崇德殿，後漢紀二十五。議欲廢帝，衆莫敢對。植獨正言，續漢書。曰：昔太甲既立，不明昌邑罪過千餘，故有廢立之事。今上富於春秋，行無失德，非前事之比也。卓大怒，罷座，董卓傳。將誅植。植素善於蔡邕，邕前徙朔方，植獨上書請之。邕時見親於卓，故往請植事。又議郎彭伯諫卓曰：

盧尚書海內大儒，人之望也，今先害，天下震怖。卓乃止，但免官而已。植以老病求歸，懼不免禍，乃詭道從轘轅出。卓果使人追之，到懷不及。後漢書列傳。隱居上谷軍都山，立黌肆教授，學者自遠方至。寰宇記六十九引後漢書。植身長八尺，音聲如鐘，後漢書列傳。飲酒至一石不亂。禮記坊記正義引鄭志。爲政務在清淨，宏大體而已。後漢紀二十五。與鄭元同門相友，續漢書。元注記，時執就之。冀州牧袁紹請爲軍師。初平二年卒。臨困，敕其子儉葬於土穴，不用棺槨，附體單帛而已。所著碑誄表記凡六篇。後漢書列傳。按：唐志盧植集二卷，隋志注亡。建安十二年，曹操北征，指柳城，三國志武帝紀。過涿郡，告守令曰：續漢書作令告太守。故北中郎將盧植，名著海內，學爲儒宗，士之楷模，國之楨幹也。賢者之後，宜有殊禮。亟遣丞掾除其墳墓，存其子孫，並致薄醊，以彰厥德。植有四子，毓最小，續漢書。知名。後漢書列傳。

三國魏

田疇，字子泰，王鳴盛十七史商榷按：陶潛擬古詩云：辭家夙嚴駕，當往至無終。聞有田子春，節義爲士雄。春字之下，宋紹熙曾集刻本注云，一作泰。則知或作子泰，或作子春，宋人已不能定，然畢竟以春爲正也。右北平無終人也。好讀書，善擊劍，三國志列傳。志節高尚，量時度理，進退合義。裴注引先賢行狀。初平元年，義兵起，董卓遷帝於長安。幽州牧劉虞歎曰：賊臣作亂，朝廷播蕩，四海俄然，莫有固志。身備宗室遺老，不得自同於衆，今欲奉使展效臣節，安得不辱命之士乎？魏志列傳。衆咸曰：田疇其人也，年二十二，後漢紀二十七。雖少，然有奇材。通鑑六十。虞乃備禮請與相見，大悦之，遂署爲從事，後漢書劉虞傳作選掾。具車騎。將行，疇曰：今道路阻絶，寇虜縱横，稱官奉使，爲衆所指。願以私行，期於得達而已。虞從之。疇乃歸，選其家客與年少勇壯募從二十騎俱往。虞自出祖而遣之。魏志列傳。疇引虞密與議，因説虞曰：今帝主幼弱，奸臣擅命，表上須報，懼失事機，且公孫瓚阻兵安忍，不早圖之，必有後悔。虞不聽。裴注引先賢行狀。疇出塞外，傍北山，直馳趣朔方，循間徑，遂至長安致命。詔拜騎都尉。疇以天子方蒙塵，不可荷佩榮寵，固辭不受。朝廷甚義之。三府並辟，皆不就。得報馳還。未至，虞已爲瓚所殺。疇至，謁祭虞墓，陳發章表，哭泣而去。王嘉拾遺記言：疇哭虞墓，臥於草門，劉幽州魂來與言。事涉幽怪，今不取。瓚聞之大怒，購求獲疇，謂曰：汝何故自哭劉虞墓，而不送章報我乎？後漢紀二十七。疇曰：漢室衰頽，人懷異心，唯劉公不失忠節。章報所言，於將軍未美，恐非所樂聞，故不進也。今將軍方舉大事以求所欲，既滅無罪之君，又讎守義之臣，誠行此事，則燕、趙之士，皆將蹈東海而死，豈忍有從將軍者乎？魏志列傳。瓚乃釋之。疇北歸無終，率宗族及他附從者數百人而盟曰：君仇不報，吾不可立於世。遂入徐無山中，營深險平敞而居，躬耕以養父母。百姓歸之，數年間至五千餘。疇謂其父老曰：今衆成都邑，而莫相統一，又無法制以治之，恐非久安之道。疇乃爲約束：相殺傷，犯盗，諍訟者，隨輕重抵罪，重者至死。通鑑六十。凡二十餘條。又制爲婚姻嫁娶之禮，興學校講授之業，班行於衆，衆皆便之，至道不拾遺。北邊翕然服其威信，烏丸、鮮卑並各遣譯使致貢遺，疇悉撫納，令不爲寇。袁紹數遣使招命，又卽授將軍印，因安輯所統，疇皆拒不納。紹死，其子尚又辟焉，疇終不行。魏志列傳。河間鄭人邢顒從疇游。太祖定冀州，顒謂疇曰：黄巾起二十餘年，海内鼎沸，百姓流離。今聞曹公法令嚴，民厭亂矣，亂極則平，請以身先。遂裝還鄉里。太祖以顒爲冀州從事。魏志邢顒傳。建安十二年，太祖北征烏丸，未至，先遣使辟疇，又命田豫喻指。疇遂隨使者到軍，署司空户曹掾，引見諮議。明日出令曰：田子泰非吾所宜吏者。卽舉茂才，拜蓨令。不之官，隨軍至無終。時方夏水雨，濱海洿下，濘滯不通，虜亦遮守蹊要，軍不得進。太祖患之，以問疇。疇曰：此道，秋夏每常有水，淺不通車馬，深不載舟船，爲難久矣。舊北平郡治在平岡，道出盧龍，達于柳城，自建武以來，陷壞斷絶垂二百載，而尚有微徑可從。今虜將以大軍當由無終，不得進而退，懈弛無備。若嘿回軍，從盧龍口越白檀之險，出空虚之地，路近而便，掩其不備，蹋頓之首可不戰而擒也。操曰：善。乃引軍還。令疇將其衆爲鄉導，上徐無山，魏志列傳。出盧龍塞。塞外道絶不通，乃塹山堙谷五百餘里，經白檀，歷平岡，涉鮮卑庭，東指柳城，未至二百里，虜乃知之，魏志武帝紀。遂大斬獲，追奔逐北，至柳城，軍還入塞。魏志列傳。操表論疇功，文武有效，節義可嘉，誠應寵賞，以旌其美。裴注引先賢行狀。封疇亭侯，邑五百户。魏志列傳。疇曰：吾爲劉公報仇，率衆遁逃，志氣不立，反以爲利，非本志也。固讓不受。通鑑五十六。遼東斬送袁尚首，令三軍敢有哭之者，斬。疇以嘗爲尚所辟，乃往弔祭。操亦不問。疇盡將其家屬又宗人三百餘家居鄴。太祖賜疇車馬穀帛，皆散之宗族知舊。從征荆州，操追念疇功殊美，乃復以前爵封疇。疇以死自誓曰：疇負義逃竄之人，蒙恩全活，爲幸多矣，豈可賣盧龍之塞，以易賞禄哉？操知其不可屈，乃拜爲議郎。年四十六卒。子又早死。文帝踐阼，高疇德義，賜疇從孫續爵關内侯。魏志列傳。

田豫，字國讓，漁陽雍奴人也。魏志列傳。居身清白，規略明練。陳壽評。劉備之奔公孫瓚也，豫時年少，自託於備，備甚奇之。備爲豫州刺史，豫以老母求歸。備涕泣與別，謂曰：恨不與君共成大事也！公孫瓚使守東州令，瓚將王門叛瓚，爲袁紹將數萬餘人來攻，豫登城謂門曰：卿爲公孫所厚而去，意有所不得已也，今還作賊，乃知卿亂人耳。門慙而退。瓚敗，太祖召豫爲丞相軍謀掾，除潁陰、朗陵令，遷弋陽太守，所在有治。魏志列傳。建安二十三年，代郡烏丸反，曹彰爲北中郎將，北征，魏志任城王傳。以豫爲相。魏志列傳。入涿郡界，叛胡數千騎卒至，時兵馬未集，唯有步卒千人，騎數百匹，任城王傳。豫因地形回車，結圜陣，弓弩持滿於内，疑兵塞其隙，胡不能進，散去。追擊，大破之，遂前平代。遷南陽太守。魏志列傳。先時，南陽苦繇役，裴注引曹瞞傳。守將侯音反，執太守，刧略吏民。魏志武帝紀。功曹宗子卿往説音，卽釋遣太守，因亡出，收餘民圍音。會曹仁軍至，共滅之，曹瞞傳。收其黨與五百餘人，表奏皆當死。豫悉見諸繫囚，慰喻，開其自新之路，一時破械遣之。諸囚皆叩頭，願自效，卽相告語，羣賊一朝解散，郡内清淨，具以狀上。太祖善之。文帝初，北狄彊盛，乃使豫持節護烏丸，魏志列傳。并護鮮卑、屯昌、平步，魏志鮮卑傳。自高柳以東，濊貊以西，鮮卑數十部，比能、彌加、素利割地統御，各有分界，乃共要誓，皆不得以馬與中國市。豫以爲戎狄爲一，非中國之利，乃搆離之，使自爲讐敵，互相攻伐。魏志列傳。按：鮮卑傳言，比能、素利、步度根三部，更相攻擊，田豫和合，使不得相侵，與本傳異。本傳據其定謀而言，鮮卑傳據其事體而言，意各有當也。黄初五年，鮮卑傳。素利違盟，出馬千匹與官，爲比能所攻，求救於豫。魏志列傳。豫率輕騎徑進，掎其後，比能使别小帥瑣奴拒豫，豫進討，破走之。太和二年，豫出塞討鬱築鞬，大破之。還至馬城，比能自將三萬騎圍豫。鮮卑傳。豫移雁門太守牽招來救。招馳布羽檄，云掩取虜家。虜卽恐怖。魏志牽招傳。豫密嚴，使司馬建旌旗，鳴鼓角，將步騎從南門出，胡人皆屬目往赴之。豫將精鋭自北門出，鼓譟而起，兩頭俱發，出虜不意。虜衆散亂，皆棄弓馬步走，追討二十餘里。魏志列傳。按：傳言素利求救於豫，豫將鋭卒深入虜廷。胡人鈔軍前後截斷歸路，豫從他道引去。胡追豫到馬城，圍之十重云云。攷鮮卑傳及通鑑，豫救素利在黄初五年，馬城之圍在太和二年，本傳混爲一事，今正之。烏丸王骨進桀黠不恭，豫因出塞按行，單將麾下百餘騎入進部，使左右斬進，顯其罪惡以令衆。衆怖慴不敢動。以進弟代進。自是胡人破膽，威震沙漠。山賊高艾衆數千人寇鈔，爲幽、冀害。豫斬艾，傳首京都。封長樂亭侯，轉爲汝南太守，加殄夷將軍。太和末，公孫淵以遼東叛，乃使豫督青州諸軍往討。會吴遣使與淵相結，詔使罷軍。魏志列傳。蔣濟傳裴注引司馬彪戰略曰：太和六年，明帝遣平州刺史田豫乘海渡攻遼東，蔣濟諫不聽，豫行，竟無功而還。豫以吴使周賀等垂還，歲晚風急，必畏漂浪，東道無岸，當越成山。成山無藏船處，遂以兵屯據。賀等還至成山，遇風，豫勒兵擊斬之。通鑑七十二。初，豫以太守督青州，青州刺史程喜内懷不服，軍事多相違錯，乃密上：豫雖有戰功，而禁令寬弛，所得器仗珠金甚多，放散皆不納官。由是功不見列。景初末，增邑三百，并前五百户。正始初，遣使持節護匈奴中郎將，加振威將軍、并州刺史。外胡聞其威名，相率來獻。州郡肅甯，百姓懷之。徵爲衛尉。屢乞遜位，曰：年過七十而以居位，譬猶鐘鳴漏盡，夜行不休，是罪人也。固稱疾篤。拜太中大夫，食卿禄。年八十二薨。魏志列傳。戒其妻、子曰：葬我必於西門豹邊。豹所履行，與我敵等耳，死而有靈，必與我善。從之。裴注引魏略。豫清約儉素，賞賜皆散之將士。魏志列傳。鮮卑、素利等數以牛馬遺豫，豫送官。胡以爲前物顯露，乃密懷金三十斤，謂豫曰：願避左右，欲有所道。固跪曰：我見公貧，故前後遺公牛馬，公輒送官，今密以此上公，可以爲家資。豫受之，答其厚意。胡去後，悉付外，具以狀聞。詔褒之，賜絹五百匹。羣書治要引作青縑五百匹。豫分其半藏小府，後胡來，以半與之。裴注引魏略。爲校尉九年，其御夷狄，恒摧抑兼并，乖散彊猾，凡逋亡姦宄，爲胡作計，不利官者，豫皆搆刺攪離，使凶邪之謀不遂。魏志列傳。出統戎馬，入贊庶政，忠清在公，憂國忘私，身没之後，家無餘財。魏志徐邈傳。嘉平六年，下詔褒揚，賜其家錢穀。子彭祖嗣。魏志列傳。初，劉虞從事漁陽，鮮于輔率州兵欲報瓚，以燕國閻柔素有恩信，共推柔爲烏丸司馬。魏志公孫瓚傳。閻柔素没烏丸、鮮卑，爲其種所歸，乃因鮮卑衆，殺烏丸校尉邢舉代之。袁紹因寵尉以安北邊。魏志鮮卑傳。柔招誘烏丸、鮮卑，得胡漢數萬人，與瓚所置漁陽太守鄒丹戰於潞北，大破之，斬丹。紹又遣麴義及虞子和將兵與輔合擊瓚。公孫瓚傳。興平二年，破瓚於鮑邱，於是代郡、廣陽、上谷、右北平，各殺瓚所置長史，復與輔和兵合。後漢書公孫瓚傳。瓚敗，輔爲國人所推，行太守事，素善豫，以爲長史。時雄傑並起，莫知所從。豫謂輔曰：終能定天下者，必曹氏也，宜速歸命。魏志列傳。輔將其衆奉王命，以輔爲建忠將軍，督幽州六郡。太祖與袁紹相拒於官渡，閻柔遣使詣太祖受事，遷護烏丸校尉，公孫瓚傳。猶持漢使節，治廣甯如舊。鮮卑傳。而輔身詣太祖，拜左度遼將軍，封亭侯，遣還鎮本州。公孫瓚傳。袁紹破走，太祖喜顧，謂輔曰：此既天意，亦二三子之力。魏志公孫瓚傳注引魏略。太祖破南皮，柔將部曲及鮮卑獻名馬以奉軍，從征三郡烏丸，以功封關内侯。公孫瓚傳。太祖甚愛柔，每謂之曰：我視卿如子，亦欲卿視我如父也。柔由此自託於五官中郎將。魏志公孫瓚傳注引魏略。

輔亦率其衆從。文帝踐阼，拜輔虎牙將軍，（公孫瓚傳。）輔國將軍。（按：鮮卑傳載，黄初五年，比能與輔國將軍鮮于輔書，其拜未詳何年，姑附於此。）柔度遼將軍，皆進封縣侯，位特進。（公孫瓚傳。）豫之破瑣奴，比能與輔書，輔以聞帝。帝復使豫招納安慰。及比能圍豫馬城。上谷太守閻志，柔之弟也，素爲鮮卑所信，往喻，卽解圍去。（鮮卑傳。按：此與本傳及牽招傳互異。劉放傳注引魏氏春秋，其説與此同，未詳孰是，附識於末，以存疑焉。）

盧毓，字子家，涿郡涿人，（魏志列傳。）植之子也。（魏志徐邈傳。）十歲而孤，遇本州亂，二兄死難。當袁紹、公孫瓚交兵，幽冀饑荒，養寡嫂、孤兄子，以學行見稱。文帝爲五官中郎將，召署門下賊曹。（魏志列傳。）崔琰名之曰清警明理，百鍊不消，公才也。（魏志崔琰傳。）舉爲冀州主簿。時天下草創，多逋亡，故重士亡法，罪及妻子。亡士妻白等，始適夫家數日，未與夫相見，大理奏棄市。毓引經典駁之。太祖歎息，由是爲丞相法曹議令史，轉西曹。（魏志列傳。）建安十八年，魏國置百僚，如漢初諸侯王之制，（魏志武帝紀。）毓爲吏部郎。文帝踐阼，徙黄門侍郎，出爲濟陰相，梁、譙二郡太守。帝以譙舊鄉，故大徙民充之，以爲屯田。而譙地土墝瘠，百姓窮困，毓愍之，上表徙民於梁，就沃衍，失帝意，左遷爲睢陽典農校尉。毓心在利民，躬自臨視，擇居美田，百姓賴之。遷安平、廣平太守，所在有惠化。青龍二年，入爲侍中。先是，散騎常侍劉邵受詔定律，未就，（按：劉邵傳，邵徵拜騎都尉，與議郎庾嶷、荀詵定科令，作新律十八篇，著律略論，遷散騎常侍，則未就時，未爲散騎也，傳蓋由後而言。）毓上論古今科律之意，以爲法宜一正，不宜有兩端，使姦吏得容情。在職三年，多所駁争。詔以毓爲吏部尚書。魏志列傳。時帝深疾浮華之士，詔曰：選舉莫取有名，名如畫地作餅，不可啖也。毓對曰：名不足以致異人，而可以得常士。常士畏教慕善，然後有名，非所當疾也。愚臣既不足以致異人，又主者正以循名案常爲職，但當有以驗其後耳。古者敷奏以言，明試以功。今考績之法廢，而以毁譽相進退，故真僞渾雜，虚實相蒙。帝納其言，詔散騎常侍劉卲爲考課灋。通鑑七十三。毓論人及選舉，先性行而後言才。黄門李豐常以問毓，毓曰：才所以爲善也，故大才成大善，小才成小善，今稱之有才而不能善，是才不中器也。豐服其言。齊王卽位，賜爵關内侯。時曹爽秉權，將樹其黨，徙毓僕射，以侍中何晏代毓。頃之，出毓爲廷尉。魏志列傳。晏等與毓素有不平，因毓吏微過深文，致毓法，魏志曹爽傳。司隸畢軌枉奏，免官，衆論多訟之，乃以毓爲光禄勳。爽等見收。司馬宣王使行司隸校尉，治其獄。復爲吏部尚書，加奉車都尉，封高樂亭侯，轉爲僕射，故典選舉加光禄大夫。魏志列傳。魏世，事統臺閣，重内輕外，毓規鑒清理，不忝厥職。陳壽評。高貴鄉公卽位，進封大梁鄉侯，封一子高亭侯。母邱儉作亂，大將軍司馬景王出征，毓綱紀後事，加侍中。甘露元年，按：本傳作正元三年。攷三少帝紀，正元無三年，是年六月改元甘露，十月始以毓爲司空，故本紀及通鑑皆書甘露元年，今據改。疾病遜位，遷爲司空，固推驃騎將軍王昶、光禄大夫王觀、司隸校尉王祥。詔使使者卽授印綬，進爵封容城侯，邑二千三百户。魏志列傳。與孫禮同郡時輩，而情好不睦，爲人雖互有短長，然名位略齊云。（魏志孫禮傳。）二年薨，謚曰成侯。孫藩嗣。（魏志列傳。）毓著九州人士論一卷，通古人論一卷。（見隋書經籍志注，唐志無通論。）子欽、斑。（魏志列傳。别有傳。）

徐邈，字景山，燕國薊人也。性修慎，（魏志列傳。）以清節著名。（通鑑七十五。）太祖平河朔，召爲丞相軍謀掾，試守奉高令，爲東曹議令史。魏國初建，爲尚書郎。後領隴西太守，轉南安。文帝踐阼，歷譙相，平陽、安平太守。（魏志列傳。）上以農殖大事，將選典農，以邈爲潁川典農中郎將，（御覽二百四十一引魏略。）所在著稱，賜爵關内侯，遷撫軍大將軍軍師。（魏志列傳。）明帝太和二年，以爲涼州刺史，（通鑑七十一。）使持節領護羌校尉。值諸葛亮出祁山，（魏志列傳。）南安、天水、安定三郡叛魏應亮，關中響震。（蜀志諸葛亮傳。）邈輒遣參軍及金城太守等擊南安，破之。（魏志列傳。）涼州南隔西羌，西通西域，（晉地理志。）邈務農積穀，立學明訓，進善黜惡，與羌胡從事，不問小過，若犯大罪，先告都帥使知，應死者乃斬以狥。由是服其威信，州界肅清。（通鑑七十一。）以討叛羌功，封都亭侯，邑三百户，加建威將軍。（劉放傳裴注引公孫資别傳，時有譖毁之者，資盛陳其素行，使卒無纖介。）正始元年，還爲大司農，遷司隸校尉。百僚敬憚之。公事去官，後爲光禄大夫。九年，拜司空。固辭。（魏志列傳。）侍中鄭袤受詔譬旨，邈語袤曰：三公當上應天心，苟非其人，實傷和氣，不敢以垂死之年累辱朝廷也。終於不就。（晉書鄭袤傳。）嘉平元年，年七十八，以大夫薨於家，用公禮葬，謚曰穆侯。（文獻通攷二百七十作貞侯。）子武嗣。六年，朝廷追思清節之士，詔曰：故司空徐邈，服職前朝，歷事四世，出統戎馬，入贊庶政，忠清在公，憂國忘私，不營産業，身没之後，家無餘財，朕甚嘉之。其賜穀二千斛，錢三十萬。布告天下。邈同郡韓觀曼游，有鑒識器幹，與邈齊名。魏志列傳。黄門侍郎杜恕表：觀，信有兼才，高官重任，不但三州。裴注引魏名臣奏。爲豫州刺史，甚有治功，卒官。魏志列傳。初，建安時，年饑兵興，太祖表制酒禁。後漢書孔融傳。邈私飲沉醉。校事趙達問以曹事，邈曰：中聖人。達白之太祖，甚怒。度遼將軍鮮于輔進曰：平日醉客謂酒清者聖人，濁者賢人，邈偶醉言耳。竟坐得免刑。後文帝問邈曰：頗復中聖人否？邈對曰：昔子反斃於穀陽，御叔罰於飲酒，臣嗜同二子，不能自懲，時復中之。然宿瘤以醜見傳，而臣以醉見識。帝大笑曰：名不虚立。魏志列傳。邈清尚宏通，陳壽評。太平御覽七百五十引魏氏春秋，邈善畫，作水獺標於水濱，羣獺集焉。盧欽著書，稱邈曰：徐公志高行潔，才博氣猛。其施之也，高而不狷，潔而不介，博而守約，猛而能寬。聖人以清爲難，而徐公之所易也。或問欽：徐公當武帝時，人以爲通，自在涼州及還京師，人以爲介，何也？欽曰：往者毛孝先、崔季珪用事，貴清素之士，于時皆變易車服以求名高，而徐公不改其常，故人以爲通；比來天下奢靡，轉相倣效，而徐公雅尚自若，不與俗同，故前日之通，今日之介也。是世人之無常，而徐公有常也。魏志列傳。

張特，字子産，涿郡人。先時領牙門，給事鎮東諸葛誕。誕不以爲能也，欲遣還護軍，魏志三少帝紀注引魏略。會吴太傅諸葛恪於東興作大隄築城，諸葛誕率衆攻圍，吴志諸葛恪傳。與戰不利，徙爲鎮南將軍。魏志諸葛誕傳。令毋邱儉爲鎮東都督揚州，魏志毋邱儉傳。遂使特屯守合肥新城。魏略。嘉平五年，恪圍新城。三少帝紀。特與將軍樂方等三軍衆合三千人，吏兵疾病，死者過半，而恪起土山急攻，城將陷，不可護特，乃謂吴人曰：今我無心復戰也。然魏法，被攻過百日而救不至者，雖降，家不坐。自受敵以來，已九十餘日矣，此城中本有四千餘人，而戰死者已過半，城雖陷，尚有半人不欲降，我當還爲相語，條别善惡，明日早送名，且持我印綬去以爲信。乃投其印綬而與之。吴人聽其辭，不攻，特乃夜徹諸屋材栅，補其缺，爲二重。明日謂吴人曰：我但有鬭死耳。吴人大怒，進攻之，不能拔，魏略。死傷塗地。諸將伺知吴兵已疲，乃進救兵。恪引軍而去。通鑑七十六。朝廷嘉之。加雜號將軍，封列侯，又遷安豐太守。魏略。

蜀

張飛，字益德，涿郡人也。少與關羽俱事先主。羽年長數歲，飛兄事之。蜀志列傳。先主於鄉里合徒衆，飛與羽爲之禦侮。先主爲平原相，以羽、飛爲别部司馬，分統部曲。先主與二人寢則同牀，恩若兄弟，而稠人廣坐，侍立終日。蜀志關羽傳。建安元年，先主領徐州，袁術來攻，先主拒之於盱眙，蜀志先主傳。留飛守下邳，呂布乘虛襲之。英雄記。下邳守將曹豹迎布，先主傳。飛殺之，城中乖亂。通鑑六十二。中郎將許躭開門内步兵，飛敗走。英雄記。先主從曹操破呂布，隨還許，拜中郎將。先主依劉表，表卒，曹操入荆州，先主奔江南。曹操追之，一日一夜，及當陽之長阪。先主棄妻子走，使飛將二十騎拒後。飛據水斷橋，瞋目横矛，曰：身是張益德也，可來共決死！敵皆無敢近者，故遂得免。先主既定江南，以飛爲宜都太守、征虜將軍，封新亭侯，後轉在南郡。蜀志列傳。建安十六年，先主傳。先主入益州，吴遣迎孫夫人。夫人欲將太子歸吴。蜀志穆皇后傳注引漢晉春秋。飛與趙雲勒兵截江，乃得太子還。蜀志趙雲傳注引趙雲别傳。先主還攻劉璋，飛與諸葛亮等泝流而上，分定郡縣，至江州，破璋將巴郡太守嚴顔，生獲顔。飛呵顔曰：大軍至，何以不降而敢拒戰？顔答曰：卿等無狀，侵奪我州，我州但有斷頭將軍，無降將軍也！飛怒，令左右牽去斫頭。顔色不變，曰：斫頭便斫頭，何爲怒耶！飛壯而釋之，引爲賓客。蜀志列傳。由墊江入，敗張裔於德陽陌下，蜀志張裔傳。定巴西德陽，通鑑六十七。所過戰克，與先主會走成都。益州既平，賜金五百斤，銀千斤，錢五千萬，錦千匹，以飛領巴西太守。蜀志列傳。功曹馬齊，以才幹自顯，飛貢之先主，爲尚書郎。蜀志楊戲傳附季漢輔臣贊注。曹操破張魯，留夏侯淵、張郃守漢川。郃别督諸軍下巴西，欲徙其民於漢中，進軍宕渠、蒙頭、盪石，與飛相拒五十餘日。飛率精卒萬餘人，從他道邀郃，蜀志列傳。戰於瓦口，

（先主傳。）山道迮狹，前後不得相救，遂破郃。郃棄馬緣山，獨與麾下十餘人從間道退，引軍還南鄭。巴土獲安。先主爲漢中王，拜飛右將軍、假節。章武元年，遷車騎將軍，領司隸校尉，進封西鄉侯。（蜀志列傳。）飛出身匡世，濟于艱難，（季漢輔臣贊。）雄壯威猛，亞於關羽。魏謀臣程昱等咸稱羽、飛萬人之敵也。羽善待卒伍，而驕於士大夫；飛愛敬君子，而不恤小人。先主常戒之曰：卿刑殺既過差，又日鞭撾健兒，而令在左右，此取禍之道也。飛猶不悛。先主伐吴，飛當率兵萬人，自閬中會江州。臨發，其帳下將張達、范彊殺飛，持其首順流奔孫權。飛營都督表報先主。先主聞飛都督之有表也，曰：噫！飛死矣！（蜀志列傳。）後主景耀三年，追謚（蜀志後主傳。）曰桓侯。長子苞早夭。次子紹嗣，官至侍中尚書僕射。苞子遵爲尚書，隨諸葛瞻於緜竹，與鄧艾戰死。（蜀志列傳。）

簡雍，字憲和，涿郡人也。少與先主有舊，隨從先主周旋。先主至荆州，雍與麋竺、孫乾同爲從事中郎，常爲談客，往來使命。先主入益州，劉璋見雍，甚愛之。先主圍成都（蜀志列傳。）數十日，城中尚有精兵三萬人，穀帛支二年，吏民咸欲死戰。（蜀志劉璋傳。）雍往説璋。璋遂與雍同輿而載，出城歸命。先主拜雍昭德將軍，（蜀志列傳。）頒賜金銀錢錦。（蜀志張飛傳。）先主領益州牧，引爲賓友。（蜀志先主傳。）性簡傲跌宕，在先主坐席猶箕踞傾倚，威儀不自肅。諸葛亮已下，則獨擅一榻，項枕卧語，無所爲屈。（蜀志列傳。）雍容風議，見禮於世。（陳壽評。）時天旱禁酒，醲者有刑。吏於人家索得醲具，論者欲令與作酒者同罰。雍與先主游觀，見一男女行道，謂先主曰：彼人欲行淫，何以不縛？先主曰：卿何以知之？雍對曰：彼有其具，與欲醲者同。先主大笑，而原欲醲者。雍之滑稽皆此類也。（蜀志列傳。）

晉

盧欽，字子若，范陽涿人也。祖植，父毓，（別有傳。）世以儒業顯。欽清澹有遠識，篤志經史。舉孝廉，不行。魏大將軍曹爽辟爲掾。爽弟嘗有所屬請，欽白：爽子弟不宜干犯法度。爽深納之，而罰其弟。除尚書郎。爽誅，免官，後爲侍御史，襲父爵大利亭侯，（按：三國志盧毓傳，毓始封關内侯，進封高樂亭侯，更封大梁鄉侯，封一子高亭侯，無大利亭侯之名。未詳孰是。）累遷琅琊太守。宣帝爲太傅，辟從事中郎，出爲陽平太守，遷淮北都督、伏波將軍，甚有稱績；徵拜散騎常侍、大司農，遷吏部尚書，進封大梁侯。（晉書列傳。）同郡張華，家單少孤，不爲鄉邑所知，惟欽異焉，（魏志盧毓傳注引虞預晉書。）言於文帝，除華著作郎。（晉書張華傳。）武帝受禪，以欽爲都督沔北諸軍事、平南將軍、假節。欽在鎮寬猛得中，疆埸無虞。（晉書列傳。）泰始中，入爲尚書僕射，領選。（盧毓傳注引世語。）加侍中，奉車都尉，以清貧，特賜絹百匹。欽舉必以材，稱爲廉平。（晉書列傳。）咸甯四年卒，追謚衛將軍，開府。（世語。）詔贈祕器，朝服一具，衣一襲，布五十匹，錢三千萬，謚曰元。又以欽忠清高潔，不營産業，身没之後，家無所庇，特賜錢五十萬，爲立第舍。復下詔賜穀三百斛。欽歷宰州郡，不尚功名，惟以平理爲務，奉禄散之親故，晉書列傳。清虚淡泊，動修典禮。虞預晉書。妻亡，制廬杖，終喪居外。所著詩賦論難數十篇，名曰小道。子浮嗣。晉書列傳。浮字子雲，虞預晉書。高朗經博，美於張華，起家太子舍人，病疽截手，遂廢。朝廷器重之，就家以爲國子博士，遷祭酒。永平中爲祕書監。晉諸公贊。按：晉書盧欽附傳言，以因國子博士、祭酒、秘書監皆不就，然有遷轉則不能謂之不就矣。大抵隆以虚名，故贊言就家，較得其實。欽弟珽，字子笏，衞尉卿。珽子志。晉書盧欽傳。志，字子道，初辟公府掾，尚書郎，出爲鄴城令。成都王穎之鎮鄴也，愛其才量，委以心膂，遂爲謀主。晉書盧欽傳。永甯元年，趙王倫簒位，齊王冏起兵討倫，晉帝惠紀。遣使告穎。穎召志計事。志曰：趙王簒位，神人共憤，殿下收英俊以從人望，仗大順以討之，百姓必不召自至，攘臂争進，蔑不克矣。穎從之，通鑑八十四。以志爲諮議參軍，補左長史，專掌文翰。盧欽傳。穎前鋒都督趙驤至黄橋，爲倫將士猗許超所敗。衆駭，穎欲退保朝歌。晉書成都王穎傳。志曰：今我軍失利，敵新得志，有輕我心，我若退縮，士氣沮衂，不可復用。且戰何能無勝負？不若更選精兵，星行倍道，出賊不意，此用兵之奇也。穎從之。通鑑八十四。使驤率衆進戰，猗等奔潰。成都王傳。及倫敗，志勸穎宜因太妃求還定省，推崇齊王，徐結四海之心。由是獲譽，天下歸心。盧欽傳。穎至鄴，詔加九錫殊禮，進位大將軍、都督中外諸軍事、假節，加黃鉞，録尚書事。穎受徽號，讓殊禮九錫。表論興義功臣，（成都王傳。）朝廷封志爲武强侯，加散騎常侍。（盧欽傳。）穎又表稱大司馬，前在陽翟，與賊相持既久，百姓困敝。乞運河北邸閣米十五萬斛，以賑陽翟饑民，造棺八千餘枚，以成都國秩爲衣服，斂祭黃橋戰士，旌顯其家。又命温縣瘞趙王倫戰士萬四千餘人，皆志之謀也。（通鑑八十四。）穎形美而神昏，不知書，委事於志，故得成其美焉。（成都王傳。）及河間王顒納李含之説，欲内除二王，樹穎儲副，遣報穎。穎將應之，志諫不從。冏滅，穎遥執朝權，以長沙王乂在内，不得恣，欲去之。時荆州有張昌之亂，穎表求親征。朝廷許之。會昌等平，乃廻兵討乂。（盧欽傳。）志諫曰：公前有大功，而委權辭寵，時望美矣。今若頓兵關外，文服入朝，此霸者之事也。穎不納。（通鑑八十五。）及乂死，穎表志爲中書監，留鄴，參署相府事。乘輿敗於蕩陰，穎遣志督兵迎帝。及王俊攻鄴，志勸穎奉天子還洛陽，時甲士尚萬五千人，志夜部分，至曉皆成列。穎未能決，俄而衆散。（盧欽傳。）穎遂將帳下數十騎，與志奉帝御犢車南奔。（通鑑八十五。）既達洛陽，志啟以滿奮爲司隸校尉，奔散者多還，百官粗備。帝悦，賜志絹二百匹，綿百斤，衣一襲，鶴綾袍一領。初，河間王顒聞王俊起兵，遣右將軍張方救鄴。方聞成都軍敗，頓兵洛陽，縱兵虜掠，欲遷都長安，將焚宫廟，以絶人心。志説方曰：昔董卓無道，焚燒洛陽，怨毒之聲，百年猶存，何爲襲之？乃止。方遂逼天子幸其壘。（盧欽傳。）時羣臣皆逃，通鑑八十五。唯志侍側，曰：陛下今日之事，當一從右將軍，臣駑怯，無所云補，唯知盡微誠不離左右而已。停方壘三日便西，志復從至長安。穎被黜，志亦免官。盧欽傳。永興二年，晉帝惠紀。東海王越奉迎大駕，顒啟帝復穎還鄴，以志爲魏郡太守，加左將軍，隨穎北鎮。盧欽傳。穎敗，官屬奔散，唯志隨從不怠，成都王傳。親自殯送。時人嘉之。越命志爲軍諮祭酒，遷衛尉。永嘉末，轉尚書，洛陽没，志將妻子北投并州刺史劉琨，至陽邑，爲劉粲所虜，與次子謐、詵俱遇害於平陽。長子諶。盧欽傳。

諶，字子諒，清敏晉書盧欽傳。有才理。文選注引徐廣晉紀。好老莊，善屬文，選尚武帝女滎陽公主，拜駙馬都尉，未成禮而公主先卒。徐廣晉紀。後舉秀才，辟太尉掾。盧欽傳。永嘉五年，洛陽陷，通鑑目録九。隨志北依劉琨，爲劉粲所虜。粲據晉陽，留諶爲參軍。琨收散卒，引猗盧騎還攻粲。粲敗走。諶得赴琨先父母兄弟在平陽者，悉爲劉聰所害。按：劉聰載記言，盧志勸太弟乂反，聰收志等殺之。攷通鑑目録，其事在建興三年，而諶之奔琨，在永嘉六年，彼此互異。志之被害，當以諶歸琨之故，載記未足據。通鑑考異云，志勸成都王穎起義兵諫，穎攻長沙王乂，忠義敦篤，始終不虧，非勸人作亂者也。今從傳。琨爲司空，以諶爲主簿，轉從事中郎。琨妻卽諶之從母，既加親愛，又重其才。盧欽傳。建興四年，晉愍帝紀。隨琨投段匹磾。匹磾領幽州，取諶爲別駕。匹磾既害琨，盧欽傳。文選注二十五引臧榮緒晉書云，琨爲匹磾所拘，爲詩贈諶，詞意非常，用以激諶。諶素無奇略，以常詞酬和，殊乖琨心，重以詩贈之，乃謂琨曰：前篇帝王大志，非人臣所言。諶率餘衆奔遼西，通鑑九十。奉琨子羣依段末波。晉書劉琨傳。元帝初，末波通使江左，諶因其使抗表理琨，卽加弔祭。盧欽傳。溫嶠前後表稱志等在末波中有文思，劉琨傳。累徵爲散騎中書侍郎。盧欽傳。徐廣晉紀作散騎常侍。末波愛其才，託以道險，終不遣。徐廣晉紀。按：劉羣傳言，咸康二年，成帝詔徵諶等。魏志盧毓傳裴注引諶别傳，則言元帝初。攷通鑑，段末波卒於太甯三年，後十年爲咸康二年，羣傳誤也。今從諶傳。諶流離世故且二十載。盧欽傳。咸康四年，晉成帝紀。石季龍破遼西，復爲季龍所得，以爲中書侍郎、國子祭酒、侍中中書監屬。冉閔誅石氏，諶隨閔軍於襄國遇害，時年六十七，是歲太和六年也。諶，名家子，早有聲譽，才高行潔，爲一時所推。值中原喪亂淪陷，非所顯於石氏，恆以爲辱。諶每謂諸子曰：吾身没之後，但稱晉司空從事中郎爾。撰祭法，注莊子，及文集皆行於世。盧欽傳。按：隋唐志著録集十卷。

張華，字茂先，范陽方城人也。父平，魏漁陽郡守。華少孤貧，自牧羊，同郡盧欽見而器之。鄉人劉放亦奇其才，以女妻焉。晉書列傳。華挺生聰慧，王嘉拾遺記。少好文義，博覽墳典，文選李善注十引臧榮緒晉書。自修謹，造次必以禮度，器識宏曠，時人罕能測之。初未知名，陳留阮籍見之，歎曰：王佐才也。由是聲名始著。郡守鮮于嗣薦爲太常博士。盧欽言於文帝，轉河南尹，未拜，除著作郎。頃之，遷長史兼中書郎。晉書列傳。華雖棲處雲閣，慨然有感，作鷦鷯賦臧榮緒晉書。以自寄，成公綏推華文義勝己。藝文類聚五十六引王隱晉書。晉受禪，拜黄門侍郎，封關内侯。數載，拜中書令。晉書列傳。與祕書監荀勖依劉向别録，整理記籍，晉書荀勖傳。加散騎常侍。遭母憂，哀毁過禮，中詔勉勵，逼令攝事。晉書列傳。時帝密有滅吳之計，而朝議多違。惟華、羊祜、杜預與帝意合。（晉書杜預傳。）祜寢疾入朝，帝遣華問籌策。華深贊成。祜謂華曰：成吾志者，子也。乃舉領自代。（晉書羊祜傳。按：晉書本傳言祜疾篤，帝遣華詣祜問伐吳之計，然觀祜傳，有帝欲使祜卧護諸將之言，則非疾篤也。）及將大舉，以華爲度支尚書，乃量計運漕，決定廟算。衆軍既進，而未有克獲，賈充等奏誅華以謝天下。帝曰：此是吾意，華但與吾同耳。時大臣皆以爲未可輕進，華獨堅執，以爲必尅。及吴滅，進封廣武侯，增邑萬户。封子一人爲亭侯，千五百户，賜絹萬匹。華名重一時，衆所推服。晉史及儀禮憲章并屬於華，多所損益。當時詔誥皆所草定，（晉書列傳。）論者皆謂宜爲三公。中書監荀勖、侍中馮紞以伐吴之謀深疾之。會帝問華：誰可託後事者？華對以明德至親莫如齊王。由是忤旨，勖因而譖之。（通鑑八十一。）太康三年，（晉武帝紀。）乃出華爲持節、都督幽州諸軍事、領護烏桓校尉、安北將軍。撫納新舊，戎夏懷之。東夷馬韓、新彌諸國，遣使朝獻，四境無虞，士馬强盛。朝議欲徵華入相，又欲進號儀同，（晉書列傳。）馮紞從容侍帝，論魏晉故事，因諷帝言：華不可授以重任。帝默然而止。（晉書馮紞傳。）頃之，徵爲太常。以太廟屋棟折，免官，遂終帝之世，以列侯朝見。惠帝即位，以華爲太子少傅，與王戎、裴楷、和嶠俱以德望爲楊駿所忌，不與朝政。及駿誅後，將廢皇太后，會羣臣於朝堂。議者皆承望風旨，惟華以爲宜依漢廢趙太后爲孝成后故事，貶稱武皇后，居異宫，以全貴終之恩。不從。（晉書列傳。）賈后矯詔，使楚王瑋殺太宰汝南王亮，太保菑陽公衞瓘。晉惠帝紀。内外兵擾，朝廷大恐。晉書列傳。華使董猛説后，通鑑八十二。乃白帝遣騶虞幡使外軍解嚴，瑋兵果敗，晉書列傳。執下廷尉斬之。晉書楚王瑋傳。賈謐與后謀，以張華庶姓，無逼上之嫌，儒雅有籌略，爲衆望所依，欲委以朝政。疑未決，以問裴頠，頠贊成之。通鑑八十二。以功拜右光禄大夫、開府儀同三司、侍中、中書監。華遂盡忠匡輔，彌縫補闕，雖當闇主虐后之朝，而海内晏然，華之功也。華懼后族之盛，乃作女史箴以諷。后雖凶妒，而知敬重華。久之，論前後忠勳，進封壯武郡公。晉書列傳。永平六年，晉書惠紀。代下邳王爲司空，領著作。晉書列傳。裴頠傳：賈后亂政，頠與司空張華、侍中賈模議廢之，而立謝淑妃。華、模皆曰：帝自無廢黜之意，若吾等專行之，上心不以爲是，且諸王方剛，朋黨異議，恐禍如發機，國亡身死，無益社稷。頠曰：誠如公慮，但昏虐之人，無所忌憚，亂可立待，將如之何？華曰：卿二人猶且見信，然勤爲左右陳福禍之戒，冀無大悖，幸天下尚安，庶可優游卒歲。此謀乃寢。賈后將廢太子，晉書列傳：時左衛率劉卞以賈后謀，問華，華曰：不聞。卞曰：卞以寒悴，自須昌小吏受公成拔，以至今日，士感知己，是以盡言，而公更有疑於卞耶？華曰：假令有此，君欲如何？卞曰：東宮俊乂如林，四率精兵萬人，公居阿衡之任，若得公命，皇太子因朝入録尚書事，廢賈后於金墉城，兩黄門力耳。華曰：今天子當陽，太子，人子也，吾又不受阿衡之命，忽相與行，此是無其君父，而以不孝示天下也，雖能有成，猶不免罪，況權戚滿朝，威柄不一，而可以安乎？詐稱上不和，呼太子入朝，置於别室，賜以酒、棗，逼飲醉之，爲書草使書，后以呈帝。帝幸式乾殿，遍示諸公王，莫有言者。晉書愍懷太子遹傳。惟華諫曰：此國之大禍。自漢武以來，每廢黜正嫡，恆至喪亂。且國家有天下日淺。願陛下詳之。裴頠亦以爲宜先檢校傳書者。又請比校太子手書，不然恐有詐妄。議至日西不決。后知華等意堅，因乞免爲庶人。初，趙王倫爲鎮西據惠紀當作征西。將軍，擾亂關中，氐羌反叛，乃以梁王肜代。人或説華曰：趙王貪昧，信用孫秀，所在爲亂，而秀變詐，姦人之雄，今可遣梁王斬秀，刈趙之半，以謝關右。華從之。彤許諾。秀友人辛冉從西來，言於彤曰：氐羌自反，非秀之爲，故得免死。倫既還，諂事賈后，求録尚書事，後又求尚書令。華與裴頠皆固執不可，由是致怨。晉書列傳。永康元年，通鑑八十三。少子韙以中台星坼，勸華避位。華不從。及倫、秀將廢賈后，使司馬雅夜告華。華拒之。是夜難作，華與裴頠俱被收。華將死，謂張林曰：卿欲害忠臣邪？林稱詔。詰之曰：卿爲宰相，任天下事，太子之廢，不能死節，何也？華曰：式乾之議，諫事俱存，非不諫也。林曰：諫若不從，何不去位？華不能答。遂害之於前殿馬道南，夷三族。朝野莫不悲痛之。晉書列傳。平鄉侯纘撫華尸慟哭曰：早語君遜位而不肯，今果不免，命也！晉書閻纘傳。時年六十九。太安二年，詔復侍中中書監，司空公廣武侯，及所没財物與印綬符策，使弔祭之。晉書忠義傳：司空張華爲趙王倫所誅，議者追理其事，欲復其爵。嵇紹駁之曰：兆禍始亂，華實爲之。鄭討幽公之亂，斲子家之棺，魯戮隱罪，終篇貶事，未忍重戮，事已宏矣，不宜復爵位，理無罪。王鳴盛十七史商榷云：歸生問謀，羽父始亂，豈可以例張華？紹之引經，非也。華道德深遠，乃心忠誠，閻纘傳。性好人物，誘進不倦，雅愛書籍。身死之日，家無餘財，惟有文史溢於机篋。祕書監摯虞撰定官書，皆資華本以取正焉。著博物志十篇，晉書列傳。王嘉拾遺記：華造博物志四百卷，奏於武帝。帝詔芟截浮疑，分爲十卷。按：隋書經籍志，又有張公雜記一卷，雜記十一卷，皆云張華撰注，云與博物志相似，唐志不著録，當是一書耳。列異傳三卷，舊唐書藝文志。及文章並行於世。隋志集十卷，録一卷，唐志有集無録。二子：禕，韙。晉書列傳末附載雜事數則，王鳴盛十七史商榷以爲支蔓誕妄，似小說，今不取。

禕，字彥敬，好學謙敬有父風，歷位散騎常侍。韙，儒博曉天文，散騎侍郎。同時遇害。禕子輿，字公安，襲華爵，避難過江，辟丞相掾，太子舍人。（晉書張華傳。按：晉書劉頌傳，趙王倫害張華，頌哭之甚慟，聞華子得逃，喜曰：茂先卿尚有種也。倫黨張林聞之，大怒。憚頌持正而不能害也云云，與本傳異，未詳孰是，姑識於此。）

劉沈，字道真，燕國薊人也，世爲北州名族。少仕州郡，博學好古，太保衛瓘辟爲掾，領本邑大中正，敦儒道，愛賢能。（晉書列傳。）先是，其父岱將舉同郡霍原，未果而病篤。及沈爲中正，乃舉原，（晉書隱逸傳。）爲寒素，司徒府不從。沈又抗詣中書，奏原應二品，詔從之。（晉書李重傳。）遷中書侍郎。時光禄大夫劉頌卒，沈議頌當時少輩應贈開府。孫秀素恨之，不聽。（晉書劉頌傳。）爲當時所稱。齊王冏轉政，遷侍中。於時李流亂蜀，詔沈以侍中、假節，統益州刺史羅尚、梁州刺史許雄等以討流。行次長安，河間王顒請留沈爲司馬，遣席薳代之，後領雍州刺史。（晉書列傳。）太安二年，義陽蠻張昌作亂，（通鑑八十五。）詔顒遣沈將兵萬人，並征西府五千人，自藍田關以討之。顒不奉詔。沈自領兵至藍田。顒又逼奪其衆。長沙王乂命沈將武吏四百人還州。（晉書列傳。）顒起兵討乂，遣張方爲都督，將精兵七萬，自函谷東趨洛陽。（通鑑八十五。）既逼京都，王師屢敗。（晉書列傳。）驃騎主簿祖逖（晉書祖逖傳。）言於乂曰：劉沈忠義果毅，雍州兵力足制河間，宜啟上爲詔與沈，使發兵襲顒。顒窘急，必召張方以自救，此計之良也。乂從之。沈奉詔，馳檄四境，合七郡之衆，及守防諸軍，塢壁甲士萬餘人襲長安。顒時頓於鄭縣之高平亭，爲東軍聲援，聞沈兵起，還鎮渭城，遣督護虞夔，率步卒萬餘人逆沈於好時。接戰，夔衆敗。顒大懼，退入長安，果急呼張方。沈渡渭而壘。顒每遣兵出鬬，輒不利。沈乘勝攻之，（晉書列傳。）使安定太守衙博、（晉書作衛博。）功曹皇甫澹，以精甲五千襲入其門，力戰至顒帳下，沈兵來遲，馮翊太守張輔見其無繼，引兵横擊之，殺博及澹，兵遂敗，收餘卒而退。張方遣其將敦偉夜擊之，沈軍驚潰，（通鑑八十五。）與麾下百餘人南遁，爲陳倉令所執。沈謂顒曰：夫知己之顧輕，在三之節重，不可遺君父之詔，量强弱以苟全，投袂之日，期之必死，葅醢之戮，甘之如薺。詞義慷慨，見者哀之。顒怒，鞭之而後腰斬。（晉書列傳。）初，新平太守張光神略多方，（晉書張光贊傳。）數爲沈畫計。（通鑑八十五。）沈時委任秦州刺史皇甫重，重自以關西大族，心每輕光，謀多不用。及二州軍潰，光曰：劉雍州不用鄙言，故有今日也。（張光傳。）

霍原，字休明，燕國薊人也，少有志力。叔父坐法當死，原入獄訟之，楚毒備加，終免叔父。年十八，觀大學行禮，因留習之。貴游子弟聞而共造焉。父友同郡劉岱將舉之，未果而病篤，臨終勑其子沈曰：霍原慕道清虚，方成奇器，汝必薦之。後歸鄉里。（晉書列傳。）隱居，求志篤古好學，縉紳慕之，委質受業者千里而應。（晉書李重傳。）燕王月致羊酒。高陽許猛素服其名，會爲幽州刺史，將詣之。主簿當車諫不可出界，猛歎恨而止。（晉書列傳。）還朝，以原名聞，擬之西河，求加徵聘。（李重傳。）及劉沈爲大中正，（晉書劉沈傳。）舉原寒素，吏部郎李重奏應爲二品，詔從之，拔爲祕書郎。（李重傳。）元康末，以賢良徵，累下州郡，以禮發遣，皆不到。（晉書列傳。）建興元年，（通鑑八十八。）幽州牧王浚，以父字處道，爲當塗高應王者之讖，謀將僭號。聞原北州名賢，（晉書王浚傳。）使人問之。原不答。浚銜之。（晉書列傳。）時有童謡曰：天子何在？豆田中。浚以豆有藿，（晉愍帝紀。）遂誣原與羣盜通，殺而梟其首。（通鑑八十八。晉書列傳言，遼東囚徒依山爲賊，欲劫原爲主，未行。夫既未行，則孰得而知之？此必浚欲殺原，爲此無根之言耳。通鑑以爲誣與盜通，較得其實。）諸生悲哭，夜竊尸共埋之。遠近駭愕，莫不寃痛。（晉書列傳。）

前燕

陽裕，字士倫，右北平無終人也。少孤，單煢獨立。叔父躭幼而奇之，曰：此兒非惟吾門之標秀，佐時之良器也。刺史和演辟爲主簿。王浚領幽州，轉治中從事，忌而不能任。石勒既克薊城，問棗嵩曰：幽州之人士，誰最可者？嵩曰：燕國劉翰德素長者。北平陽裕，幹事之才。勒方任之。裕乃微服潛遁。時鮮卑單于段眷爲晉驃騎大將軍、遼西公，雅好人物，虛心延裕。裕乃應之，拜郎中令、中軍將軍，處上卿位。歷事段氏五主，（按：段匹磾傳，疾陸眷死，末波立，末波死，弟牙立，牙死，眷之孫遼立，不得爲五主，疑傳誤。）甚見尊重。段遼與慕容皝相攻，裕諫不從，出爲燕郡守，（慕容皝載記附傳。）北平相。（石季龍載記。）咸康四年，石季龍擊遼西，（晉成帝紀。）長驅入薊。段遼所署漁陽、上谷、代郡，守、相皆降，取四十餘城。裕帥其民數千家登燕山以自固。諸將恐其爲後患，季龍曰：裕儒生，矜惜名節，恥於迎降耳，無能爲也。遂過之。（通鑑九十六。）遼懼，奔密雲，季龍遷其户三百萬餘于雍、司、兗、豫四州之地，諸有才行者，皆擢叙之。（石勒載記。）裕詣軍門降。拜北平太守，（通鑑九十六。）徵爲尚書左丞。（附傳。）段遼遣使詐降於季龍，請兵接應。季龍遣其將麻秋率衆迎遼。（慕容皝載記。）以裕遼之故臣，使爲秋司馬。慕容皝伏精騎七千於密雲山，大敗麻秋於三藏口。裕爲燕所執。（通鑑九十六。）皝素聞裕名，即釋其囚，拜郎中令，遷大將軍、（附傳。）唐國内史、（通鑑九十六。）大司馬。東破高句麗，北滅宇文歸，皆豫其謀。皝甚器重之。裕雅有巧思，及遷都和龍，所制城池宫閣，皆裕之規模。性謙恭清儉，剛簡慈篤，雖歷居朝端，若布衣之士。士大夫流亡羈絶者，莫不收卹，無賢不肖，皆傾身待之，是以所在推仰。及死，皝甚悼之，時年六十一。（附傳。）慕容皝之敗麻秋也，趙將軍范陽鮮于亮失馬，步緣山不能進，因止端坐。燕兵環叱令起。亮曰：身是貴人，義不爲小人所屈，汝曹能殺，亟殺，不能，則去。亮儀觀豐偉，聲氣雄厲，燕兵憚之，不敢殺，白於皝，皝以馬迎之，與語大悦，用爲左常侍，以崔毖之女妻之，歷官章武太守，齊郡太守。（通鑑一百。）

陽鶩，字士秋，右北平無終人也。父耽，（晉書慕容暐載記附傳。）遼西太守，清真沉敏。慕容翰破段氏於陽樂，獲之，慕容廆禮而用之，以爲謀主，通鑑八十八。官至東夷校尉。鷟少清素好學，器識沈遠，起家爲平州別駕，屢獻安時彊國之術，事多納用。廆甚奇之。載記附傳。遷遼東太守。通鑑九十五。咸和八年，廆卒，子皝嗣位，晉成帝紀。以王誕爲左長史。誕以鷟爲才而讓之。通鑑九十五。咸康三年，皝自立爲燕王，晉成帝紀。以鷟爲司隸。東西征伐，參謀帷幄。皝臨終謂其子儁曰：陽士秋忠幹貞固，可託大事，汝善待之。儁之圖中原也，鷟制勝之功，亞於慕容恪。暐載記。歷輔義將軍、尚書令、司空。慕容儁載記。暐既嗣僞位，申以師傅之禮，親遇日隆。及爲太尉，慨然而歎曰：昔常林、徐邈先代名臣，猶以鼎足任重而終辭三事，以吾虛薄，何德以堪之？固求罷職，言甚懇至。暐優答不許。暐載記。鷟歷事四朝，年耆望重，自太宰恪以下皆拜之。而鷟謙恭謹厚，過於少時，戒束子孫，雖朱紫羅列，無敢違犯其灋度者。通鑑一百一。性儉約，常乘弊車瘠馬。載記附傳。太和二年卒，謚曰敬。通鑑一百一。

李產，字子喬，范陽人也。少剛厲，有志格，仕於石氏，爲本郡太守。晉書慕容儁載記附傳。永和六年，通鑑目録十。慕容儁南征，前鋒達郡界，鄉人皆勸產降。產曰：夫受人之祿，當同安危，今若舍此節以圖存，義士將謂我何？載記附傳。欲拒燕，通鑑八十九。衆潰，載記附傳。乃帥八城令長出降。通鑑八十九。儁嘲之曰：卿受石氏寵任，衣錦本鄉，何故不能立功於時，而反委質，烈士固當如是邪？產泣曰：誠知天命有歸，非微臣所抗，然犬馬爲主，豈忘自效？但以孤窮勢蹙，致力無術，僶俛歸死，實非誠款。儁嘉其慷慨，顧謂左右曰：此真長者也。（載記附傳。）復以爲太守。（通鑑九十八。）歷位尚書。性剛正，好直言，每進見，未曾不論朝政之得失，同列咸憚焉。儁亦敬其儒雅，轉拜太子太保。（載記附傳。）與韓恆俱傅東宮，從太子暐入朝。儁顧左右曰：此二傅，一代偉人，未易繼也。其見重如此。（慕容儁載記韓恆傳。）産謂子績曰：以吾之才，而致於此，始者之願亦已過矣，不可以西夕之年取笑來今也。固辭，死於家。子績。（儁載記。）

績，字伯陽，少以風節知名，精辯有辭理。弱冠爲郡功曹。（載記附傳。）咸康四年，（通鑑目録十。）石季龍親征段遼，師次范陽，百姓饑儉，軍供有闕。季龍大怒。太守惶怖避匿，績進曰：郡帶北裔，與寇接壤，疆埸之間，人懷危慮，聞輿駕親戎，將除殘賊，雖嬰兒、白首，咸思效命，非唯爲國，亦自求甯，雖膏草野，猶甘爲之，敢有私吝而闕軍實？但比年災儉，家有菜色，困弊力屈，無所取濟，逋廢之罪，情在可矜。季龍見績年少有壯節，嘉而恕之。於是太守獲免。刺史王午辟爲主簿、（附傳。）別駕。（通鑑九十。）儁之南征也，隨午奔魯口。鄧恆謂午曰：績鄉里在北，父已降燕，今雖在此，終不爲用，方爲人患，（附傳。）不如去之。（通鑑九十八。）午曰：績於喪亂之中，捐家立義，情節之重，有侔古烈，若懷嫌害之，必駭衆望。恆乃止。午恐績終爲恆所害，乃資遣之。（附傳。）績往見儁。儁讓之曰：卿不識天命，棄父邀名，今日乃始來耶？對曰：臣眷戀舊主，志存微節，既官身所在，何事非君？殿下方以義取天下，臣未謂得見之晚也。儁悦，善待之。（通鑑九十八。）累遷太子中庶子、（附傳。）司徒左長史。儁讌羣臣於蒲池，語及太子，謂羣臣曰：景茂何如？（儁載記。）景茂，太子暐字也。（暐載記。）時暐侍側。績曰：皇太子天資岐嶷，雖八德已聞，（載記作闕然。）而二闕未補。好游畋而樂絲竹，此其所以損也。儁顧謂暐曰：伯陽之言，藥石之惠也，汝宜誡之。暐甚不平。（通鑑一百。）儁寢疾，謂慕容恪曰：李績清方忠亮，堪任大事，汝善遇之。（儁載記。）及暐立，恪欲以績爲尚書右僕射，暐憾績往言，不許。恪屢請，乃謂恪曰：萬幾之事，委之叔父，伯陽一人，暐請獨裁。績遂憂死。（附傳。）

周存，字道名，漁陽人。王彭祖叛，母遇寇離失。時所在分崩，州郡隔異。存冒難相求，自河以北，無不周偏。復傳母在昌黎。昌黎，燕之所統。存投高祖，高祖客之，爲置酒於坐，問存失母來幾年，相見當識否。言未止，涕泗覆面，尋聲而對，辭甚悲酸。高祖意欲留之而未顯也。存謝曰：老母未審存亡，小弟無所依倚，寢食不敢廢於心，徐庶指方寸以求辭，今存披肝膽以表情，願明公恕之。高祖矜之，聽去。（燕書。）

宋

張穆之，字思靜，晉司空華六世孫。少方雅，有識鑒。宋元嘉中，爲員外散騎侍郎。始興王濬深引納焉。穆之鑒其禍萌，思違其難，求外出，得爲甯遠將軍、交阯太守，治有異績。會刺史死，交土大亂，穆之威懷循拊，境内以甯。宋文帝聞之，嘉焉，將以爲交州刺史，會病卒。梁書太祖張皇后傳。

齊

鮮于文崇，漁陽人，年七歲喪父。父以種芋時亡。至明年芋時，對芋嗚咽，如此終身。姊文英適荀氏，七日而夫亡，執節不嫁。及母卒，晝夜哭泣，遂喪明。南史孝義傳。

盧紹之，字子緒，范陽人，自云盧諶元孫。宋大明中攻廣陵，紹之拔迹自投。上以爲州治中，受心腹之任。建元二年，魏主宏遣僞南部尚書托跋等向司州分兵，出兗青界，十萬衆圍朐山，戍主玄元度嬰城固守。紹之時爲青、冀二州刺史，遣子奂領兵助之。城中無食，紹之出頓州南石頭亭，隔海運糧柴，供給城内。虜圍斷海道，緣岸攻城。會潮水至，虜渰溺。元度出兵奮擊，大破之。臺遣軍主崔靈建、楊法持房靈民萬餘人，從淮入海，船艦至夜，各舉兩火，虜衆望見，謂是南軍大至，一時奔退。上議加封爵，元度歸功於紹之。紹之又讓。上乃擢紹之爲黄門郎，官至光禄大夫。永明八年卒。南齊書魏虜傳。

梁

張宏策，字真簡，范陽方城人，文獻皇后從父弟也。梁書列傳。父安之，青州主簿，南蠻行參軍。南史列傳。宏策敦厚慎密，梁書傳論。幼以孝聞。母嘗有疾，五日不食，宏策亦不食。母彊爲進粥，乃食母所餘。遭母憂，三年不食鹽、菜，幾至滅性。兄弟友愛，不忍暫離，雖各有室，常同卧起，世比之姜肱兄弟。起家齊邵陵王國常侍，遷奉朝請西中郎、江夏王行參軍。梁書列傳。宏策與武帝年相輩，幼見親狎，恒隨帝遊處。建武末，與從兄宏胄從武帝宿，酒酣，移席星下，語及時事，宏策曰：瞻烏爰止于誰之屋？帝笑曰：光武所云，安知非僕！宏策起，請定君臣之分。帝曰：舅欲學鄧晨乎？是冬，魏軍攻新野，齊明帝密詔武帝代曹虎，原避作武，今從梁書改。監雍州軍。宏策聞之心喜，謂帝曰：夜中之言當驗。從帝西行，仍參帷幄。南史列傳。永泰元年，武帝爲雍州刺史，梁武帝紀。按：齊梁本紀皆序武帝爲雍州刺史，於明帝崩之前。梁書及南史，皆言出於明帝遺詔。攷南齊書，明帝七月癸卯，以太子中庶子梁王爲雍州刺史，己酉帝崩于正福殿。其載遺詔頗詳，而無詔武帝之文。傳蓋以事隔數日，遂以爲遺詔耳。通鑑舍傳從紀，較得其實，今本之。乃表宏策爲録事參軍，帶襄陽令。梁書列傳。明帝崩，東昏卽位，始安王遥光等更直内省，分日敕怗。武帝聞之，謂宏策曰：政出多門，亂其階矣。梁武帝紀。乃密與宏策修武備。通鑑百四十一。時帝長兄懿罷益州，還爲西中郎長史，仍行郢州事，南史列傳。乃使宏策詣郢，陳計於懿。梁武帝紀。宏策又自說懿曰：以卿兄弟英武，天下無敵，據郢、雍二州，爲百姓請命，廢昏立明，易於反掌，此桓文之業也。雍州揣之已熟，願善圖之。懿不從。通鑑百四十。及懿遇禍，帝將起兵，夜召宏策入，定議旦乃發兵，以爲輔國將軍，主領萬人，督後部事。西臺建，爲步兵校尉，遷車騎諮議參軍。及郢城平，諸將皆欲頓軍夏口，帝以爲宜乘勝長驅，直指建鄴。宏策與帝意合，即日上道，凡磯浦村落，軍行宿次，立頓處所，宏策預爲圖，皆在目中。南史列傳。師至新林，王茂、曹景宗於大航方戰，宏策持節勞勉，衆咸奮勵，破朱雀軍。帝入，頓石頭城。宏策屯門禁衛，引接士類，多全免，城平。梁書列傳。宏策入清宮，封府庫及圖籍。于時城内珍寶委積，宏策禁勒部曲，秋毫無犯，收潘妃及嬖臣茹法珍、梅蟲兒、王咺之等四十一人，皆屬吏。通鑑百四十四。遷衛尉卿，加給事中。天監初，加散騎常侍、洮陽縣侯，邑二千二百户。梁書列傳。時東昏餘黨孫文明等，南史列傳。初逢赦令，多自未安，數百人因運荻炬束仗入南北掖門作亂，燒神虎門總章觀，入衛尉府。宏策方救火，盜潛後害之，時年四十七。梁書列傳。帝哭之慟，曰：痛哉衛尉！天下事當復與誰論？南史列傳。詔贈散騎常侍、車騎將軍，給鼓吹一部，謚曰愍。南史作閔，梁書列傳。宏策首預帝圖，南史傳論。盡忠奉上，知無不爲。交游故舊，隨才薦拔。爲人寬厚通率，及居隆重，不以貴勢自高，故人賓客，禮接如布衣時。禄賜皆散之親友。及其遇害，莫不痛惜焉。子緬嗣。梁書列傳。

緬，字元長。年數歲，外祖中山劉仲德異之，嘗曰：此兒非常器，非止爲張氏寶，方爲海内令名也。齊永明末兵起，宏策從武帝向都，留緬襄陽，年始十歲，每聞軍有勝負，憂喜形於顔色。及宏策遇害，緬喪過於禮。武帝每遣喻之。服闋，襲洮陽縣侯，（南史張宏策傳。按：梁書列傳作襄陽侯，誤。宏策傳本作洮陽。）召補國子生，起家祕書郎，出爲淮南太守，時年十八。武帝疑其年少，未閑吏事，乃遣主書封取郡曹文案，見其斷決允愜，甚稱賞之。還，除太子舍人、雲麾外兵參軍。緬少勤學，好讀書，手不輟卷，（梁書列傳。）有質疑者，隨問便對，略無遺失。（張宏策傳。）殿中郎缺，徐勉舉緬充選。頃之，出爲武陵太守，還拜太子洗馬、中舍人。緬母劉氏，以父没家貧，葬禮有闕，遂身不居正室，不隨子入官府。緬在郡所得俸禄不敢用，乃至妻子不易衣裳。及還都，并供其母賑贍親屬，雖累載所蓄，一朝隨盡，私室闃然如貧素者。累遷北中郎諮議參軍、甯遠長史，以疾不拜。改太子中庶子，領羽林監。俄遷御史中丞。推繩無所顧望，號爲勁直。高祖遣工圖其形於臺省，以勵當官。中大通三年，遷侍中，未拜，卒，時年四十二。詔贈侍中，加貞威將軍，侯如故。緬學業該通，莅事明敏，性愛墳籍，聚書萬卷。鈔後漢、晉書衆家異同，爲後漢紀四十卷，晉鈔三十卷，（隋志作後漢略二十五卷，晉書鈔三十卷。舊唐志同。）又鈔江左集，未成。文集五卷。（隋唐志不著録。）子傳嗣。（梁書列傳。）緬弟纘，（别有傳。）纘弟綰。（張宏策傳。按：齊、梁諸書於國主稱祖宗，南北史於各國主稱帝，今改歸畫一。）

綰，字孝卿，少與兄纘齊名。南史張宏策傳。初爲國子生，射策高第，起家長祕書郎，遷太子舍人，兼掌管記，累遷中書郎、國子博士。梁書張緬傳。湘東王繹嘗策之百事，綰對，闕其六。號爲百六公。南史附傳。出爲北中郎長史、蘭陵太守。還，除員外散騎常侍、宣城王長史，遷御史中丞。武帝遣其弟中書舍人絢宣言曰：爲國之急，惟在執憲直繩，用人本不限升降，晉宋之世，周、閔、蔡、廓并以侍中爲之，卿勿疑是左遷也。時宣城王府望重，故有此旨焉。大同四年元日，舊制僕射中丞坐位東西相當，時綰兄纘爲僕射，按：梁書南史紀傳，纘以大同三年爲吏部尚書，五年始爲僕射，此疑有誤，姑仍之。及百司就列，兄弟導騶，分趨兩陛，時人榮之。歲餘，出爲豫章内史。綰在郡，述制旨禮記正言義，四姓衣冠士子，聽者常數百人。梁書張緬傳。八年，安平郡民劉敬躬傳作宫。挾左道反，内史蕭説傳作侻。委郡東奔。敬躬據郡，梁武帝紀。改元永漢，署官屬，進攻廬陵，逼豫章，人情擾駭。通鑑百五十六。綰修城隍，設戰備，募召敢勇，得萬餘人。刺史湘東王遣司馬王僧辯帥兵討賊，受綰節度。旬月間，賊黨悉平。十年，復爲御史中丞，加通直散騎常侍。綰再爲憲司，彈糾無所回避，豪右憚之。是時，城西開士林館，聚學者，綰與右衛朱异、太府卿賀琛遞述制旨禮記、中庸義。太清二年，遷左衛將軍。會侯景寇至，入守東掖門。梁書張緬傳。賊築長圍，綰議出擊之。梁書羊侃傳。三年，遷吏部尚書。宫城陷，出奔，外轉至江陵，湘東王承制，授侍中、左衛將軍、相國長史，侍中如故。出爲持節、雲麾將軍、湘東内史 承聖二年，徵爲尚書右僕射，尋加侍中。江陵陷，朝士皆俘入關，綰以疾免。後卒於江陵，時年六十三。梁書張緬傳。集十一卷。隋經籍志。唐志作十卷。次子交，字少游，頗涉文學，選尚太宗十一女安陽公主。承聖二年，官至太子洗馬、祕書丞，掌東宮管記。梁書張緬傳。

成景儁，字超，范陽人也。祖興，仕魏爲五兵尚書。父安樂，淮陽太守。南史孝義傳。景儁鎮東參軍。梁武帝紀。天監六年，魏淮陽鎮都軍主常邕和，梁武帝紀。殺安樂以城内附。南史列傳。按：梁書武紀，亦言常邕和以城内屬，而魏書不載，且云淮南太守安樂以城南叛。通鑑舍魏書從梁書，當得其實。景儁謀復讐。南史列傳。八年，斬宿預城主嚴仲寶，梁武帝紀。按：通鑑載天監七年，蓋據魏書永平元年也。以地南入。南史列傳。邕和爲鄱陽内史，景儁購人刺殺之。按：南史，此上有普通六年四字。攷梁書武紀五十，景儁已爲徐州刺史，尅魏兩城，則下不得云家讐既雪，每思報効。且天監八年去普通六年，中隔十六年，景儁既謀復讐，不應遲之久而後發也。故删去。未久，重購邕和家人，鴆殺其子弟，噍類俱盡。武帝義之，每爲屈法。景儁家讐既雪，每思報効。後除北豫州刺史。南史列傳。普通五年，尅魏潼城，武紀作潼棧，誤，今據魏書、通鑑改。又尅睢陽城。梁武帝紀。大通元年，攻魏彭城，通鑑百五十一。築栅造堰，謀斷泗水以灌城。魏徐州行臺崔孝芬，率大都督李叔仁、柴集等起戰，魏書崔挺傳。不克。通鑑目録十五。五月，攻魏臨潼、竹邑拔之。通鑑百五十一。所向推其智勇，時人以比馬仙琕。兼有政績，見懷北豫州吏人樹碑紀德。卒，謚曰忠烈。南史列傳。

盧廣，范陽涿人，自云晉司空從事中郎諶之後也。按：晉書盧諶傳，諶諸子皆不著其名，魏書盧元傳言，元曾祖諶，祖偃，父邈，惟此可攷，其餘得而詳也。蓋未仕，莫少明經，有儒術。盧氏徑術原於漠北，中郎將廣顯於南，盧元之族著於北，其遺浑亦云遠矣。天監中歸國，拜員外散騎侍郎，出爲始安太守，坐事免。頃之，起爲折衝將軍，配千兵北伐，還，拜步兵校尉，兼國子博士，偏講五經。時北來人儒學者有崔靈恩、孫詳、蔣顯，并聚徒講説，而音詞鄙拙，惟廣言論清雅，不類北人。僕射徐勉兼通經術，深相賞好，尋遥員外散騎常侍，出爲桂陽嗣王長史、尋陽太守、武陵王長史，卒官。梁書儒林傳。

華陽吴祖椿校

人物志二

先賢二

南海廖廷相纂　江陰繆荃孫覆輯

後魏

寇　讚（子臻）　盧　元（子度世　度世子淵　敏　淵子道將　道裕　道約　道舒　敏子義僖）　呂羅漢　平　恆

高　閭　酈　範（子道元　從子惲）　陽　尼（從孫固）

盧　觀　盧景裕

北齊

盧　勇　李　廣　陽　斐

盧詢祖　盧叔武　張　耀

盧　潛（兄懷仁）　鮮于世榮　盧昭美

北周

寇　儁　盧　誕　盧　柔

周惠達　盧辯弟光

隋

盧思道　盧昌衡　盧愷

榮毗

後魏

寇讚，字奉國，上谷昌平人。昌平二字，據周書寇儁傳補。攷魏書地形志，昌平屬昌平郡，與上谷郡俱屬東燕州，史家蓋從西漢舊郡名也。因難徙馮翊萬年。父脩之，字延期，符堅東萊太守。讚少以清素知名，身長八尺，姿容嚴嶷，非禮不動。符堅僕射韋華，州里高達，雖年時有異，恆以風味相待。華爲馮翊太守，召爲功曹，後除襄邑令。魏書列傳。太宗泰常二年，晉劉裕滅姚泓。魏太宗紀。秦雍人千有餘家，推讚爲主歸順，拜綏遠將軍、魏郡太守。北史作河南郡太守。其後，秦雍之民來奔河南滎陽、河内者，户至萬數。拜讚安遠將軍、南雍州刺史、軹縣侯，治洛陽。立雍州之郡縣以撫之。魏書列傳。讚善於招懷流民，歸之者三倍其初。通鑑百十六。賜爵河南公，加安南將軍，領護南蠻校尉，仍刺史，分洛、豫二州之僑郡以益之。魏書列傳。讚歸身有道，魏書傳論。誠信見嘉，北史傳論。雖位高爵重，而接待不倦，在州十七年，甚獲公私之譽。年老，表求致仕。真君九年卒，遺令薄葬，斂以時服。世祖悼惜之，謚曰宣穆。子元寶襲爵。元寶弟虎皮有才器，本縣令，虎皮弟臻。（魏書列傳。）

臻，字仙勝，年十二，遭父憂，居喪以孝稱，輕財好士。高祖初拜北陽鎮將，有威惠之稱，遷建威將軍、（周書寇儁傳作安遠將軍。）郢州刺史，（魏書寇讚附傳。）後爲宏農太守。（北史寇讚附傳。）坐受納，廢，卒於家。子祖訓，順陽太守。祖訓弟治，字祖禮，自洛陽令稍遷鎮遠將軍、東荆州刺史，坐遣戍兵送酈道元，免官。（魏書附傳。）兄弟并有志行，閨門雍睦。（周書寇儁傳。）後蠻反於三鵶，治爲都督，追討戰没，贈衛大將軍、七兵尚書、雍州刺史赳（魏書附傳。）

盧〔元〕，字子真，范陽涿人也。曾祖諶，晉司空劉琨從事中郎。祖偃，父邈，並仕慕容氏。（魏書列傳。）偃爲營邱太守，邈爲范陽太守，皆以儒雅稱。（北史列傳。）元量遠思純。（魏書高允傳。）神䴥四年，辟召儒儁，以元爲首，授中書博士，（魏書列傳。）遷侍郎、本州大中正。（北史列傳。按：北史此下又云，使馮宏稱臣請附。攷魏書及北史馮跋傳，但言宏世子崇出奔遼西，世祖使給事中王德陳示成敗，崇遣弟邈入朝，而無使元之文。本紀延和元年討宏，二年馮崇上表求説降其父，帝不聽，是年元卽使宋，遇疾而歸，何得有使馮宏稱臣請附之事？北史所云，未足據。）司徒崔浩，元之外兄，每與言，輒歎曰：對子真使我懷古之情更深。浩大欲齊整人倫，分明姓族，元勸之曰：夫創制之事，各有其時，樂爲此者，詎幾人也？宜三思。浩竟不納，敗亦由此。後轉甯朔將軍，（魏書列傳。）賜爵固安子，散騎常侍。（北史列傳。）延和二年，（魏世祖紀。）使宋。宋文帝與之言，嘉歎良久，曰：中郎，卿曾祖也。還，遇疾歸鄉，卒，贈平東將軍、幽州刺史、固安侯，高允傳作固安伯。謚曰宣。北史列傳。子度世。魏書列傳。

度世，字子遷，幼聰達，有計數，爲中書學生，應選東宮，弱冠與從兄遐俱以學行，爲時流所重。魏書盧元附傳。遐特爲崔浩所敬，位至尚書、光禄大夫、范陽子。北史盧元附傳。真君十一年，誅司徒崔浩。魏書世祖紀。盧氏，浩之姻親，魏書崔浩傳。度世棄官，逃於高陽鄭羆家。羆匿之，使者因羆子。羆戒之曰：君子殺身以成仁，雖死勿言。子奉父命，遂被拷掠，至火爇其體，因以物故，卒無所言。度世後令弟娶羆妹，以報其恩。魏書附傳。車駕臨江起行宮於瓜步山，世祖紀。宋使其殿中將軍黄延年至，北史附傳。原作殿上將軍，考宋書百官志，當作殿中，今從魏書改。世祖問曰：盧度世坐與崔浩親通，逃命江表，應已至彼。延年對曰：都下無聞，當必不至。世祖詔東宮，赦度世宗族逃亡及籍没者。度世乃出，赴京，拜中書侍郎，襲爵。興安中兼太常卿，立保太后父遼西獻王廟，加鎮遠將軍，進爵爲侯，後除散騎侍郎。魏書附傳。和平元年，詔度世使於宋，北史魏紀二。應對宋侍中柳元景失衷，北史附傳。還，被禁劾，經年乃釋。除假節將軍、魏書附傳。濟州刺史。北史附傳。魏書作齊州刺史。攷地形志，齊州治卓城，劉義隆置冀州，皇興三年更名濟州，治濟北碻磝城，泰常八年置。顯祖紀，皇興元年，詔慕容白曜攻歷城。二年，崔道固以城降。度世以延興元年卒，去皇興二年中僅隔兩年，其在州坐事後，久之乃還鄉里，又除青州，則其爲刺史，當在皇興二年以前。皇興二年去和平元年被劾，中隔七年，既云經年釋除，則在此七年中，更無可疑，其時齊州猶未屬魏，齊字誤，今從北史。州接邊境，將士數相侵掠，度世乃禁勒所部，還其俘虜，二境以甯。後坐事繫囚，久之還鄉里。尋除平東將軍、青州刺史，未拜，遇患，延興元年卒，年五十三，謚曰惠侯。四子：淵、敏、昶、尚之。（之字據後文及北史補。）初，元有五子，嫡唯度世，餘皆別生。崔浩事難，其庶兄弟常欲害之，度世常深忿恨。及度世有子，每誡約令絕妾孽，以防後患。至淵兄弟，婢賤生子，雖形貌相類，皆不舉接，爲識者所非。（魏書附傳。）

淵，字伯源，小名陽烏。性温雅寡欲，有祖父風。敦尚學業，閨門和睦。襲侯爵，例降爲伯，拜主客令，典屬國，遷秘書令，始平王師，給事黄門侍郎，遷兼散騎常侍、祕書監、本州大中正。（魏書盧元附傳。）太和十七年，（魏書皇后傳。）高祖將立馮后，先謂淵曰：卿意何如？淵曰：此自古所愼，宜更簡卜。高祖曰：以先后之姪，朕意已定。淵曰：雖奉敕如此，臣心實謂未盡。及朝臣集議，執意如前。馮誕有盛寵，深以爲恨。淵不以介懷。（魏書附傳。）及議伐齊，淵表以爲萬乘親戎，轉運難繼。詔雖不從，而優答之。（北史盧元附傳。）時高祖以趙郡王總戎別道，誡之曰：盧淵才堪詢訪，汝其師之。（魏書趙郡王傳。）尋以齊武帝殂，停師。（北史附傳。）先是，北地民支酉，秦州民王廣起兵，攻執刺史劉藻，秦、雍間七州民皆響震，衆十餘萬守堡，以待齊救。梁州刺史陰智伯遣兵接應，河南王幹引兵擊之，大敗，穆亮與戰，又敗，酉等進向長安。淵拒擊，大破之，降者數萬口。淵唯誅首惡，餘悉不問，獲酉、廣，並斬之。（通鑑百三十八。）詔兼侍中，未幾，拜儀曹尚書，尋除豫州刺史，以母老固辭。（魏書附傳。）及齊雍州刺史曹虎（北史原避作武。）請降，乃以淵爲使持節安南將軍，督前鋒諸軍，徑赴樊鄧。（北史附傳。）淵辭曰：臣本儒生，頗聞俎豆；軍旅之事，未之學也。（魏書附傳）不許。淵曰：臣恐曹虎爲周魴耳，陛下宜審之。虎果僞降。淵乃進攻赭陽，師敗，坐免爵。尋遭母憂，服闋，兼太尉長史。（北史附傳。）高祖南討，又兼彭城王中軍府長史。（魏書附傳。）二十一年，京兆王愉封拜都督徐州刺史，以淵兼長史，州事巨細委之。（魏書京兆王傳。）淵以誠信御物，甚得東南民和。南徐州刺史沈陵謀叛，淵覺其萌，潛敕諸戍爲之備，屢有表聞。朝廷不納。陵果殺將佐，勒宿豫之衆逃叛，濱、淮諸戍由備得全。（魏書附傳。）陵在邊歷年，陰結邊州豪傑。陵既叛，郡縣多捕送陵黨。淵皆撫而赦之，唯歸罪於陵。衆心乃安。（通鑑百四十二。）景明初，除祕書監。二年，卒官，年四十八。贈安北將軍、幽州刺史，復本爵固安伯，謚曰懿。初，諶父志法鍾繇書傳業，屢世有能名，至邈以上兼善草迹。淵習家法，代京宮殿多淵所題。淵有八子，長道將。（魏書附傳。）

道將，字祖業，應襲父爵，而讓其第八弟道舒，（魏書盧元附傳。）詔不許。道將引清河王國常侍韓子熙讓弟采（魏書作仲穆。）魯陽男之例，詔乃許之。（北史盧元附傳。）道將涉獵經史，風氣謇諤，頗有文才，爲一家後來之冠。諸父並敬憚之。彭城王勰、任城王澄皆虛襟相待。（魏書附傳。）太和二十二年，高祖幸樊城，觀兵襄沔。（魏高祖紀。）勰從征，（魏書彭城王傳。）爲中軍大將軍，辟行參軍，遷司徒東閣祭酒、尚書左外兵郎中，轉祕書丞。出爲燕郡太守。道將下車，表樂毅、霍原之墓，爲之立祠。優禮儒生，勵勸學業，敦課農桑，墾田歲倍，入爲司徒司馬。卒，贈龍驤將軍、太常少卿，謚曰獻。所爲文筆數十篇。弟道裕。（魏書附傳。）

道裕，字甯祖，少以學尚知名，風儀兼美，尚顯祖樂良（北史作浪。）長公主，拜駙馬都尉。（魏書盧元附傳。）歷位中書侍郎、太子中庶子、幽州大中正。卒於涇州刺史。（北史盧元附傳。）謚曰文侯。弟道侃，字希祖，沉雅有學尚，孝昌末卒。弟道約。（魏書附傳。）

道約，字季恭，起家員外郎，累遷司徒右長史。太傅李延實出爲青州，詔道約爲長史，寄以匡維。天平中，開府儀同高岳請爲長史，隨轉青、冀二州，有毗佐之稱。興和末，除衛大將軍、兖州刺史，頗得民和。（魏書盧元附傳。）卒，贈儀同三司、幽州刺史。（北史盧元附傳。）子正通，開府諮議，少有令譽，徵赴晉陽，遇患卒。（魏書附傳。）正通弟正山，字公順，早以文學見知，爲符璽郎，待詔文林館。（北史附傳。）

道舒，字幼安，襲父爵，（魏書附傳。）位中書侍郎。卒，子熙裕襲，清虚守道，有古人風，爲親表所敬。（北史附傳。）

敏，字仲通，小字紅崖，（北史作洪崖。）少有大量。（魏書盧元附傳。）孝文器之，納其女爲嬪。（北史盧元附傳。）太和初，拜議郎。早卒，贈威遠將軍、范陽太守。謚曰靖。子義僖。（魏書附傳。）

義僖，字遠慶，早有學尚，識度沉雅，年九歲喪父，便有至性。少爲僕射李沖所歎美。

起家祕書郎，魏書盧元附傳。累遷冠軍將軍、中散大夫，以母憂去職。北史盧元附傳。幽州刺史王誦，與義僖交款，每與舊故李神儁等書曰：盧冠軍在此，時復惠好，輒留連數日，得諮詢政道。其見重若此。齊王蕭寶夤啟爲開府諮議參軍，辭疾不赴。尋兼司空長史，拜征虜將軍、大中大夫，散秩多年，澹然自得。李神儁勸其干謁當途，義僖曰：學先王之道，貴行先王之志，何能苟求富貴也？孝昌中，除散騎常侍。魏書附傳。時靈太后復臨朝，魏書肅宗紀。黄門侍郎李神軌見幸帷幄，勢傾朝野，魏書李崇附傳。求結婚姻。義僖拒而不許。王誦謂義僖曰：昔人不以一女易五男，卿豈易之也？義僖曰：所以不從，正爲此耳。從之，恐禍大而速。女此字據通鑑補。遂適他族。臨婚之夕，靈太后遣中常侍服景就家敕停，内外惶怖。義僖夷然自若。建義初，除安東將軍、衛尉卿。普泰中，除都官尚書，加驃騎大將軍、左光禄大夫。魏書附傳。義僖寬和畏慎，不妄交款，性清儉，不營財利。少時，幽州頻遭水旱，先有數萬石穀貸人。義僖以年穀不熟，乃燔其契。州閭悦其恩德。雖居顯位，每至困乏，麥飯蔬食，怡然甘之。北史附傳。興和中卒，年六十四。贈大將軍、儀同三司、瀛州刺史。謚孝簡。子遜之，魏書附傳。清靖寡欲，北史附傳。武定中太尉記室參軍。敏弟尚之，字季儒，小字羨夏，亦以儒素見重，魏書附傳。位司徒右長史、前將軍、濟州刺史、光禄大夫。北史附傳。子文甫，字元祐，少有器尚，涉歷文史，有譽於時，位司空參軍。子敬舒，有文學，早卒。

度世之爲濟州也，國家初平，升城房吉母傅氏，中纂妻賈氏，皆亡破軍途，老病憔悴，度世推計中表，致其恭恤。青州既陷，諸崔多所收贖，及淵等，並循父風，遠親疎屬，莫不致敬，閨門之禮，爲世所推，謙退簡約，不與世競，尊卑怡穆，同居共財，親從昆弟，常旦省謁諸父，出坐別室，至暮乃入，朝府之外，不妄交游。其相勗以禮如此。魏書附傳。

呂羅漢，本東平壽張人。其先，石勒時徙居幽州。祖顯，字子明，少好學，性廉直，鄉人有分爭者，皆就質焉。慕容垂以爲河間太守。皇始初，以郡降。道武賜爵魏昌男，拜鉅鹿太守，清身奉公，妻子不免饑寒，百姓頌之。卒官。父温，字晞陽，善書，好施，有文武才畧。世祖伐赫連昌，以温爲幢將，先登陷陣，每戰必捷。以功拜宣威將軍，奉車都尉，出爲秦州司馬，遷上黨太守。善勸課，有治名。卒，贈平遠將軍、豫州刺史、野王侯，謚曰敬。羅漢仁篤慎密，弱冠以武幹知名。父温之佐秦州，羅漢隨侍隴右。魏書列傳。太延五年，楊難當寇上邽，魏世祖紀。秦民多應之。鎮將元意頭，世祖紀作元勿頭。知羅漢善射，共登西城樓，令射難當隊將及兵，二十三人應弦而殪。魏書列傳。羅漢説意頭曰：難當衆盛，今不出戰，示之以弱，衆情離沮，不可守也。意頭遣羅漢將精騎千餘，出衝難當陳，所向披靡，殺其左右騎八人。難當大驚。通鑑百二十三。會世祖賜難當書，責其跋扈。難當乃引還仇池。意頭具以狀聞。世祖嘉之，徵爲羽林中郎。魏書列傳。真君七年，金城邊冏、天水梁會反上邽，世祖紀。休官呂豐、屠各王飛廉據險，魏書列傳。爲冏等形援。魏書封敕文傳詔羅漢率騎一千討擒之。魏書列傳。十一年，世祖紀。從征懸瓠，與琅邪王司馬楚之駕前招慰降者九千餘户，比至盱眙，頻破賊軍，擒其將顧儼、李觀之等，以功遷羽林中郎幢將，賜爵烏程子，加建威將軍。及南安王余立，羅漢猶典宿衛。高宗之立，羅漢有力焉。遷少府卿，仍幢將，進爵野王侯，加龍驤將軍，拜司衛監，遷散騎常侍、殿中尚書，進爵山陽公。魏書列傳。皇興四年，蠕蠕犯塞，輿駕北伐。魏顯祖紀。羅漢與右僕射南平公元目振通鑑作元目辰。都督中外軍事，出爲鎮西將軍，秦、益二州刺史，魏書列傳。掌留臺事。通鑑百三十二。時仇池氐羌反，攻逼駱谷，鎮將吴保元走，保百頃請援。羅漢率步騎，隨長孫觀掩擊，大破之，斬其渠帥。賊衆退散。魏書列傳。詔書慰勉之。北史列傳。涇州民張羌郎，扇惑隴東，聚衆千餘人，州軍討之不能制。羅漢擊擒之。氐羌叛逆，所在蜂起，其賊帥蛩廉、符祈北史作忻。皆受宋官爵鐵券。畧陽公伏阿奴爲都將，與羅漢赴討，破之，生擒廉、祈等。秦、益阻遠，南連仇池，西接赤水，諸羌恃險，數爲叛逆。自羅漢蒞州，撫以威惠，西戎懷德，土境帖然。魏書列傳。高祖下詔褒美之，徵拜内都大官，聽察多得其情。北史列傳。太和六年，卒於官。高祖深悼惜之，賜命服一襲，贈以本官，謚曰莊公。魏書列傳。

平恆，字繼叔，燕國薊人。祖視，父儒，并仕慕容爲通宦。（魏書儒林列傳。）恆躭勤讀誦，多通博聞，（北史儒林傳。）自周以降，暨於魏世，帝王傳代之由，貴臣升降之緒，皆撰録品第，商畧是非，號曰畧注，合百餘篇。好事者覽之，咸以爲善焉。安貧樂道，不以屢空改操。（魏書列傳。）神𢈪四年，（按：魏書世祖紀，神𢈪四年，詔舉逸民，拔起幽窮，廷延儁乂，徵盧元等及州郡所遣至者數百人，皆差次叙用，恆之被徵，當在此時。今據補。）徵爲中書博士。久之，出爲幽州別駕。廉貞寡欲，不營産業，衣食至常不足，妻子不免饑寒。（魏書列傳。）北地梁祚與恆有舊，攜家人僑居於薊，雖羇旅貧窘，而著述不倦。恆時相請屈，與論經史，（魏書梁祚傳。）後拜著作佐郎，遷祕書丞。時高允爲監，邢祐、陽嘏、裴定、程駿、趙元順等爲著作佐郎，（北史無佐字。）雖才學互有短長，然俱爲稱職，并號長者。允每稱：博通經籍，無過恆也。恆別搆精廬，并置經籍於其中，一奴自給，妻子莫得而往，酒食亦不與同。時有珍美，呼時老、東安公、刁（北史作一疑誤）雍等共飲噉之。太和十年，以恆爲祕書令。而恆固請爲郡，未授而卒，時年七十六。贈平東將軍、幽州刺史、都昌侯。謚曰康。子壽昌，太和初祕書令史，稍遷荆州征虜府録事參軍。（魏書列傳。）

高閭，字閻士，漁陽雍奴人。五世祖原，晉安北軍司、上谷太守、關中侯，有碑在薊中。祖雅，少有令名，州別駕。父洪，字季願，陳留王從事中郎。閭貴，乃贈甯朔將軍、幽州刺史、固安貞子。閭早孤，好學，博綜經史，文才儁偉，下筆成章。（魏書列傳。）少爲車子，送租至平城，修刺詣崔浩。浩與語，奇之，使爲謝中書監表。明日，浩歷租車過，駐馬呼閭，諸車子皆驚。閭本名驢，浩乃改爲閭而字焉，由是知名。北史列傳。真君九年，徵拜中書博士。和平末，遷中書侍郎。魏書列傳。高宗崩，丞相乙渾謀逆，文明太后密定大策，誅渾臨朝，魏書皇后傳。引閭與中書令高允入禁内，參決大政，賜爵安樂子，加南中郎將。魏書列傳。時薛安都以徐州内附，請師救援。詔此字據顯祖紀補。鎮南大將軍尉元赴之。魏書尉元傳。閭先入彭城，收管籥。魏書列傳。東徐州刺史張讜歸順。魏書張讜傳。元表閭以本官領東徐州刺史，與讜對鎮團城。後還，以功進爵爲侯，加昭武將軍。顯祖傳位，徙崇光官。閭上至德頌，高允以閭文章富逸，舉以自代，遂爲顯祖所知。數見引接，參論政治，按：北史顯祖作獻文。攷本紀，獻文以皇興元年生，五年即位，又何所知？魏書較是。命造鹿苑頌、北伐碑。顯祖善之。承明初，爲中書令，加給事中，委以機密。文明太后甚重閭，詔令、書、檄、碑、銘、贊、頌，皆其文也。魏書列傳。太和三年，出師討淮北。閭諫陳四疑，請時速返旆。遷中書監。北史列傳。太和八年，魏高祖紀。淮南王他奏求依舊斷禄。閭表以爲若不班爵，則貪者肆其姦情，清者不能自保。詔從閭議。北史列傳。閭又上表，以爲北狄悍愚，同於禽獸，所長者野戰，所短者攻城，若以狄之所短，奪其所長，則雖衆不能成患，雖來不能深入。又狄散居野澤，隨逐水草，戰則與家業并至，奔則與畜牧俱逃，不齎資糧而飲食自足，是以歷代能爲邊患。六鎮勢分，倍衆不鬭，互相圍逼，難以制之。請依秦、漢故事，於六鎮之北築長城，擇要害之地，往往開門造小城於其側，置兵扞守，狄既不攻城，野掠無獲，草盡則走，終必懲艾。計六鎮東西不過千里，一夫一月之功可城三步之城，彊弱相兼，不過用十萬人，一月可就，雖有暫勞，可以永逸。凡長城有五利：罷遊防之苦，一也；北部放牧無抄掠之患，二也；登城觀敵，以逸待勞，三也；息無時之備，四也；歲常遊運，永得不匱，五也。優詔答之。通鑑百三十六。又議政於皇信堂，閭曰：伏思太皇太后十八條之令，及仰尋聖朝所行事，周於百揆，願終成其事。北史列傳後領廣陵王師，出除鎮南將軍、相州刺史，上疏陳伐吳之策。高祖納之，遷都洛陽。閭表諫，言遷有十損，必不獲已，請遷於鄴。高祖頗嫌之。魏書列傳。十八年，雍州刺史曹虎據襄陽請降。魏高祖紀。詔劉昶、薛真度等四道南伐，車駕親幸懸瓠。閭表諫曰：洛陽草創，虎既不遣質任，必非誠心，無宜輕舉。高祖不納。虎果虛詐，諸將皆無功而還。高祖攻鍾離未尅，將於淮南修故城，而置鎮戍，以撫新附之民，賜閭璽書，具論其狀。魏書列傳。閭上表，以爲兵灋十則圍之，五則攻之。曏者國家止爲受降計，發兵不多，東西遼闊，難以成功。今又欲置戍淮南，招撫新附，昔世祖以回山倒海之威，步騎數十萬，南臨瓜步，諸郡盡降，而盱眙小城，攻之不克，班師之日，兵不戍一城，土不闢一廛。夫豈無人以爲大鎮未平，不可守小故也。夫壅水者，先塞其原；伐木者，先斷其本。本原尚在，而攻其末流，終無益也。壽陽、盱眙、淮陰，淮南之本原也，三鎮不克其一，而留守孤城，其不能自全明矣。敵之大鎮逼其外，長淮隔其內，少置兵則不足以自固，多置兵則糧運難通，大軍既還，士心孤怯，夏水盛漲，救援甚難，以新擊舊，以勞禦逸，若果如此，必爲敵禽，雖忠勇奮發，終何益哉！且安土戀本，人之常情，昔彭城之役，既克大鎮，城戍已定而不服，思叛者猶踰數萬，角城蕞爾，處在淮北，去淮陽十八里。五固之役，攻圍歷時，卒不能克。以今準昔，事兼數倍，天時尚熱，雨水方降，願陛下踵世祖之成規，旋轅返旆，經營洛邑，蓄力觀釁，布德行化，中國既和，遠人自服矣。通鑑百四十。及車駕至鄴，高祖頻幸其州館，下詔褒揚之。北史列傳。閭每請本州以自效。詔降號平北將軍，徙授幽州刺史，令存勸兩修，恩法并舉。閭以諸州罷從事，依府置參軍，於治體不便，表宜復舊。高祖不悅。歲餘，表求致仕。優答不許，徵爲太常卿。又車駕南討漢陽，閭上表諫求回師，高祖不納。漢陽平，賜閭璽書，上表陳謝。世宗踐祚，閭累表遜位，魏書列傳。優詔授光禄大夫、金章紫綬，使吏部尚書邢巒就家拜授。及辭，引見東堂，賜以肴羞，訪之大政，以其先朝儒舊，告老求歸。世宗爲之流涕，優詔賜安車、几杖、輿馬、繒綵、衣服、布帛，事從豐厚。百僚餞之，猶羣公之祖二疏也。閭進陟北芒，上望闕表，以示戀慕之誠。北史列傳。景明三年，卒於家，贈鎮北將軍、幽州刺史。謚曰文侯。魏書列傳。北史作文貞。先是，高祖以律令不具，詔閭集中祕官，修改舊文，隨例增減刊定，凡八百三十二章。魏刑罰志。又詔閭與太常採雅樂，以營金石。魏書列傳。歷年考度，粗以成立，遇遷洛不及精盡，未能施行。魏書樂志。閭家富典籍，魏書李彪傳。好爲文章，集三十卷。北史作四十卷。其文亦高允之流。後稱二高，爲當時所服。彊果敢直諫，其在私室，言裁聞耳。及於朝廷廣衆之中，則談論風起，人莫能敵。高祖以其文雅之美，每優禮之，然貪褊矜慢。初在中書，好詈辱諸博士。學生百餘人，有所干求者，無不受其財貨。及老爲二州，乃更廉儉自謹，有良牧之譽。弟悦，篤志好學，有美於閭，早卒。魏書列傳。

鄺範，字世則，小名記祖，范陽涿鹿人。按：魏書地形志，范陽郡有涿，無涿鹿。晉書地理志，涿鹿縣屬廣甯郡。晉以後不置縣。鹿字當爲衍文。水經巨馬河注言，六世祖欒浪府君，自涿之先賢鄉，爰宅其陰云 可證。祖紹，慕容寶濮陽太守。魏書列傳。皇始二年，太祖定中山，以郡迎降，授兗州監軍。父嵩，天水太守。範，世祖時給事東宮。高宗踐阼，追録先朝勳舊，賜爵永甯男，加甯遠將軍。魏書列傳。太安元年，魏高宗紀。以治禮郎奉遷世祖、恭宗神主於太廟，進爵爲子。魏書列傳。皇興元年，宋東平太守申纂戍無鹽，遏絶王使，詔征南大將軍慕容白曜督諸軍往討，北史魏紀二。範爲左司馬。師次無鹽，魏書列傳。將佐皆以爲攻具未備，不宜遽進。範曰：今輕軍遠襲，深入敵境，豈宜淹緩？且申纂必謂我軍來速，不暇攻圍，將不爲備；今若出其不意，可一鼓而克也。白曜乃引軍僞退，纂不復設備。（通鑑百三十二。）於是卽夜部分，旦便騰城，崇朝而克。白曜將盡以其人爲軍實，（魏書列傳。）範曰：齊形勝之地，宜遠爲經畧，今王師始入其境，人心未洽，連城相望，咸有拒守之志，苟非以德信懷之，未易平也。白曜曰：善。乃免之。（通鑑百三十二。）進次肥城，白曜將攻之。範曰：肥城雖小，攻則淹日，得之無益軍聲，失之有損威勢，且見無鹽之卒死者塗炭，成敗之機，足爲鑒矣。若飛書告喻，可不攻自伏。縱其不降，亦當逃散。白曜乃以書曉之，肥城果潰，（魏書列傳。）獲粟三十萬斛。（魏書慕容白曜傳。）白曜目範於衆曰：此行得卿，三齊不足定矣。（魏書列傳。）襲麋溝垣苗，又破之，得粟十餘萬斛，由是軍糧充足，一旬之內，頻拔四城，威震齊土。（慕容白曜傳。）軍達升城，太原太守房崇吉東走青州，刺史沈文秀奉牋歸款，請軍接援。白曜將帥偏師赴之。（魏書列傳。）範曰：文秀室家墳墓皆在江南，擁兵數萬，城固甲堅，彊則拒戰，屈則遁去，我師未逼其城，無朝夕之急，何所畏懼而遽求援軍？且觀其使者視下而色愧，語煩而志怯，此必挾詐以誘我，不可從也。不若先取歷城，克盤陽，下梁鄒，平樂陵，然後按兵徐進，不患其不服也。白曜曰：崔道固等兵力單弱，不敢出戰，吾通行無礙，直抵東陽，彼自知必亡，故望風求服，夫又何疑？範曰：歷城兵多糧足，非朝夕可拔，文秀坐據東陽，爲諸城根本，今多遣兵，則無以攻歷城，少遣兵，則不足以制東陽，若進爲文秀所拒，退爲諸城所邀，腹背受敵，必無全理，願更審計，無墮賊彀中。白曜乃止。文秀果不降。通鑑百三十二。遂表範爲青州刺史，進爵爲侯，加冠軍將軍，遷尚書右丞，除平東將軍、青州刺史，假范陽公，魏書列傳。範智器而達，北史傳論。勤能致遠。時鎮將元伊利表範造船市玉，與外賊交通。高祖詔範曰：鎮將伊利規陷卿罪，窺覦州任，有司推驗虛實，自顯有罪者，今伏其辜矣，卿其明爲算略，勿復懷疑。還朝，卒。謚曰穆。子道元。魏書列傳。

道元，字善長，初襲爵永甯侯，例降爲伯。北史酈範附傳。太和中爲尚書主客郎。御史中尉李彪以道元秉法清勤，引爲治書侍御史。魏書酷吏傳。景明中爲冀州鎮東府長史。刺史于勁，順皇后父也，西討關中，亦不至州。道元行事三年，爲政嚴酷，吏人畏之，姦盜逃於他境。後試守魯陽郡，表立黌序，崇勸學教。山蠻伏其威名，不敢爲寇。北史附傳。累遷輔國將軍。魏書列傳。延昌中，爲東荆州刺史，威猛爲政，如在冀州。蠻人詣闕，訟其刻峻。坐免官。北史附傳。久之，行河南尹，尋卽真。肅宗以沃野、懷朔、薄骨律、武川、撫冥、柔元、懷荒、禦夷諸鎮并改爲州，其郡縣戍名，令準古城邑。詔道元持節兼黄門侍郎，與都督李崇籌宜置立，裁減去留，儲兵積粟，以爲邊備。魏書列傳。會諸鎮叛，不果而還。北史附傳。孝昌元年，徐州刺史元法僧據城反。魏肅宗紀。按：北史列傳，作梁遺將揚州刺史元法僧。攷梁書法僧傳，法僧仕魏爲徐州刺史，鎮彭城。普通五年，據鎮稱帝，遣使歸款云云。未嘗爲揚州刺史，更不得稱梁遺將也。傳誤。詔道元持節，兼侍中，攝行臺尚書，節度諸軍，依李平故事。軍至渦陽敗退，道元追討，多所斬獲。北史附傳。梁將裴邃寇淮南，詔道元討之。北史崔挺附傳。鮮于脩禮反於中山，遣道元爲行臺。魏書長孫道生附傳。後除安南將軍、御史中尉。道元素有威猛之稱。北史言，權豪始頗憚之而不能有所糾正。按：道元劾悦一事，不能謂其無所糾正也。今不取。司州牧汝南王悦，嬖近左右，邱念常與卧起。及選州官，多由於念。念匿於悦第，時還其家。道元收念付獄。悦啓靈太后，請全之。敕赦之。道元遂盡其命，因以劾悦。時雍州刺史蕭寶夤反狀稍露，悦等諷朝廷，北史作城陽王徽素忌道元，因諷朝廷。遣爲關右大使。魏書列傳，蕭寶夤傳作關中大使。寶夤慮道元圖己，遣其行臺郎中郭子帙蕭寶夤傳作郭子恢。圍道元於陰盤驛亭。亭在岡上，常食岡下之井，既被圍，穿井十餘丈，不得水，水盡力屈，賊遂踰牆而入。道元與其弟、北史弟道下闕一字，趙一清水經注釋云，以魏書北史參驗，當是道峻。二子俱被害。道元瞋目叱賊，厲聲而死。寶夤猶遣斂其父子，殯於長安城東。北史附傳。表言白賊所害。魏書蕭寶夤傳。事平，贈吏部尚書、冀州刺史、安定縣男。道元好學，歷覽奇書，撰水經注四十卷，本志十三篇，又爲七聘及諸文，皆行於世。北史附傳。按：魏書列道元於酷吏傳，傳末言其兄弟不能篤睦，又多嫌忌。北史改附酈範傳。四庫提要謂其深有別裁，而傳末數語猶仍其舊。趙一清水經注釋云：道元立身行己，自有本末，不幸生於亂世，而大節無虧。即其持法嚴峻，亦由拓拔朝淫污闒冗，救敝扶衰使然，何至列之酷吏？恐素與魏收嫌怨，才名相軋故邪？觀其有從死之弟，則非不能篤睦可知。今删其傳末數語，參考諸紀傳而爲之傳，附諸酈範之後，并識辨惑之説焉。

弟道慎，字善季，涉歷史傳，有幹畧，爲正平太守，治有能名，遷長樂相，卒，贈後將軍、平州刺史。範弟夔。夔子惲。魏書酈範附傳。北史作範弟道峻，道峻子惲，誤。趙一清云，道元兄弟五人，皆以道爲次。

惲，字幼和，好學有文才，尤長吏幹。正光中，刺史裴延儁用爲主簿，令其修起學校，魏書酈範附傳。禮教大行，民歌謡之。魏書裴延儁傳。又舉秀才，射策高第，爲奉朝請。魏書附傳。後延儁爲西北道行臺節度、討胡將軍，裴延儁傳。按：附傳言延儁爲討胡行臺尚書。攷延儁傳，遇病敕還，始除尚書，時猶未也。引爲行臺郎，以招撫有稱，除尚書外兵郎，仍行臺郎。及延儁解行臺，長孫稚原作雅，誤。攷長孫道生附傳作稚，言高祖以其幼承家業，賜名稚，字承業。今據改。又引爲行臺郎，加征虜將軍。惲頗兼武用，常以功名自許，每進計於稚，多見納用。以功賞魏昌縣開國子，邑三百户。惲在軍啓求減身官爵，爲父請贈。詔贈夔征虜將軍、安州刺史。後與唐州刺史崔元珍固守平陽。泰武中，尒朱榮稱兵赴洛，魏書附傳。遣其都督樊子鵠取唐州。惲與元珍拒守不從。魏書崔挺附傳。城陷，被害，時年三十六。世咸痛惜之。所作文章，頗行於世，撰慕容氏書不成。魏書附傳。

陽尼，字景文，北平無終人也。魏書列傳。累世仕於慕容氏。北史列傳。尼少好學，博通羣籍，與上谷侯天護、頓邱李彪同志齊名。幽州刺史胡泥以尼學藝文雅，乃表薦之。徵拜祕書著作郎，奏佛道宜在史録。後改中書學爲國子學，時中書監高閭、侍中李沖等以尼碩學博識，舉爲國子祭酒。高祖嘗親在苑堂講諸經典，詔尼侍聽，賜帛百匹。後兼幽州中正。魏書列傳。高祖臨軒，令諸州中正各舉所知。尼與齊州大中正各舉其子。帝曰：昔有一祁，名垂往史；今有二奚，當聞來牒。北史列傳。出爲幽州平北府長史，帶漁陽太守，未拜，坐爲中正時受鄉人財貨，免官。魏書列傳。尼與漁陽傳毗並以文才見舉，注述是同。魏書李彪傳。家有書數千卷，所造字釋數十篇，未就而卒，年六十一。其從孫太學博士承慶，遂撰爲字統二十卷，隋唐志并著録隋志作二十一卷。行於世。魏書列傳承慶從弟固。北史列傳。固，字敬安，性俶儻，不拘小節，少任俠，好劍客，弗事生産。年二十六，始折節好學，遂博覽篇籍，有文才。魏書陽尼附傳。太和十八年，魏書高祖紀。從大將軍劉昶征義陽，板府法曹行參軍，假陵江將軍。魏書附傳。昶性褊躁，御軍嚴暴，人莫敢言。固苦諫，昶怒，欲斬之，使當攻道。固志意閑雅，臨敵勇決。昶始奇之。通鑑百四十。軍還，言之高祖，年三十餘，始辟大將軍府參軍事，署城局，仍從昶鎮彭城，板兼長史。俄以憂去任。魏書附傳。景明元年，齊豫州刺史裴叔業以壽春内屬，北史世宗紀。詔平南將軍、廣陵侯元衍與司徒、彭城王勰同鎮壽春，敕固爲衎司馬。還，除太尉西閤祭酒，兼廷尉評。上改定律令。出爲試守北平太守，甚有惠政。後除給事中、領侍御史，轉治書。魏書附傳。正情自立，北史傳論。多所劾奏。北史列傳。世宗廣訪得失，固上讜言表。初，世宗委任羣下，不甚親覽，好桑門之法。尚書令高肇以外戚權寵，專決朝事，又咸陽王禧等并有釁故，宗室大臣，相見疏薄，而王畿民庶，勞斂益甚。固乃作南北二都賦，稱恆代田漁聲樂侈靡之事，節以中京禮儀之式，因以諷諫。世宗末，中尉王顯起宅既成，集僚屬饗宴，酒酣，問固曰：此宅何如？固對曰：晏嬰湫隘，流稱於今，豐屋生災，著於周易。此蓋同傳舍耳，惟有德者能卒。願公勉之。顯嘿然。他日又謂固曰：吾作太尉府卿，庫藏充實，卿以爲何如？固對曰：公收百官之禄四分之一，州郡贓贖，悉入京藏，以此充府，未足爲多。且有聚斂之臣，甯有盜臣，豈不戒哉！顯大不悦，以此銜固。又有人間固於顯，因奏固剩請米麥，免固官，遂闔門自守，著演賾賦，以明幽微通塞之事。又作刺讒疾嬖幸詩。肅宗卽位，除尚書考功郎。魏書附傳。初聽秀才對策，第居中上已上，叙之。時趙祖悦襲據硤石，以吏部尚書李平爲鎮軍大將軍兼尚書右僕射，爲行臺，節度討硤石諸軍。魏肅宗紀。敕爲七兵郎中。平奇固勇敢，軍中大事，悉與謀之。又命固節度水軍。固設奇計，先期乘賊，獲其外城。軍罷，太傅清河王懌舉固，除步兵校尉，領汝南王悦郎中令，尋加甯遠將軍。悦時年少，行多不法，屑近小人。固上疏切諫。悦甚敬憚之。熙平二年，除洛陽令，甚有威風。丁母憂，號慕毁病，杖而能起。練禫之後，猶酒肉不進。年踰五十，而喪過於哀。鄉黨親族咸歎服焉。神龜末，清河王懌領太尉，辟固從事中郎屬。懌被害，元叉秉政，朝野震悚。懌諸子及門生吏寮，莫不慮禍，隱避不出。固以嘗被辟命，遂獨詣喪所，盡哀慟哭，良久乃還。僕射游肇聞而歎曰：雖欒布、王修，何以尚也！君子哉若人！及汝南王悦爲太尉，選舉多非其人，又輕肆撾撻。固以前爲元卿，雖離國猶上疏切諫。正光二年，京兆王繼爲司徒，高選官寮，辟固從事中郎，加鎮遠將軍。四年，卒，時年五十七。

贈輔國將軍，太常少卿，謚曰文。固剛直雅正，不畏彊禦，魏書附傳。文學兼致，魏書傳論。居官清潔，終沒之日，家無餘財，親故爲其棺斂。初，固著終制一篇，務從儉約，臨終又敕諸子一遵先制。魏書附傳。集三卷。隋書經籍志。按：北齊書魏收傳言，收修國史，得陽休之助，因謝休之曰：無以謝德，當爲卿作佳傳。休之父固，魏世爲北平太守，以貪虐爲中尉李平所彈獲罪，載在魏世起居注。收書云，固爲北平太守，甚有惠政，坐公事免。又云，李平深相敬重。時論言收著史不平云云。四庫提要謂北史陽固傳，稱固以譏切聚斂爲王顯所嫉，因奏固剩請米麥，免固官。從征硤石，李平奇固勇敢，軍中大事，悉與謀之，不云固以貪虐爲李平所彈也。李延壽書作於唐代，豈亦媚陽休之乎？然則起居注所云，疑即出於中尉王顯等之口，并非實録，今傳仍從魏書，而爲之辨厥謬焉。

盧觀，字伯舉，范陽涿人也。少好學，有儁才。舉秀才，射策甲科，除太學博士著作佐郎。與太常少卿李神儁、光禄大夫王誦等，在尚書上省撰定朝儀，拜尚書儀曹郎中。孝昌元年卒。魏書文苑傳。弟仲宣，小名金才，學優洽，乃踰於觀，但文體頗細。位太尉屬。北史列傳。熙平初，中尉王匡博召辭人以充御史，同時射策者八百餘人，仲宣與溫子昇、孫搴等二十四人爲高第。魏書溫子昇傳。武泰元年，尒朱榮稱兵渡河，魏書靈皇后傳。遇害河陰。北史列傳。按：魏書盧元附傳言，光宗子觀，觀弟仲宣，事在文苑傳。而文苑傳有觀，無仲宣。兄弟文雅俱劭，北史傳論。論者美之。并無子，文集莫爲撰次，罕有傳者。

盧景裕，字仲孺，小字白頭，范陽涿人，魏書儒林傳。太常丞靜之子。魏書盧同附傳。少聰敏，專經爲學，居拒馬河，將一老婢作食，妻子不自隨從。又避地大甯山，不營世事。居無所業，惟在注解，魏書列傳。爲當時碩儒。周書盧辯傳。叔父同職居顯要，而景裕止於園舍，情均郊野，謙恭守道，貞素自得，由是世號居士。（魏書列傳。）節閔初，（北史盧同附傳。）除國子博士參議，正聲甚見親遇，待以不臣之禮。後以例解還鄉里，與邢子才、魏季景、魏收、邢昕等同徵赴鄴，寓託僧寺，講聽不已。未幾，歸本郡。（魏書列傳。）天平四年，（魏靜帝紀。）河間邢摩納與景裕從兄仲禮據鄉起兵，逼其同應西魏。（魏書北史原作據鄉作逆，逼其同反。按：孝武西奔南陽繼立，高歡不臣，薄海同憤。摩納此舉，非爲悖理。伯起事齊，故如此書。延壽因仍未能是正，今從通鑑參改。）齊獻武命都督賀拔仁討平之。聞景裕經明行著，驛馬特徵，既而舍之，使教諸子，在館十日一歸家，隨以鼎食。景裕風儀言行，雅見嗟賞。先是，景裕注周易、尚書、孝經、論語、禮記、老子，（隋志著録：盧景裕撰老子道德經二卷。）其毛詩、春秋、左氏未訖。齊文襄入相，於第開講，招延時儁，令景裕解所注易。景裕理義精微，吐發閑雅，時有問難，或相詆訶，大聲厲色，言至不遜，而景裕神采儼然，風調如一，從容往復，無際可尋，由是士君子歎美之。（魏書列傳。）景裕雅業可宗，（北史傳論。）性清靜，淡於榮利，弊衣麤食，恬然自安，終日端嚴，如對賓客。興和中，補齊王開府屬，卒於晉陽。齊獻武悼惜之。景裕雖不聚徒教授，所注易大行，又好釋氏，通其大義，天竺胡沙門道悕，每譯諸經，輒託景裕爲之序。（魏書列傳。）

北齊

盧勇，字季禮，（北齊書盧文偉附傳。）范陽涿人，景裕從弟也。（北史盧同附傳。）父璧，魏下邳太守。勇初從景裕在學，其叔同稱之，曰：白頭必以文通，季禮當以武達。興吾門在二子也。幽州反者僕骨邠以勇爲本郡范陽王，時年十八。（北齊書、北史同。按下云，武定二年卒，年三十二。逆數之，是年當爲建明元年，即永安三年。攷魏書孝莊紀，是年無幽州反，而葛榮之被擒，已早在永安元年，又不得云後葛榮作亂，以勇爲燕王也。前後年數，必有一誤。附識於此，以存疑焉。）後葛榮作亂，又以勇爲燕王。（北齊書附傳。）普泰元年，（北齊神武紀。）神武起兵，盧文偉召之，不應。（北史附傳。）尒朱滅後，乃赴晉陽。高祖署勇丞相主簿，屬山西霜儉，運山東鄉租輸，皆令載實，違者治罪，令勇典其事。琅邪公主虛僦千餘車，勇繩劾之。公主訴於太祖，（即高祖。神武紀：初，崇爲獻武帝廟號太祖。天統元年，改謚神武，廟號高祖。）而勇守法不屈。太祖謂郭秀曰：盧勇懔懔，有不可犯之色，真公直人也。方當委之大事，豈直納租而已！遷汝北太守，行陝州事，轉行洛州事。元象元年，官軍圍廣州，數旬未拔。行臺侯景聞西魏救兵將至，集諸將議之。（北齊書附傳。）勇請進觀形勢，於是率百騎，各攏一馬，至大隗山。知西魏將李景和將至，勇乃多置旗旛於樹頭，分騎爲數十隊，鳴角直前，禽西魏儀同程華，斬儀同王征蠻，（北史附傳。）驅馬三百匹，通夜而還。廣州守將駱超以城降。高祖令勇行廣州事，以功授儀同三司、揚州刺史，鎮宜陽。叛民韓木蘭、陳忻等常爲邊患，勇大破之。

啟求入朝。高祖賜勇書曰：吾委卿揚州，唯安枕高卧，無西南之慮矣。（北齊書附傳。）表啟宜停，當使漢兒之中無在卿前者。（北史附傳。）武定二年卒，年三十二。勇有馬五百匹，繕造甲仗六車，遺啟盡獻之朝廷。賻物之外，別賜布絹四千匹，贈司空、冀州刺史。謚曰武貞侯。（北齊書附傳。）

李廣，字宏基，范陽人也。其先自遼東徙焉。廣博涉羣書，（北齊書文苑傳）以文章著。（文苑傳論。）少與趙郡李騫齊名，爲邢、魏之亞，而訥於言，敏於行。魏安豐王延明鎮徐州，署廣長流參軍。爾朱仲遠牒爲大將軍記室。荆州行臺辛纂上爲行臺郎中。（北齊書列傳。）時蠻酋樊五能破析陽郡，應宇文黑獺。纂議欲出軍討之。廣諫曰：析陽四面無民，唯一城之地耳。山路深險，表裏羣蠻。今若少遣軍，則力不能制賊；多遣，則減徹防衛，根本虛弱。脱不如意，便大挫威名。人情一去，州城難保。纂曰：豈得縱賊不討？廣曰：今日之事，唯須萬全。且慮在腹心，何暇疥癬。聞臺軍不久應至，公但約勤屬城，使修完壘壁，善撫百姓，以待救兵。雖失析陽，如棄雞肋。（魏書辛纂傳。）纂不從，遣兵攻之，（通鑑百五十六。）不尅而敗。（中纂傳。）尋爲車騎府録事參軍。（北齊書列傳。）武定初，（北齊書崔暹傳。）中尉崔暹精選御史，皆是世胄，廣獨以才學兼御史，修國史。南臺文奏，多其辭也。顯祖初嗣霸業，命掌書記。天保初，欲以爲中書郎，遇其病篤而止。廣曾欲早朝，未明假寐，忽驚覺，謂其妻云：吾向似睡，忽見一人出吾身中，語云，君用心太苦，非精神所堪，今辭君去。因而恍惚數日，便遇疾，積年不起，資産屢空，藥石無繼。廣雅有鑒識，度量宏遠，坦率（原作坦平，今從北史。）無私，爲士流所愛，歲時共贍遺之，賴以自給，竟以疾終。曾薦畢義雲於崔暹。廣卒後，義雲集其文筆十（北史作七卷。）卷，託魏收爲之序。其族人子道亦有文章。（北齊書列傳。）

陽斐，字叔鸞，北平無終（原作北平漁陽。攷北齊有漁陽郡，無漁陽縣。魏地形志，漁陽屬漁陽郡，不屬北平。陽尼傳言，北平無終人，斐附見傳末，爲尼之曾從孫，亦當爲無終人。今據改。）人也。父藻，（北齊書列傳。）字景德，少孤，有雅志，涉獵經史。太和初，舉秀才，射策高第。後除建德太守，以清貧，賜帛六十匹，尋加甯遠將軍，領統軍，外防内撫，甚得居邊之稱。（魏書陽尼附傳。）累遷瀛州安東府長史，以年老歸家，（北史陽尼附傳。）闔門，不關世事。孝昌元年，柔元鎮人杜洛周反於上谷。二年，攻陷幽州，（魏肅宗紀。）爲賊所囚，發病，卒。永熙中贈征虜將軍、幽州刺史。（魏書附傳。）孝莊時，斐於西兗州督護流民有功，賜爵方城伯，歷侍御史，廣平王開府中郎，修起居注。興和中，除起部郎中，兼通直散騎常侍。聘於梁。梁尚書羊侃，魏之叛人也。（北齊書列傳。）與斐在北嘗同學，（梁書羊侃傳。）欲請斐至宅，三致書不答。梁人曰：羊來已久，經貴朝遷革，李盧亦詣宅相見，卿何致難？斐曰：柳下惠則可，吾不可。梁主乃親謂斐曰：羊侃極願相見，今二國和好，天下一家，安得復論彼此？斐終辭焉。（按：梁書、南史羊侃傳，皆云有詔令侃延斐，同宴賓客三百餘人，器皆金玉雜寶，奏三部女樂，至夕侍婢百餘人，俱執金花燭，與此互異。）使還，除廷尉少卿。石濟河溢橋壞，斐修治之。又移津於白馬，中河起石潬，兩岸造關城，累年乃就。東郡太守陸士佩以黎陽關河形勢，欲因山卽壑，以爲公家苑囿，遺斐書曰：當諮大將軍，以足下爲匠者。（北齊書列傳。）斐書答以國步始康，人勞未息，誠宜輕徭薄賦，勤恤民隱。不從。（北史陽尼附傳。）尋轉尚書右丞。天保初，除鎮南將軍、尚書吏部郎中。以公事免。久之，除都水使者。顯祖親御六軍，北攘突厥，仍詔斐監築長城，除徐州刺史。乾明元年，徵拜廷尉，（北齊書列傳。）累遷殿中尚書，以本官監瀛州事，拜儀同三司，（北史附傳。）食廣阿縣。幹卒於位。贈中書監、北豫州刺史。謚曰敬簡。（北史無簡字。）子師孝，中書舍人。（北齊書列傳。）從弟子静，立性淳孝，操履清方，美詞令，善尺牘，仕三公郎中。（北史附傳。）

盧詢祖，范陽涿人也。父恭道，性温良，頗有文學，（北齊書盧文偉附傳。）位范陽太守，有德惠。卒，贈度支尚書，謚曰定。（北史盧觀附傳。）詢祖弱齡孤立，内無怙恃，外寡朋執，行有餘力，藝無不習，俊才優學，（盧武陽集盧記室誄。）以文章著名。（北齊書文苑傳論。）舉秀才，入京。李祖勳嘗宴文士。顯祖使小黄門敕祖勳曰：茹茹既破，何故無賀表？使者佇立待之，諸賓皆爲表。詢祖俄頃便成。（北齊書附傳。）其詞云：昔十萬横行，樊將軍請而受屈；五千深入，李都尉降而不歸。時重其工。（北史附傳。）後朝廷大遷除，同日催拜。詢祖立於東止車門外作表，文不加點，詞理可觀。詢祖初襲祖爵，封大夏男，（武陽集言永安鄉男，或其後改封歟？）有宿德。朝士謂之曰：大夏初成。應聲答曰：且得鸞雀相賀。天保末，以職出爲築長城子使，自負其才，内懷鬱怏，遂毁容服，如賤役者，以見楊愔。愔曰：故舊皆有所縻，唯大夏未加處分。詢祖厲聲曰：是誰之咎！既至彼所，作築長城賦（北齊書附傳。）以寄意，（北史附傳。）其畧曰：板則紫柏，杵則木瓜，何斯材而斯用也？草則離離靡靡，緣岡而殖，但使十步而有一芳，余亦何辭間於荊棘！（北齊附書傳。）詢祖文詞華美，爲後生之俊。（北史附傳。）邢邵曾戲曰：卿少年才學富盛，戴角者無上齒，恐卿不壽。對曰：詢祖初聞此言，實懷恐懼，見丈人蒼蒼在鬢，差以自安。邵甚重其敏贍。既有口辯，好臧否人物，（北齊書附傳。）衆共嫉之，（北史附傳。北史又云：言其淫於從妹。按：邢子廣謂詢祖有規檢，則人言直毁謗之辭耳，今不取。）毁謗日至。（北齊書附傳。）宗人思道謂曰：大夏何爲招四海議？詢祖曰：骨肉還相殘，何況執玉帛者萬國！與思道俱爲北州人俊。（北史附傳。）邢邵（北史收作魏。）盛譽思道，以詢祖爲不及。詢祖曰：見未能高飛者，借其羽毛；知逸勢沖天者，翦其翅翮。長廣太守邢子廣目云有規檢禰衡。後頗折節，歷太子舍人、司徒記室。（北齊書附傳。）時中書監魏收兼侍中，而孝昭别令陽休之兼中書，在晉陽典詔誥。收留在鄴，大不平，謂詢祖曰：若使卿作文誥，我亦不言。（北齊書魏收傳。）正統二年，（武陽集誄。）卒官，有文集十卷，皆遺逸。（北齊書附傳。）詢祖詞情豔發，早著聲名，負其才地，肆情矜矯，京華人士莫不畏其舌端。任遇未聞，弱年夭逝，若得終介眉壽，通塞未可量焉。（北齊書傳論。）

盧叔武，魏書作叔虔，北史作叔彪，通鑑作叔虎。范陽涿人也。父光宗，有志尚，北齊書列傳。位尚書郎。北史盧愷附傳。叔武兩兄觀仲宣并以文章顯於洛下。叔武少機悟，豪率輕俠，好奇策，慕諸葛亮之爲人，爲賀拔勝荊州開府長史。勝不用其計，棄城奔梁。叔武歸本縣，築室臨陂，優游自適。世宗降辟書，辭疾不到。天保初，復徵，不得已，布裘乘露車北史作布裙露車。至鄴。楊愔往候之，以爲司徒諮議，稱疾不受。肅宗即位，召爲太子中庶子，問以世事。叔武勸討關西，畫地陳兵勢，曰：我彊彼弱，我富彼貧，其勢相縣，然干戈不息，不能并吞者，此失於不用彊富也。輕兵野戰，勝負難必，是胡騎之法，非萬全之術也。宜立重鎮於平陽，與彼蒲州相對，深溝高壘，運糧積甲，彼閉關不出，則稍蠶食其河東之地，日使窮蹙；若彼出兵，非十萬以上，不足爲我敵，所損糧食，咸出關中。我軍士年別一代，穀食豐饒，彼來求戰，我則不應，彼若退去，我乘其弊，自長安以西，民疏城遠，敵兵來往，實自艱難，與我相持，農業且廢，不過三年，彼自破矣。北齊書列傳，從通鑑百六十八刪節。帝深納之。又願自居平陽，成此謀畧。帝命元文遥與叔武參謀，撰平西策一卷。未幾，帝崩，事遂寢。世祖踐阼，拜儀同三司都官尚書，出爲合州刺史。北史作金州。按：魏書地形志，有合州，無金州。合州治合肥。隋書地理志，西城郡，梁置梁州，西魏改爲金州，北史誤。武平中，遷太子詹事、右光禄大夫。北齊書傳論。叔武志尚宏遠，北齊書傳論。在鄉時有粟千石，每至春夏，鄉人無食者，令自載取。至秋任其償，都不計較。然歲歲常得倍餘。既在朝通貴，自以年老，兒子又多，遂營一大屋，曰：歌於斯，哭於斯。魏收曾來詣之，訪以洛京舊事，不待食而起云：難爲子費。叔武留之，良久，食至，但有粟飧葵菜，木碗盛之，片脯而已。所將僕從，亦盡設食，一與此同。齊滅，歸范陽。遭亂，城陷，與族弟士遂（北史作士邃。）皆以寒餒致斃。周將宇文神舉，（北齊書列傳。）以二人有名德，收而葬之。（北史盧觀坿傳。）叔武族孫臣客，風儀甚美，少有志向，雅有法度，好道家言。其姊爲任城王妃。天保末，擢拜太子舍人，遷司徒記室。請歸侍祖母李。李强之令仕，除中庶子。武平中，兼散騎常侍。聘陳還，卒於路。贈鄭州刺史、鴻臚卿。（北齊書列傳。）

張耀，（北史作曜。）字靈光，上谷昌平人也。父鳳，晉州長史。耀少而貞謹，頗曉吏職。解褐，給事中，轉司徒水曹行參軍。（北齊書列傳。）魏普泰元年，神武建義旗於信都，（北齊神武紀。）擢爲中軍大都督韓軌府長史。及軌除瀛，冀二州刺史，又以耀爲軌諮議參軍。（北齊書列傳。按：韓軌傳，軌督中軍，遷秦州刺史，再遷瀛州刺史。瀛、冀二州，疑秦、瀛二州之譌。）軌在州聚斂，爲御史糾劾，削除官爵，（北齊書韓軌傳。）州府僚佐及軌左右，以贓罪掛網者百餘人，唯耀以清白獨免。徵爲丞相府倉曹。顯祖嗣事，遷相府掾。天保初，賜爵都亭鄉男，（北史作都鄉男。）攝倉、庫二曹事，諸有賜給，常使耀典之。轉祕書丞，遷尚書右丞。顯祖曾因近出，令耀居守。帝夜還，耀不時開門，勒兵嚴備。帝駐蹕門外久之，催迫甚急。耀以夜深，真僞難辨，須火至面識，門乃可開。於是獨出見帝。帝笑曰：卿欲學郅君章也。仍使耀前開門，然後入，深嗟賞之，贈以錦采。出爲南青州刺史，未之任。肅宗輔政，累遷祕書監。耀歷事累世，奉職恪勤，咸見親待，未嘗有過。（北齊書列傳。）申其力用，有古人風。（北史傳論。）每得禄賜，散之宗族。性節儉，率素車服，飲食取給而已。好讀春秋，月一遍。時人比之賈梁道。趙彥深嘗謂耀曰：君研尋左氏，豈求服虔、杜預之紕繆邪？耀曰：何爲然乎？左氏之書，備叙言事，惡者可以自戒，善者可以庶幾。故厲己温習，非欲詆訶古人之得失也。天統元年，世祖臨朝，耀奏事，遇暴疾，仆於御前。帝下座臨視，呼數聲不應。帝泣曰：豈失我良臣也！旬日卒，時年六十三。詔稱耀忠貞平直，温恭廉慎。贈開府儀同三司、尚書右僕射、燕州刺史。謚曰貞簡。（北齊書列傳。）

盧潛，范陽涿人也。祖尚之，魏濟州刺史。父文符，（北齊書列傳。）字叔僖，性通率，通直散騎侍郎。（魏書盧元列傳。）潛容貌瓌瑋，善言談，少有成人志尚。儀同賀拔勝辟開府行參軍，補侍御史，（北齊書列傳。）累遷大將軍府中兵參軍，（北史盧元附傳。）機事强濟，爲世宗所知，言其終可大用。王思政見獲於潁川，世宗重其才識，潛從容白世宗云：思政不能死節，何足爲重！世宗謂左右曰：我有盧潛，便是更得一王思政。天保初，除中書舍人，以奏事忤旨免。尋除左民郎中。（北齊書列傳。）時中書令魏收撰魏書成，頗用愛憎爲褒貶。潛奏收誣罔一代，罪當誅。（通鑑）

百六十五。坐譏議，與王松、李庶等俱被禁止。會清河王岳將救江陵，特敕潛爲岳行臺郎。北齊書列傳。還，歷中書黃門侍郎。爲奴誣告謀反。文宣明之，以奴付潛。潛不之責。北史附傳。黃門鄭子默奏言：潛從清河王南討清河，王令潛説梁將侯瑱，大納賂遺，還不奏聞。顯祖杖潛一百，仍截其鬚。北齊書列傳。潛顏色不變。左遷魏郡丞，尋除司州別駕，出爲江州刺史，北齊書列傳。所在有善政。北史附傳。肅宗作相，以潛爲揚州道行臺左丞。先是，梁將王琳爲陳兵所敗，擁其主蕭莊歸壽陽。朝廷以琳爲揚州刺史，敕潛與琳爲南討經畧。陳泰、譙二州刺史王奉國、合州刺史周令珍，前後入寇，潛輒破平之，除行臺尚書，尋授儀同三司。王琳鋭意圖南，潛以爲時事未可。由是與琳有隙，更相表列。世祖追琳入京，除潛揚州刺史。潛在淮南十三年，任總軍民，大樹風績，甚爲陳人所憚。陳主與其邊將書云：盧潛猶在壽陽，聞其何當還北？此虜不死，方爲國患。宜深備之。北齊書列傳。文宣初平淮南，給復十年，年滿後，逮天統、武平中，徵税頗雜。北史附傳。又高元海執政，斷漁獵，人家無以自資，諸商負官責息者，宦者陳德信縱其妄注淮南富家，令州縣徵責。又敕送突厥馬數千匹於揚州管内，令土豪貴賣之。錢直始入，便出敕括江、淮間馬，并送官廐。由是百姓騷擾，切齒嗟怨。潛隨事撫慰，兼行權畧，故得甯靖。武平三年，徵爲五兵尚書。揚州吏民以潛戒斷酒肉，篤信釋氏，大設僧會，以香華緣道，流涕送之。潛歎曰：正恐不久復來耳。至鄴未幾，陳將吳明徹度江侵掠，復以潛爲揚州道行臺尚書。北齊書列傳。四年，按：北齊書列傳，作五年，誤。攷後主紀，壽陽圍陷皆在四年，今從北史。陳兵及峴領軍封輔相赴援，潛固爭不得，憂憤發病，卧幕下，果敗。陳人遂圍壽陽，壅芍陂，以水灌之。北史附傳。皮景和北史附傳作虔景和，誤。景和，北齊書及北史均有傳。等屯於淮西，竟不赴救，城陷。北齊書王琳傳。及巴陵王王琳、行臺左丞李騊駼等皆没焉。陳主欲知齊之虛實，乃出潛。時李騊駼將逃歸，并要潛。潛曰：我此頭面，何可誑人？吾少時相者云，没在吳越地。死生已定，弟其行也。既而歎曰：壽陽陷，吾以頸血濺城而死，佛教不聽自殺，故荏苒偷生，今可死矣。於是閉氣而絶。北史附傳。年五十七。其家購屍歸葬。贈開府儀同三司、尚書左僕射、兖州刺史。無子，以弟士邃子元孝爲嗣。北齊書列傳。潛性貞固，祖珽常要潛陷仁州刺史劉逖，許以高位。潛曰：如此事，吾不爲也。行臺慕容恃德常所推重，有疾，謂其子曰：盧尚書教我爲人，有如昆弟，我死，持上騂馬與之。潛以馬價爲營福事。其爲時重如此。北史附傳。潛從祖兄懷仁。北齊書列傳。

懷仁，字子友，魏司徒司馬道將之子，涉學有文辭，情性恬靖，常蕭然有閑放之致。北齊書盧潛附傳。武定中，太尉鎧曹參軍，魏書盧元附傳。歷宏農郡守，不之任，卜居陳留界，所著詩、賦、頌、銘二萬餘言，撰中表實録二十卷。懷仁有行檢，善與人交，與琅邪王衍、隴西李壽之情好相得。曾語衍云：昔太邱道廣，許劭知而不顧；嵇生性惰，北史作峭立。鍾會過而絶言。吾處季孟之間，去其太甚。衍以爲然。武平末，卒。兄子莊之（北史作莊。）少有名望，歷太子舍人，定州別駕，東平太守。武平中，都水使者，卒官。（北齊書附傳。）

鮮于世榮，漁陽人也。父寶業，懷朔鎮將，武平初，贈儀同三司、祠部尚書、朔州刺史。世榮少沉敏，有器幹。興和二年，爲高祖親信副都督，遷平西將軍，賜爵石門縣子。後頻從顯祖討茹茹，破稽胡。又從高岳平郢州，除持節河州刺史，食朝歌縣幹。（北齊書列傳。）天統二年，累加開府儀同三司，除鄭州刺史，（北史列傳。）轉南兗州刺史。（北齊武成帝紀。）武平四年，盜入信州，殺刺史和士休。世榮討平之，除領軍將軍，轉食上黨郡幹。從平高思好，封義陽王。七年，後主幸晉陽，令世榮以本官判尚書右僕射事，貳北平王北官留後，尋有敕令，與吏部尚書袁聿修在尚書省檢試舉人，爲乘馬至雲龍門外入省北門，爲憲司舉奏，免官。後主圍平陽，除領軍大將軍太子太傅。（北齊書列傳。）及周武帝入代，送瑪瑙酒鐘與之，得便撞破。周兵入鄴，諸將皆降，世榮在三臺前，獨鳴鼓不輟，（北史列傳。）於城西拒戰，敗，被擒，（北齊書列傳。）不屈，見殺。（北史列傳。）世榮雖武人，無文藝，以朝危政亂，每竊歎之。見徵税無厭，賜與過度，輒發言歎惜。（北齊書列傳。）自策名戎幕，間關夷險，（北齊書傳論。）國危乃見忠節，（北史傳論。）亦遇其時也。（北齊書列傳。）

盧昭美，字子明，范陽人。五歲念孝經、論語，與童輩爲師事之禮。至於父母字，坐則起而言。母劉氏往兄之家飲酒歸，夜連吐。昭美憂形于色，取其吐嘗之。或詰其故。昭美對曰：母自外食，甯不知其毒邪？行超撫而歎曰：盧氏亡家有曾子矣。時同里大稱河東裴安特異之，比昭美於蔡順，過之。母卒，父亟亡，家貧，無以葬殯，訖乃傭爲無極酒家保，得月資，與女弟令備奠祭。酒家怪其衣服藍縷，得直不以時價，（古鬻字。）責之。昭美具以情對，言發涕泗從横。酒嫗爲之咄嗟輟食，謂其四子曰：我爲乃家婦，生不貧矣，又幸不以若火鎡錤方成衣食，而日日意錢，顧乃家財充若費乎？我卒，若必不如此月傭摧辱爲母也。四子俯伏，母盡以緣身衣被釵釧與昭美，令葬其母，赦其傭免之。昭美歸，悉以營奉母祔焉。又計其祥禫所貴，市之餘金復齎還酒嫗。其妻欲止之：奚不留爲給家，財盡復爲傭兒乎？昭美怒，欲出其妻。其兄深勸止之。然雖同室，終不面焉。妻亦悔過，發憤而卒。（御覽四百十四引史系。按：語句似有訛脱，無他書可校，姑仍之。）

北周

寇儁，字祖儁，上谷昌平人也。祖讚，魏南雍州刺史。父臻，安遠將軍、（魏書寇讚附傳作建威將軍。）郢州刺史。儁性寬雅，幼有識量，好學强記。兄祖訓、祖禮及儁，（周書列傳。）并孝友敦穆，白首同居。父亡雖久，而猶於平生所處堂宇，備設幃帳几杖，以時節開堂列拜，垂淚陳薦，若宗廟然。吉凶之事，必先啟告。遠出行反亦如之。魏書寇讚附傳。性又廉恕，不以財利爲心。家人曾賣物於人，而剩得絹五匹。北史作利得絹一匹。儁於後知之，乃曰：惡木之陰，不可暫息；盜泉之水，無容誤飲。得財失行，吾所不取。遂訪主還之。其雅志如此。周書列傳。延昌四年，通鑑目録十五。大乘賊起，燕齊擾亂。儁參護軍事東討，以功授員外散騎侍郎，周書列傳。累遷司空府主簿。北史列傳。時靈太后臨朝，減食禄官十分之一，造永甯佛寺，令儁典之。資費巨萬，主吏不能欺隱，寺成又極壯麗。太后嘉之，除左軍將軍。孝昌中，朝議以國用不足，乃置鹽池都將，秩比上郡。前後居職者多有侵隱，乃以儁爲之，加龍驤將軍，仍主簿。永安初，華州民史底，與司徒楊椿訟田。長史以下，以椿勢貴，皆言椿直，欲以田給椿。儁曰：史底窮民，楊公橫奪其地，若欲損不足以給有餘，見使雷同，未敢聞命。孝莊帝後知之，嘉儁守正不撓，即拜司馬，賜帛百匹。其附椿者，咸譴責焉。二年，出爲左將軍、梁州刺史。周書原作涼州。按：下曹琰之鎮魏興，屢擾疆埸云云，考魏書地形志，涼州治隴，魏興屬洛州，相去甚遠，不能爲邊患也。梁州所領安康縣，本屬魏興，北史作梁州刺史較是。今從之。民俗荒獷，多爲盜賊。儁乃令郡縣立庠序，勸其耕桑，敦以禮讓，數年之中，風俗頓革。梁遣其將曹琰之鎮魏興，繼日版築。琰之屢擾疆埸，邊人患之。儁遣長史杜休道率兵攻克其城，并擒琰之。於是梁人憚焉。屬魏室多故，州又僻遠，梁人知無外援，遂遣大兵頓魏興，志圖攻取。儁撫勵將士，人思效命。梁人知其得衆心，弗之敢逼。儁在州清苦，不治産業，秩滿，其子等徒步而還。吏人送儁，留連於道，久之乃得出界。大統三年，（周書原作二年。攷魏書孝静紀，天平四年，高敖曹攻克上洛，擒竇炬驃騎大將軍洛州刺史梁企，授儁刺史，當在此時。天平四年即西魏大統三年，若二年則洛州猶屬西魏，東魏無從授儁也。北史作三年較確。今從之。）東魏授儁洛州刺史，儁因此乃謀歸闕。五年，將家及親屬四百餘口入關，拜祕書監。時軍國草創，墳典散逸，儁始選置令史，鈔集經籍四部，羣書稍得周備。（隋書經籍志云：後周始基關右，外逼彊鄰，戎馬生郊，關不暇給，保定之始，書止八千，後稍增加，方盈萬卷。然則祖儁之功爲不小矣。）加鎮東將軍，封西安縣男。十七年，除車騎大將軍、儀同三司，加散騎常侍。儁以年老乞骸骨。太祖弗許。遂稱疾篤，不復朝覲。恭帝三年，賜姓若口引氏。（鄭樵通志氏族畧，若口引氏改爲寇氏。）孝閔帝踐阼，進爵爲子。武成元年，進驃騎大將軍、開府、儀同三司，增邑，并前二千户。儁年齒俱邁，而志識未衰，教授子孫，必先典禮。世宗尚儒重道，特欽賞之，數加恩錫，思與相見。儁不得已乃入朝。世宗與同席而坐，顧訪洛陽故事。儁身長八尺，鬚鬢皓然，容止端詳，音韻清朗。帝與談論，不覺屢爲前膝。及儁辭還，帝親執其手，以御輿令於帝前乘出。時人咸以爲榮。保定三年卒，時年八十。（北史作八十二。）高祖歎惜之，贈本官，加冀、定、瀛三州諸軍事、冀州刺史。謚曰元。（周書列傳。）儁以儒素見重，（周書傳論。）篤於仁義。朞功之有孤者，衣食豐約，俱與之同。少爲司徒崔光所知，光命其子勵與儁結友。儁每造光，常清言移日。小宗伯盧辯以儁業行俱崇，待以師友之禮，每有閒暇，輒詣儁讌語彌日，恒謂人曰：不見西安君，煩憂不遣。其爲通人所敬重如此。子奉，位至儀同三司、大將軍、順陽郡守、洵州刺史、昌國縣公。奉弟顒，少好學，最知名，居喪哀毀，歷官儀同大將軍，掌朝布憲典祀下大夫，小納言，濩澤郡公。（周書列傳。）

盧誕，范陽涿人也。本名恭祖。曾祖晏，博學，善隸書，有名於世，仕燕爲給事黃門侍郎，營邱、成周二郡守。祖壽，太子洗馬。燕滅（北史作慕容氏滅。攷魏書本紀，太宗永興元年，慕容高雲爲馮跋所滅，跋自稱大燕，跋死，弟文通立。世祖延和元年討文通。至和龍，文通石城太守李崇，建德太守王融，十餘郡來降，徙營邱、成周六郡民於幽州。後文通奔高麗，殺之。此燕疑爲馮氏，北史作慕容氏未確，今不取。）入魏，爲魯郡守。父叔仁，年十八，州辟主簿。舉秀才，除員外郎。以親老，乃辭歸就養。父母既歿，哀毀六年，躬營墳壟，遂有終焉之志。魏景明中，被徵入洛，授威遠將軍、武賁中郎將。非其好也。尋除鎮遠將軍、通直散騎常侍，並稱疾不朝。乃出爲幽州司馬，又辭歸鄉里。當時咸稱其高尚焉。誕幼而通亮，博學有詞采，郡辟功曹，州舉秀才，不行。起家侍御史，累遷輔國將軍、太中大夫、幽州別駕、北豫州都督府長史。（周書儒林傳。）大統九年，東魏北豫州刺史高仲密舉州來附。太祖帥師迎之，令開府李遠爲前軍（周文帝紀。）赴援，誕與文武二千餘人奉候大軍，以功授鎮東將軍、金紫光祿大夫，封固安縣伯，邑五百户。尋加散騎侍郎，拜給事黃門侍郎。魏帝詔曰：經師易求，人師難得。朕諸兒稍長，欲令卿爲師。於是親幸晉王第，敕晉王以下皆拜之於帝前，因賜名曰誕。（周書列傳。）教授諸王。周書辛慶之傳。太祖以誕儒宗學府，爲當世所推，乃拜國子祭酒，進車騎大將軍、儀同三司。魏恭帝二年，除祕書監，後以疾卒。周書列傳。

盧柔，字子剛，周書列傳。范陽涿人也。按：周書不言柔爲何郡人，魏書、北史皆附盧元傳。元爲范陽涿人，元從祖兄溥，溥元孫洪，洪子崇，崇子柔。又洪弟光宗，光宗子觀。魏書文苑傳，觀亦范陽涿人，則柔爲范陽涿人無疑。而隋書盧愷傳又言涿郡范陽人。攷隋書地理志，涿郡無范陽，蓋用西漢舊名。西漢涿郡范陽，爲今保定府定興縣地，隋書誤，今從魏書。父崇，字元禮，少立美名，有識者許以遠大。景明中，驃騎府法曹參軍，早卒。魏書盧元附傳。柔少孤，爲叔母所養，撫視甚於其子。柔盡心温清，亦同己親。親族歎重之。性聰敏好學，未弱冠，解屬文，但口吃不能持論，頗使酒誕節，爲世所譏。司徒臨淮王彧見而器之，以女妻焉，周書列傳。辟司空行參軍。魏書附傳。及魏孝武與齊神武有隙，詔賀拔勝出牧荆州。柔謂因此可著功績，遂從勝之荆州。以柔爲大行臺郎中，掌書記，魏書附傳言荆州驃騎府主簿。軍中機務，柔多預之。及勝爲太保，以柔爲掾，加冠軍將軍。孝武後召勝引兵赴洛。勝以問柔，柔曰：高歡託晉陽之甲，意實難知，公宜席卷赴都，與決勝負，存没以之，此忠之上策也。若北阻魯陽，南并舊楚，東連兗豫，西接關中，帶甲十萬，觀釁而動，亦中策也。舉三荆之地，通款梁國，可以身免，功名去矣，策之下者。勝輕柔年少，笑而不應，周書列傳。至廣州，猶豫未進，而帝已西遷。神武陷潼關，乃還荆州。州民北引侯景周書賀拔勝傳。襲穰，勝敗，遂南奔梁。周書列傳言，東魏遣侯景。攷魏書本紀，永熙三年八月，賀拔勝戰敗奔梁。九月，齊神武猶西迎車駕。孝静帝十月卽位，景討勝時，孝静未立，不得言東魏。今從勝傳。柔亦從之。勝頻表梁求歸。武帝覽表，嘉其詞采，既知柔所製，因遣舍人勞問，並遺縑錦。後與勝俱還，行至襄陽，齊神武懼勝西入，遣侯景以輕騎邀之，乃棄船山行，贏糧冒險，經數百里，時屬秋霖，徒侶凍餒死者大半。至豐陽界，柔迷失道，獨宿僵木之下，寒雨衣溼，殆至於死。大統二年，至長安，封容城縣男。太祖重其才，引爲行臺郎中，加平東將軍，除從事中郎，與蘇綽對掌機密，時沙苑之後，北史作役。按：周書賀拔勝傳，勝至長安之後，從太祖攻宏農，破沙苑，攻河東，畧定汾、絳，破河橋。沙苑，祗一役，下不得言屢捷也，周書作後，較是。大軍屢捷，汝潁之間，多舉義來附。書翰往反，日百餘牒。柔隨機報答，皆合事宜，進爵爲子，除中書舍人，遷司農少卿，轉郎，兼著作，撰起居注，後拜黃門侍郎。文帝知其貧，解衣賜之。周書列傳。後遷中書監。北史列傳。孝閔帝踐阼，拜內史大夫，進位開府，卒於位。周書列傳。柔學業優深，文藻華贍，周書薛擘傳。所作詩、頌、碑、銘、檄、表、啟行於世者數十篇。周書列傳。

周惠達，字懷文，章武文安人也。父信，少仕州郡，歷樂鄉、平舒、成平原作平成。攷魏書地形志，章武郡有成平，無平成。今從北史。三縣令，皆以廉能稱。惠達幼有志操，好讀書，美容貌。魏齊王蕭寶夤爲瀛州刺史，召惠達及河間馮景同在閤中，甚禮之。及寶夤還朝，惠達隨入洛陽。寶夤西征，復隨入關。周書列傳。孝昌三年，寶夤除雍州刺史，魏書蕭寶夤傳。令惠達使洛陽，未還，而寶夤反謀聞於京師。有司以惠達是其行人，將執之，乃私馳還。至潼關，遇大使楊侃。侃謂惠達曰：蕭氏逆謀已成，何爲故入獸口？惠達曰：蕭王爲左右所誤，今往庶其改圖。及至，寶夤反形已露，不可彌縫，遂用惠達爲光禄勳。中書舍人。寶夤既敗，唯惠達等數人從。寶夤語惠達曰：人生富貴，左右咸言盡節，及遭厄難，乃知歲寒也。（周書列傳。）永安三年，（魏孝莊帝紀。）賀拔岳獲寶夤送洛，留惠達爲府祭酒，卽與參議。（周書列傳。）賀拔岳爲關中大行臺，惠達爲岳府屬。岳爲侯莫、陳悅所害。惠達遁入漢陽之麥積崖。（北史列傳。）悅平，歸，太祖卽用爲秦州司馬，安輯隴右。及太祖爲大都督，復以惠達爲府司馬，便委任焉。太祖爲大將軍大行臺，以惠達爲行臺尚書、大將軍府司馬，封文安縣子。太祖出鎮華州，留惠達知後事。時既承喪亂，庶事多闕。惠達營造戎仗，儲積食糧，簡閲士馬，以濟軍國之務，（周書列傳。）甚爲朝廷所稱。後拜中書令，進爵爲公，兼尚書右僕射。（北史列傳。按：周書、北史序兼僕射於大統四年之下。然攷蘇綽傳，惠達稱綽時，已爲僕射，在大統三年之前。通鑑目録列在大統元年，則惠達爲僕射早矣。今本之。）時行臺郎中蘇綽在官歲餘，太祖未深知。太祖與惠達論事。惠達稱綽有王佐之才，自是寵遇日隆。（周書蘇綽傳。）大統四年，（周文帝紀。）太祖與魏文帝東征，惠達輔魏太子居守留，統臺事。及芒山失律，人情駭動，趙青雀據長安子城反。惠達奉太子出渭橋北以禦之，（周書列傳。）徵發士馬，屯守京城，塹諸街巷，以備侵軼。召王羆議，羆不應，謂其使曰：若茹茹至渭北者，王羆率鄉里自破之，不煩國家兵馬，何爲天子城中遂作如此驚動？由周家小兒恇怯致此。（周書王羆傳。）軍還，青雀等伏誅，拜吏部尚書。久之，復爲右僕射。自關右草創，禮樂缺然，惠達與禮官損益舊章，至是儀軌稍備。魏文帝因朝奏樂，顧謂惠達曰：此卿之功也。尋拜儀同三司。（周書列傳。）惠達崎嶇危難，不以夷險易心，（周書傳論。）雖居顯職，性謙退，善下人，盡心勤公，進拔良士。人皆敬而附之。十年薨。子題嗣。隋開皇初，以惠達著績前代，追封蕭國公。（周書列傳。）

盧辯，字景宣，范陽涿人，累世儒學。父靖，（魏書作靜。）太常丞。少好學，博通經籍。（周書列傳。）正光初，舉秀才，爲太學博士，（北史盧同附傳。）以大戴禮未有解詁，辯乃注之。其兄景裕謂辯曰：昔侍中注小戴，今爾注大戴，庶纂前修矣。（周書列傳。）節閔帝立，除中書舍人屬。齊神武起兵信都，既破尒朱氏，遂鼓行指洛。節閔遣辯持節勞之於鄴。神武令辯見，其所奉中興主辯抗節不從。神武怒曰：我舉大義，誅羣醜，車駕在此，誰遣爾來？辯抗言酬答，守節不撓。神武異之，捨而不逼。孝武卽位，以辯爲廣平王贊師。（北史附傳。）永熙中，釋奠國學於顯陽殿，詔講大戴禮夏小正篇。（魏書儒林傳論。）平等浮屠成，孝武會萬僧於寺，石佛低舉其頭，終日乃止。帝禮拜之。辯曰：石立社移，自古有此，陛下何怪？（北史列傳。）及帝入關，事起倉卒，辯不及至家，單馬而從。或問辯曰：得辭家不？辯曰：門外之治，以義斷恩，復何辭也！孝武至長安，授給事黄門侍郎，領著作。太祖以辯有儒術，甚禮之，朝廷大議，常召顧問。（周書列傳。）遷太子少保，領國子祭酒。（北史附傳。）大統四年，大軍東伐關中，留守兵少，軍人趙青雀反，據長安，魏太子出次渭北。周文帝紀。辯時隨從，亦不告家人。其執志敢決，皆此類也。尋除太常卿、太子少傅。魏太子諸王等皆行束脩之禮，受業於辯。進爵范陽公，轉少師。自孝武西遷，朝章禮度，湮墜咸盡，周書列傳。辯習於儀禮，平章國典，隋禮儀志論。因時制宜，皆合軌度。性彊記默契，能斷大事，凡所創制，處之不疑。周書列傳。加驃騎大將軍、開府儀同三司，累遷尚書令。周書作尚書僕射。及建六官，爲師氏中大夫。明帝卽位，遷小宗伯，北史附傳。與辛彦之專掌儀制，北史辛彦之傳。修五禮之缺。北史儒林傳論。進位大將軍。帝嘗與諸公幸其第，儒者榮之。出爲宜州刺史。周書列傳。以患，不之部，卒。謚曰獻，北史附傳。配食太祖廟廷。初，太祖欲行周官，命蘇綽專掌其事，未幾而綽卒，乃令辯成之。周書列傳。辯斟酌古今，周書薛擘傳。依周禮，建六官，置公卿、大夫、士，并撰次朝儀，車服器用，多依古禮，革漢、魏之法，事並施行。周書列傳。撰稱謂五卷，墳典三十卷。隋書經籍志。

子愼嗣位，復州刺史。愼弟銓，性趫捷善騎射，位儀同三司。辯弟光。北史附傳。

光，字景仁，小字伯。性溫謹，博覽羣書，精於三禮，善陰陽，解鐘律。孝昌初，釋褐，司空府參軍事。周書儒林傳。及魏孝武西遷，光於山東立義，遥授晉州刺史。大統六年，攜家西入。北史盧同附傳。太祖深禮之，除丞相府記室參軍，賜爵范陽縣伯，俄拜行臺郎中，專掌書記。周書列傳。太祖盛選賢良，授以守令。光舉河東樂遜有牧民之才。周書樂遜傳。十年，改封安息縣伯，（周書列傳。）歷位京兆郡守、侍中、開府儀同三司、匠師中大夫。（北史附傳。）武成初，吐谷渾侵涼州，詔大司馬賀蘭祥討之，（周書賀蘭祥傳。）以光爲長史，進爵燕郡公。二年，詔光監營宗廟。既成，出爲虞州刺史，尋治陝州，總管府長史。重論討渾之功，增邑，並前一千九百户。天和二年卒，時年六十二。高祖少受業於光，故贈賻有加恒典，贈少傅，謚曰簡。光爲京兆郡舍，先數有妖怪，前後郡將無敢居者。光曰：吉凶由人，妖不妄作。遂入居之。未幾，光所乘馬忽升廳事登牀，南首而立；又食器無故自破。光并不以介懷。其精誠守正如此。性崇佛道，（周書，北史皆載光從太祖狩於檀臺山時，獵圍既合，太祖遥指山上謂羣公曰：公等有所見不？咸曰：無所見。光獨曰：見一桑門。太祖曰：是也。即解圍而還。令光於桑門立處造浮圖，掘基一丈，得瓦鉢、錫杖各一。太祖稱歎，因立寺焉。事涉虚誕，附注於此。）又好玄言，撰道德經章句行於世。（周書列傳。）

隋

盧思道，字子行，（隋書列傳。）范陽涿州人也。（張説撰碑。）祖陽烏，魏祕書監。父道亮，（隋書列傳。）字仲業，隱居不仕。（北史盧元附傳。）思道聰爽俊辯，通侻不羈。（隋書列傳。）言不詭隨，行不苟合。（張説撰碑。）年十六，遇中山劉松，松爲人作碑銘以示思道。思道讀之多不解，於是感激，閉户讀書，師事河間邢子才。後思道復爲文以示劉松，松又不能甚解。思道乃喟然歎曰：學之有益，豈徒然哉！因就魏收借異書。（隋書列傳。）收揚譽思道。（北史盧文偉附傳。）數年間，才學兼著，（隋書列傳。）以文章名，北齊書文苑傳論。爲北州人俊。邢子廣目云無冰稜文舉。北史盧文偉附傳。然不持操行，好輕侮人。齊天保中，魏史成，思道多所非毀。前後再被笞辱，落泊不調。北史盧元附傳。其後，左僕射楊遵彥薦之於朝，解褐，司空行參軍長，兼員外散騎侍郎，直中書省，隋書列傳。與熊安生詳定齊禮。張説撰碑。文宣帝崩，當朝文士各作挽歌十首，擇其善者用之。魏收、陽休之、祖孝徵等不過得三首，唯思道獨得八首，故時人稱爲八米盧郎。後洩漏省中語，出爲丞相西閤祭酒，歷太子舍人、司徒録事參軍。每居官，多被譴辱，後以擅用庫錢，免歸。北齊書袁聿修傳，思道私貸庫錢四十萬，娉太原王義女爲妻。而王氏已先納陸孔文禮娉爲定。聿修坐知而不劾，責免。數年，方爲京畿主簿，歷主客郎、給事黃門侍郎，待詔文林館。隋書列傳。武平末，授儀同三司，隋書、北史皆言周武平齊，授儀同三司。攷北齊書後主紀，武平七年，帝入鄴，自大丞相以下，三師、三公等官并增員，而授引思道等議，禪位皇太子。其授儀同，當在此時。墓碑所言較是，今從之。入周，除御正上士，張説撰碑。以母疾還鄉。同郡祖英伯及從兄昌期、宋護等舉兵，隋書列傳。迎齊范陽王紹義，北齊書文宣四王傳。思道預焉。周遣柱國宇文神舉討平之，罪當法，已在死中。隋書列傳。神舉素欽其才名，釋而禮之，周書宇文神舉傳。令作露布。思道援筆立成，文無加點。後除掌教上士。高祖爲丞相，遷武陽太守。非其好也，爲孤鴻賦以寄情。開皇初，以母老表請解職，優詔許之。思道自恃才地，多所陵轢，由是官途淪滯。既而又著勞生論，指切當時。歲餘，被徵，奉詔郊勞陳使。頃之，遭母憂。未幾，起爲散騎侍郎，奏內史侍郎事。于時議置六卿，將除大理，思道上奏曰：省有駕部，寺留太僕；省有刑部，寺除大理；斯則重畜産而賤刑名，誠爲不可。又陳殿庭非杖罰之所，朝臣犯笞罪，請以贖論。上悉嘉之。隋書列傳。開皇六年，張説撰碑。卒，年五十二。上甚悼之，遣使弔祭焉。隋書列傳。思道處屯安貞，賦詩頽飲，視得失蔑如也。臨難無懾，在黜無愠，危不去主，仕不違親。張説撰碑。有集三十卷，隋書列傳。北史作二十卷，誤。隋志亦作三十卷。知己傳一卷，隋書經籍志。行於時。北史附傳。按：劉餗隋唐嘉話，言思道仕齊，久不得進，時和士開方貴寵用事，或謂盧曰：何不一見和王？思道素自高，欲往恐爲人所見，乃未明而行，比至其門，立者衆矣。盧駐轡望之曰：彼何人斯，森然與槐柳齊列？因鞭馬疾去。攷之北齊書盧文偉傳，盧詢祖嘗語人曰：我昨東方未明過和氏門外，已見二陸、兩源，森然與槐柳齊列。蓋謂彦師、仁惠與文宗、郲延也。北史同。餗以詢祖譏陸源之語爲思道語，又加以欲往云云，其言蓋近於誣。以思道之陵轢自高，斷不至此。使其爲此，亦不至終淪滯矣。今故爲之辯白焉。

盧昌衡，字子均，隋書盧思道附傳。范陽涿人也。北史盧元傳。父道虔，魏尚書僕射。昌衡小字龍子，隋書附傳。沉靖有才識，北史盧元附傳。風神澹雅，容止可法，博涉經史，工草行書，從弟思道，小字釋奴，宗中俱稱英妙。故幽州爲之語曰：盧家千里，釋奴、龍子。年十七，魏濟陰王元暉業召補太尉參軍，兼外兵參軍。齊受禪，歷平恩令、太子舍人。爲僕射祖孝徵所薦。北齊書後主紀，武平三年，以祖珽爲左僕射。遷尚書金部郎。孝徵每曰：吾用盧子均爲尚書郎，自謂無愧幽明矣。隋書附傳。幽明原作幽州，疑誤，今據北史改。始天保中，尚書王昕以雅談獲罪，諸弟尚守而不墜，自茲以後，此道寖微。昌衡與頓邱李若，彭城劉珉，河南陸彦師，隴西辛德源、王循，并爲後進風流之士。北史附傳。後兼散騎侍郎，迎勞周使。武帝平齊，授司玉中士，與大宗伯斛斯徵修禮令。開皇初，拜尚書祠部侍郎。高祖嘗大集羣下，令自陳功績。人皆競進，昌衡獨無所言。左僕射高熲目而異之。未幾，出爲徐州總管長史，甚有能名。吏部尚書蘇威考之曰：德爲人表，行爲士則。論者以爲美談。嘗行至浚儀，所乘馬爲佗牛所觸，因致死。牛主陳謝，求還價直。昌衡謂之曰：六畜相觸，自關常理，此豈人情也，君何謝！拒而不受。性寬厚不較，皆此類也。轉壽州總管長史。總管宇文述甚敬之，委以州務。歲餘遷金州刺史。仁壽中，奉詔持節爲河南道巡省大使，及還，以奉使稱旨，授儀同三司，賜物三百段。（隋書附傳。）昌衡雅素之紀家風克嗣，（北史傳論。）自以年在懸車，表乞骸骨。優詔不許。大業初，徵爲太子左庶子，行詣洛陽，道卒，時年七十二。（隋書附傳。）

盧愷，字長仁，范陽涿人也。（隋書原作涿郡范陽人，辨見盧柔傳。）父柔，魏中書監。愷性孝友，（隋書列傳。）神情穎悟，（北史盧柔附傳。）涉獵經史，有當世幹能，（周書盧柔附傳。）頗解屬文。（隋書列傳。）周齊王憲引爲記室。其後襲爵容城伯，從憲伐齊。愷説柏社鎮，下之。（隋書作柏杜鎮，今從北史。攷周書齊王憲傳，言憲自入兩乳谷，襲克齊柏社城，與此互異。）遷小吏部大夫、染工上士。王神歡者，嘗以賂自進，冢宰宇文護擢爲計部下大夫。愷諫曰：古者登高能賦，可爲大夫，求賢審官，理須詳慎，今神歡出於染工，更無殊異，徒以家富自通，遂與搢紳並列，實恐維鵜之刺聞於外境。護竟寢其事。轉内史下大夫。武帝在雲陽宮，敕諸屯，簡老牛，欲以享士。愷進諫曰：昔田子方贖老馬，君子以爲美談，向奉明敕，欲以老牛享士，有虧仁政。帝美其言而止。轉禮部大夫，爲聘陳使副。先是，行人多從其國禮，及愷爲使，一依本朝，陳人莫能屈。建德（二字據北史補。）四年秋，李穆攻拔軹關、柏崖二鎮。命愷作露布。帝讀之大悦，曰：盧愷文章大進，荀景倩故是令君之子。尋授襄州總管司録，轉治中。大象元年，徵拜東京吏部大夫。（周書附傳作下大夫。）開皇初，加上儀同三司，除尚書、吏部侍郎，進爵爲侯，仍攝尚書左丞。每有敷奏，侃然正色，雖逢喜怒，不改其常。帝嘉愷有吏幹，賜錢二十萬，并賚雜綵三百匹，加散騎常侍。八年，上親考百僚，以愷爲上。愷固讓不敢受。高祖曰：吏部勤幹，舊所聞悉，今者上考，僉議攸同，當仁不讓，何愧之有！皆在朕心，無勞飾讓。歲餘，拜禮部尚書，攝吏部尚書事。會國子博士何妥與右僕射蘇威不平，（隋書列傳。）奏威與愷等共爲朋黨。（隋書蘇威傳。）上以愷屬吏。（隋書列傳。）先是，河南房恭懿有能名，蘇威薦授新豐令，遷德州司馬。愷復奏：恭懿政爲天下異。上甚異之，拜海州刺史。（隋書循吏傳。）憲司奏愷曰：房恭懿者，尉遲迥之黨，不當仕進。威、愷二人，曲相薦達。又吏部預選者甚多，愷不即授官，皆注色而遣。威之從父弟徹、肅二人並以鄉正徵詣吏部，徹文狀後至而先任用。肅左足攣蹇，才用無算。愷以威故授朝請郎。（蘇威傳：何妥復言，國子學請蕩陰人王孝逸爲書學博士，威屬盧愷，以爲其府參軍。）愷之朋黨事甚明白。上大怒曰：愷敢將天官以爲私惠！愷免冠頓首曰：皇太子將以通事舍人蘇夔爲舍人，夔即蘇威之子。臣以夔未當遷，固啓而止。臣若有私，豈當如此？上曰：威子朝廷共知，卿乃固執，以徼身倖，至所不知，便行朋附，姦臣之行也。於是除名爲百姓。未幾，卒於家。自周氏以降，選無清濁，及愷攝吏部，與薛道衡、陸彦師等甄别士流，故涉黨固之譖，遂及於此。隋書列傳。按：隋書傳末數語，則愷所坐非罪，而史臣論又惜其傾於一簣，若置不滿之辭。觀愷諫擢王神歡爲大夫，及止蘇夔爲舍人二事，豈有以私害公者？考蘇威傳，其所坐皆出何妥之言，而當時雜治者爲蜀王秀、上柱國虞慶則二人，後皆反叛。其所謂事皆驗者，未足信也。房恭懿爲一代循吏，政績卓然，傳言其得罪徵還，遇患道卒，至今寃之。則憲司之誣奏可知。文帝之言，未免太深文矣。今故表而出之。

滎毗，字子諶，北平無終人也。父權，魏兵部尚書。毗少剛鯁，有局量，涉獵羣書。仕周，釋褐，漢王記室，轉内史下士。開皇中，累遷殿内監。時以華陰多盜賊，妙選長史。北史作長史。楊素薦毗爲華州長史，世號爲能。素之田宅，多在華陰，左右放縱。毗以法繩之，無所寬貸。毗因朝集，素謂之曰：素之舉卿，適以自罰也。毗答曰：奉法一心者，但恐累公所舉。素笑曰：前言原作者，今從北史改。戲耳。卿之奉法，素之望也。時晋王在揚州，隋書帝紀：開皇六年，晋王轉淮南道行臺。十年，高智慧反，徙爲揚州總管，鎮江都。每令人密覘京師消息。遣張衡於路次，往往置馬坊，以畜牧爲辭，實給私人也。州縣莫敢違。毗獨遏絶其事。上聞而嘉之，賚絹百匹，轉蒲州司馬。隋書列傳。仁壽四年，高祖崩，漢王諒舉兵反，隋書煬帝紀。使卒衣婦人衣，襲取蒲州。唐書邱和傳。河東豪傑以城應諒，刺史邱和覺變，遁歸關中。長史渤海高義明謂毗曰：河東要害，國之東門，若失之，則爲難不細。城中雖復洶洶，非悉反也，但收桀黠者十餘人斬之，自當立定耳。毗然之。義明馳馬追和，將與協計。至城西，爲反者所殺。毗亦被執。及諒平，拜治書侍御史。帝謂之曰：今日之舉，馬坊之事也，無改汝心。帝亦敬之。隋書列傳。毗文能道義，才足幹時，北史傳論。在朝侃然正色，爲百僚所憚。後以母憂去職。歲餘起，令視事，尋卒官。贈鴻臚少卿。毗兄建緒，性亮直，兼有學業，仕周爲載師下大夫、儀同三司。及平齊之始，留鎮鄴城，因著齊紀三十卷。按：隋志不著録，唐志編年類有北齊紀二十卷，無撰名，列王劭北齊志之前，疑即其書，惟卷數不符。攷杜臺卿傳，亦言著齊紀二十卷。章宗源隋書經籍志攷證，以唐志所列爲臺卿撰，雖卷數相符，然究未詳孰是也。建緒與高祖有舊，及爲丞相，加位開府，拜息州刺史。將至官時，高祖陰有禪代之計，因謂建緒曰：且躊躕，當共取富貴。建緒自以周之大夫，因義形於色曰：明公此旨，非僕所聞。高祖不悦。建緒遂行。開皇初，來朝，上謂之曰：卿亦悔不？建緒稽首曰：臣位非徐廣，情類楊彪。上笑曰：朕雖不解書語，亦知卿此言不遜也。歷位始、洪二州刺史，俱有能名。隋書列傳。

人物志三

先賢三

南海廖廷相纂　江陰繆荃孫覆輯

唐

祖孝孫　盧承慶弟承泰　盧莊道　盧照鄰　陽嶠　盧粲
張知謇　成三郎　平貞昚　盧履冰　盧鴻　盧若虛
張懷瓘　盧沔　盧巽　魯炅　張休　陳利貞
盧同　蔡廷玉　盧峴　王仲堪　盧羣　盧綸子簡能、簡辭、宏正、簡求
盧邁　李景略　盧景亮　盧於陵　盧殷
高崇文子承簡　劉頗　盧鈞　盧宏宣　賈島　盧士瓊
劉蕡　盧霈　張仲武　張允仲　盧渥

唐

祖孝孫，幽州范陽人也。祖崇孺，以學業知名，仕至齊州長史。孝孫博學，曉曆算，早

以達識見稱。（舊書列傳。）開皇初，詔太常牛宏議定律呂，於是博徵學者，序論其法，又未能決。遇平江右，得陳氏律管十二枚，并以付宏。（隋書律曆志。）宏引孝孫爲協律郎。（舊書列傳。）遣曉音律者陳山陽，（舊傳作陽山。）太守毛爽及太樂令蔡子元、于普明等，（隋書律曆志。）與參定雅樂。毛爽妙知京房律法，布琯飛灰，順月皆驗。爽時年老，宏恐失其法，於是奏孝孫從其受律。（舊書列傳。）孝孫推五音十二律爲六十音，又六之，有三百六十音，旋相爲宮，因定廟樂。諸儒論難，竟不施用。（舊書音樂志。）高祖受禪，擢孝孫爲著作郎，歷吏部郎，太常少卿，漸見親委。孝孫由是奏請作樂，時軍國多務，未遑改創，樂府尚用隋氏舊文。（舊書列傳。）武德中受詔，定正聲雅樂，（舊書竇威附傳。舊傳言武德七年，舊志言武德九年。）至貞觀二年奏之。（舊書音樂志。）孝孫又以陳、梁舊樂雜用吴、楚之音，周、齊舊樂，多涉胡、戎之伎，於是斟酌南北，考以古音，作大唐雅樂。以十二月各順其律，旋相爲宮，制十二樂，合三十二曲，八十四調。（舊書列傳。）祭圜丘以黄鍾爲宮，方澤以林鍾爲宮，宗廟以太簇爲宮，五郊朝賀饗宴，則隨月用律爲宮。初，隋俱用黄鍾一宮，惟扣七鍾，餘五鍾，虚縣不扣。及孝孫建旋宮之法，皆徧扣鍾，無復虚縣者矣。（舊書音樂志。）旋宮之義，亡絶已久，世莫能知，一朝復古，自孝孫始也。孝孫卒，其後協律郎張文收復采三禮，增損樂章。然因孝孫本音。（舊書列傳。）初，高祖將治新曆，東都道士傅仁均善推步之學，太史令庾儉、傅奕薦之，詔仁均與儉等參議，合受命歲名爲戊寅，元曆二年用之，三年朔望比不効。新書曆志。中書令封德彝奏曆術差謬，敕孝孫考其得失。舊書傅仁均傳。孝孫使算曆博士王孝通，以甲辰曆法詰之。仁均對曰：宋祖沖之立歲差，隋張胄元等因而修之，雖差數不同，各明其意。孝通未曉，乃執南斗爲冬至，冬至自有常數。朔名由於月起，月行遲疾匪常，三端安得即合？故必須日月相合，與至同日者，乃爲合朔冬至耳。孝孫以爲然，但畧去尤疏闊者。新書曆志。

盧承慶，字子餘，幽州涿人，隋散騎侍郎思道之孫。父赤松，爲河東令，與高祖雅故，聞兵興，迎見霍邑。拜行臺兵部郎中，終太子二字據唐書宰相世系表補。率更令，范陽郡公。新書列傳。承慶美風儀，博學有才幹，少襲父爵。貞觀初，爲秦州都督户曹參軍，因奏河西軍事，太宗奇其明辯，擢拜考功員外郎，累遷民部侍郎。舊書列傳。通典職官引作文部侍郎。按：文部掌文官選舉，不掌户版，列傳較是。且天寶十一年始改吏部爲文部，是時猶未也。帝問歷代户版。承慶敘夏、商至周、隋增損曲折，引據該詳。帝嗟賞。新書列傳。二十二年，兼檢校兵部侍郎，知五品選事。承慶辭曰：五品選事，職在尚書，臣今掌之，便是越局。太宗不許，曰：朕今信卿，卿何不自信也？通典二十三。歷雍州別駕、尚書左丞。新書列傳。永徽初，爲褚遂良所搆，出爲益州大都督府長史。遂良俄又求索承慶在雍州舊事奏之，由是左遷簡州司馬。歲餘，轉洪州長史。舊書列傳。帝將幸汝温泉，拜汝州刺史，新書列傳。入爲光禄卿。顯慶四年，代杜正倫爲度支尚書，舊書列傳。按：新書宰相表，杜正倫以顯慶二年三月兼度支尚書，九月兼中書令。三年十一月，貶横州刺史。承慶既代正倫爲尚書，當在三年。新書列傳言顯慶四年以度支尚書同中書門下三品，當亦闕疑之意。然上書拜汝州刺史，下卽書以度支尚書，未免疏畧。今仍從舊書，以存疑焉。參知政事，總章初，爲同中書門下三品。新書宰相表。坐度支失所，出爲潤州刺史，再遷雍州長史。舊書列傳。總章初，爲吏部尚書。大唐新語。二年，代李乾祐爲刑部尚書，以年老請致仕。許之，仍加金紫光禄大夫。三年病卒，年七十六。舊書列傳。臨終誡其子曰：死生至理，猶朝有暮。吾死，斂以常服，晦朔無薦牲，葬勿卜日，器用陶漆，棺而不椁，墳高可識，碑志著官號年月，無用虛文。贈幽州都督，謚曰定。新書列傳。初，承慶爲吏部考内外官。一官督運，遭風失米，考之曰：監運損糧，考中下。其人容止自若，無一言而退。承慶重其雅量，改注曰：非力所及，考中中。既無喜容，亦無愧詞。又改注曰：寵辱不驚，考中上。隋唐嘉話又大唐新語。其能著人善，類此。新書列傳。弟承業亦有學識，舊書列傳。繼爲雍州長史、尚書左丞，有能名。承業弟承泰。舊書列傳。

承泰，字舊書作子，誤。齊卿，新書盧承慶附傳。有人倫鑒。舊書盧承慶附傳。長安初，爲雍州參軍。武后詔長史薛季昶舊書作季旭，誤。季旭列良吏傳。訪於齊卿。齊卿白長安尉盧懷慎、李休光，萬年尉李乂、崔湜，咸陽丞倪若水，盩厔尉田崇璧，新豐尉崔日用。季昶用其言，後皆爲通顯巨人。新書列傳。開元初，爲幽州原作豳州，誤，據新書改。刺史，舊書列傳。而張守珪隸果毅。新書附傳。齊卿器之，引與共榻坐，謂曰：不十年，子當節度是州，爲國重將，願以子孫託，可寮屬相期邪？新書張守珪傳。已而果然。新書

（附傳。）齊卿之少也，孫思邈曰：後十年位方伯，吾孫爲屬吏，願自愛。時孫思邈之孫溥尚未生，及溥爲蕭丞，而齊卿徐州刺史。（新書孫思邈傳。大唐新語載，王希夷居兗州，徂徠刺史盧齊卿就謁，訪以政事。希夷曰：孔子云：己所不欲，勿施於人。可以終身行之矣。則齊卿又嘗爲徂徠刺史。）齊卿喜飲酒，踰斗不亂。寬厚樂易，士友以此親之。終太子詹事，廣陽縣公。（新書附傳。辛相世系表作廣陽郡公。）

盧莊道，范陽涿郡人。（新書宰相世系表。）年十三，造於父友高士廉，以故人子引坐。會有獻書者，莊道竊視之，謂士廉曰：此文莊道所作。士廉甚怪之，曰：後生何輕薄之行？莊道請諷之，果通；復請倒諷，又通。士廉請敘。良久，莊道謝曰：此文實非莊道所作，向窺記之耳。士廉即取他文及案牘試之，一覽倒諷，并呈己作文章。士廉俱以聞。太宗召見策試，擢第十六，授河南尉，滿復制舉，擢甲科，召見。太宗識之，曰：此是朕聰明小兒邪？授長安尉。太宗將録囚徒，京宰以莊道幼年懼不舉，欲以他尉代之。莊道不從，但閑暇不知省也。時繫囚四百餘人，令丞深以爲懼。翌日，太宗召囚。莊道乃徐狀以進，引諸囚入。莊道評其輕重，留繫月日，應對如神。太宗驚異，即日拜監察御史、（大唐新語。）刑部員外郎。（辛相世系表。）

盧照鄰，字昇之，幽州范陽人也。年十餘歲，從曹憲王義方授蒼雅及經史，初授鄧王府典籤。（舊書文苑傳。）王有書十二車，照鄰總披覽，略能記憶。（朝野僉載。）博學，善屬文。王愛重之，舊書列傳。謂人曰：此吾之相如也。新書文苑傳。後爲益州新都縣尉，放曠詩酒，朝野僉載。與王勃、楊炯、駱賓王皆以文章齊名天下，稱王楊盧駱，號四傑。炯嘗曰：吾愧在盧前，恥居王後。議者謂然。新書王勃傳。朝野僉載又言，世稱王楊盧駱，照鄰聞之曰：喜居王後，恥在駱前。與此互異。照病，去官，居太白山，新書列傳。師事孫思邈，問愈病養性之要，新書孫思邈傳。得方士元明膏餌之。會父喪，號嘔，丹輒出，由是疾益甚。客東龍門山，布衣藜藿。裴瑾之、韋方質、盧集作方賢，誤。范履冰等，時供衣藥。疾甚，手足攣廢，乃去具茨山下，買園數十畝，疏潁水周舍，復豫爲墓，偃卧其中。新書列傳。照鄰曾有横事被拘，爲羣小所使，將致之深議。友人護救得免。盧集窮鳥賦自序。自以當高宗時尚吏，己獨儒；武后尚法，己獨黄老；封嵩山，屢聘賢士，己獨廢，著五悲文，新書列傳。頗有騷人之風。舊書列傳。照鄰家，咸亨中良賤百口，自丁家難，私門凋喪，不幸遇疾，破産供醫。晚更信佛法，盧集寄裴舍人書。蓋文士之極坎坷者已。四庫提要。病既久，與親屬訣，自沉潁水。新書列傳。時年四十。舊書列傳。著幽憂子朝野僉載。文集二十卷。兄光乘亦知名，長壽中爲隴州刺史。舊書列傳。

陽嶠，北平無終人。休之元孫，爲詹事司直。時左臺中丞桓彦範、右臺中丞袁恕己，共薦嶠爲御史。楊再思曰：嶠不樂搏擊之任，如何？彦範曰：爲官擇人，豈必待其所欲？所不欲者，尤須與之，所以長難進之風，抑躁求之路。乃擢爲右臺侍御史。通鑑二百七。

盧粲，新書宰相世系表作璨。幽州范陽人，後魏侍中陽烏五代孫。祖彦卿，撰後魏紀二十卷，新書藝文志作三十三卷。行於時，官至合肥令、新書儒學傳。宰相世系表作石門令。東宮學士。宰相世系表。叔父行嘉，亦有學涉，高宗時爲雍王記室。粲博覽經史，弱冠擢進士。舊書列傳。神龍中，舊書作景龍二年。按中宗紀，節愍太子之立在神龍二年七月，明年九月改元景龍，而太子早已討武三思死。舊書誤。遷給事中。時節愍太子立，韋后疾之，諷中宗以衛府封物給東宮。粲駁奏，太子匕鬯主歲時服用，宜取於百司。周禮，諸用財器，歲終則會，唯王及太子不會。今乃與諸王等夷，非所謂憲章古昔者。詔可。新書儒學傳。後安樂公主壻武崇訓爲節愍太子所殺，特追封爲魯王令、司農少卿。趙履温監護葬事。履温諷公主奏請依永泰公主故事，爲崇訓造陵。舊書列傳。粲曰：凡王、公主墓，無稱陵者，惟永泰主，事出特制，非後人所援。崇訓塋兆，請視諸王。詔曰：安樂公主與永泰不異，崇訓於主，當同穴爲陵不疑。粲固執以陵之稱本施尊極，雖崇訓之親，不及雍王，雍墓不稱陵，崇訓緣主而得假是名哉！新書列傳。帝竟依粲所奏。舊書列傳。公主怒，出粲爲陳州刺史。粲曰：苟所論得，行雖遠，何憚！開元初，爲祕書少監，累封固安縣侯，終邠王傅。謚曰景。新書列傳。

張知謇，字匪躬，幽州方城人。按：唐幽州無方城。舊書地理志固安下云，今治城，漢方城縣地。史家蓋沿用晉、魏舊名也。舊書作蒲州河東人。徙家岐，新書列傳。少與兄知元、知晦，勵志讀書，皆以明經擢第。儀質瓌偉，眉目疏朗，舊書列傳。曉吏治，清介自守。公卿爭爲引重。調露時，知謇監察御史裏行，歷十一州刺史，所蒞有威嚴。武后降璽書存問。萬歲通天中，自德州刺史入計。后奇其貌，詔工圖之，稱其兄弟容而才，謂之兩絶。又門皆列戟，白雀巢其庭。后數寵賜，（新書列傳。）時人稱之。中宗以廬陵王安置房州，（舊書列傳。）禁察苛嚴。知謇爲刺史，（新書列傳。）獨待遇以禮，（通鑑二百八。）供儗保戴不少弛。帝復位，拜左衛將軍，加雲麾將軍，封范陽郡公，歷東都副留守、左右羽林大將軍、同華州刺史，大理卿致仕。（新書列傳。）開元中卒，年八十。知謇敏於從政，性亮直，（舊書列傳。）惡請謁，求進士或不才冒位，視之若仇。每敕子孫，經不明不得舉，家法可稱云。（新書列傳。）

成三郎，（通鑑作朗。）幽州漁陽人也。光宅元年，（舊書原脱元字，按通典職官，光宅元年改威衛爲豹韜衛，三郎卽以是年討敬業被擒。今據增。）爲左豹韜衛長、上果毅。李孝逸之討徐敬業，以爲前鋒。（舊書忠義傳。）敬業屯高郵之下阿溪，勒兵拒守。後軍總管蘇孝祥，夜將五千人，以小舟度溪，先擊之，兵敗，孝祥死。士卒赴溪溺死者過半。三郎爲敬業所擒，（通鑑二百三。）送於江都。唐之奇紿其衆曰：此李孝逸也。將斬之，（舊書列傳）三郎大呼曰：我果毅成三郎，非李將軍也！官軍今大至矣，爾曹破在朝夕。我死，妻子受榮；爾死，妻子籍沒；爾終不及我也！遂斬之。（通鑑二百三。）敬業平。贈左監門將軍，謚曰勇。（舊書列傳。）

平貞昚，字密，一字間從，燕國薊人。北齊司空鑒之曾孫。敦龐沉静，直方簡易，始以司成館進士補盧州慎縣尉。刺史盧寶元舉器藏下僚。轉冀州大都督府曲沃縣尉，換晉州洪洞縣主簿。陽道昕推以孝友資身；裴知禮薦以經邦興化。徙雍州新豐縣尉。盧少儒引爲檢點判官，休議登聞，擢監察御史裏行，奉使黔中監選。有牂柯謝鳳節仁奏罷漢官，專任首領。貞昚上其挾奸樹黨，俶擾蕃落。天子悟焉。再使置吏，夷騷旋定，又馴牧在野，攘竊是繁，耗以歲月，莫之禁禦。貞昚表監官斛斯果之輩，奪職者九人，没贓者萬計。牧圉知禁，思無邪矣。開耀間，吐蕃侵境，師旅不給，乃購運酬勳，募耕入選，利之所在，詐亦居焉。貞昚與大理正王守一於河、蘭、鄯、廓四州推獲僦羅，王希古、盧種、王誕，其徒二千餘人，正處其罪。授監察御史。内難，去職居喪過毀。光宅初，服闋，授右臺監察御史，巡察河南，澄清郡邑，昇賢弊罪，能執其中。類功拜右肅政殿中侍御史，再拜司勳員外郎。永昌中，遭凶黨網羅，爲周興所奏，貶温州固安令。州特舉清白，改鴻州櫟陽令。誠結無欺，獄犴自静。詔書嘉譽，加朝散大夫。又羅密徒貝錦爲河内所鞫，降括州員外司倉，尋事白，進吉州司馬。神龍中，興拜司門郎中，除衛王司馬，拜左庶子。以節愍之禍，出爲涪州刺史，轉盧州司馬致仕。景龍中，復起左諭德，兼榮文館學士，詔加銀青光禄大夫，又攝詹事、東都留守，拜常州刺史。居歲餘，優詔致仕。先天元年薨，年八十。張説平君神道碑。凡撰孝經義，養德傳，新書藝文志注云，卷亡。淳孝，友悌傳各一篇，先君親友傳十卷，家譜、家誌各十卷，河南巡察記十卷，文集十卷行於代。神道碑。

盧履冰，幽州范陽人。元魏都官尚書義僖五世孫。開元五年，仕歷右補闕。建言：古者父在爲母期，徹靈而心喪。武后始請同父三年非是，請如禮便。元宗疑之，又以舅嫂叔服未安，新書儒學傳。敕令衆議。於是羣議分拏，各安積習。舊書禮儀志。刑部郎中田再思曰：會禮之家比聚訟，循古不必是，而行今未必非。父在爲母三年，高宗實行之，著令已久，何必乖先帝之旨，閡人子之情愛！一期服於其親，使與伯叔、母姑、姊妹同嫂叔、舅甥，服太宗實制之，閱百年無異論，不可改。履冰因言：上元中，父在爲母三年，后雖請，未用也。逮垂拱始行之。至有祖父母在，而子孫歸後行服再期，不可謂宜，禮女子無專道，故曰家無二尊。父在爲母服期，統一尊也。今不正其失，恐後世復有婦奪夫之敗，不可不察。書留未下。履冰即極陳父在爲母立几筵者，一期心喪者再期父必三年而後娶，以達子之志。夫聖人豈蔑情於所生？固有意於天下。昔武后陰儲簒謀，豫自光崇升期齊，抗斬衰，俄而乘陵唐家，以啟釁階。孝和僅得反正，韋氏復出，酖殺天子，幾亡宗社。故臣將以正夫婦之綱，非特母子間也。議者或言，降母服非詩所謂罔極者，而又與伯叔、母姑、姊妹等，且斬衰已有升降，則歲月不容異也。此迂生鄙儒未習先王之旨，安足議夫禮哉！罔極者，春秋祭祀，以時思之，君子有終身之憂，謂何限一期、二期服哉！聖人之於禮，必建中制，使賢不肖共成文理而後釋，彼伯、叔、姑、姊，烏有筵杖之制，三年心喪乎！母齊，父斬，不易之道也。按：履冰疏詳載舊書禮儀志，今從新傳節録。左散騎常侍褚無量，以履冰議爲是。通鑑二百十二。元行沖議請據古爲適。弗報。新書列傳。諸人争論，連年不決。通鑑二百十二。至七年，下勑，諸服紀一依喪服文。舊書禮儀志，又元宗紀。後履冰以官卒。新書列傳。

盧鴻，按：舊書傳作鴻一。紀及新傳皆作鴻。通鑑亦作鴻。考異云，按中岳真人劉君碑云，盧鴻撰。大唐新語亦作盧鴻。今從之。字顥然，新書列傳。本范陽人，徙家洛陽。舊唐書列傳。博學，善書籀，新書列傳。隱於嵩山。開元初，遣幣禮再徵，不至。舊書列傳。五年正月幸東都，舊書元宗紀。按：舊紀又云，二月至自東都。自字當衍。車駕至六年十月始還京師也。詔曰：鴻有泰一之道，中庸之德，鉤深詣微，確乎自高。詔書屢下，每輒辭託，使朕虚心引領，於今數年，雖得素履幽人之介，而失考父滋恭之詣，豈朝廷之故與生趣殊邪？將縱欲山林，往而不能返乎？禮有大倫，君臣之義不可廢也。今城闕密邇，不足爲勞，有司其齎束帛之具，重宣兹旨，想有以翻然易節，副朕意焉。六年，二字據舊書紀傳及通鑑補。鴻至東都謁見，不拜，新書列傳。但磬折而已。大唐新語。宰相遣通事舍人問狀。答曰：禮者，忠信所薄，臣敢以忠信見。帝召升内殿置酒，拜諫議大夫，新書列傳。賜以章服。并辭不受。大唐新語。復下制，許還山，歲給米百斛，絹五十匹，匹字據舊傳補。大唐新語十作百。府縣爲致其家。朝廷得失，其以狀聞。將行，賜隱居服，官營草堂，恩禮殊渥。鴻到山中，廣學廬，聚徒至五百人。及卒，帝賜萬錢。鴻所居室自號寧極云。新書列傳。

盧若虛，幽州范陽人。新書盧藏用附傳。父瓛，有名於時，官至魏州司馬，舊書列傳。新書傳表皆作長史。京兆功曹。開元十九年，置先師太公廟，若虛録太公之後四十八姓，刻石爲記。封氏聞見記。多才博物。隴西辛怡諫爲職方，有獲異鼠者，豹首，虎臆，大如拳。怡諫謂之鼮鼠而賦之。若虛曰：非也。此許慎所謂鼨鼠。豹文而形小。一坐驚服。終起居郎、宰相世系表作起居舍人。集賢院學士。新書附傳。

張懷瓘，涿人。與弟懷環，俱有文學，善草隸。畿輔唐志七十九。懷環自謂真行可比虞、褚，草書獨步數百年間。開元中，翰林院供奉，著書斷三卷，評書樂石論一卷，古文大篆書祖一卷，書佑書議六體論，用筆十法等篇傳於世。懷環官至翰林、集賢兩院侍書、侍讀學士。涿州吴志。

盧沔，范陽人，任巴州成化縣令。純深貞特，廉孝絜矩。夏大旱，偶有事於文宣公，焚香至誠，雷出自廟，指顧倏忽，霈然滂沱。自下車數月，有感輒應。頃因祠宇荒僻，垣墉頹圮，出家財以資匠費，自甲至癸，不及旬而功已集。君子曰：盧侯以心感神，以身律人，可謂善政也已矣。巴州化成縣新移文宣王廟頌。

盧巽，范陽人。安禄山陷覆洛京，以僞職淫刑脅劫士庶。巽潛遁於陸渾山，食木實、飲泉水者二年，訖不爲逆命所汙。及肅宗嗣位，詔河南尹薛伯連搜訪不仕賊庭、隱藏山谷者。伯連得六人以應詔，而巽在焉。繇是名節聞於朝野，君子以爲知道。優詔褒美。白居易張公神道碑銘。

魯炅，幽州薊人。長七尺餘，略通書史，以蔭補左羽林長。新書列傳。天寶六年，隴右節度使哥舒翰引爲別奏。舊書列傳。顔真卿當使隴右，謂翰曰：君與郎將總節制，亦嘗得人乎？炅時立階下。翰指曰：是當爲節度使。從破石堡城，收河曲，遷左武衛將軍。後復以破吐蕃跳盪功，除右領軍大將軍。安禄山反。拜上洛太守。將行，於帝前畫攻守勢。遷南陽太守，兼守捉防禦使，封金鄉公，尋爲南陽節度使。原作山南節度使。按：方鎮表，至德元載升南陽防禦節度使。二載升襄陽防禦使，爲山南東道節度使。廣德元年，升山南西道防禦爲節度使。舊書列傳、新書本紀及通鑑皆作南陽節度使。今據改之。以嶺南、黔中、山南東道子弟五萬屯淯水南。賊將武令珣、畢思琛等擊之。衆欲戰，炅不可。賊右趨，乘風縱火，鬱氣奔營，士不可止，負扉走，賊矢如雨。炅與中人薛道挺身走，舉衆没賊。炅擊散兵保南陽，新書列傳。通鑑考異引元宗實録云，炅攜百姓數千人奔順陽川。爲賊所圍。尋而潼關失守，賊使哥舒翰招之，不從，舊書列傳。報書讓翰不死。哥舒翰傳。使武令珣攻之，田承嗣繼往。新書列傳，此上云令珣死。按舊書下又云：王師收兩京，承嗣、令珣奔河北。通鑑考異引唐曆，慶緒據鄴武，令珣自唐鄧至。然則云令珣死者，誤也。今删去。潁川來瑱，襄陽魏仲犀，合兵援炅。新書列傳。犀遣弟孟馹將兵至明府橋，望風敗走。舊書來瑱傳。炅城中食盡，煮牛皮筋角食之，米斗五十千，一鼠四百，餓者枕藉。舊書列傳。朝廷遣使者曹日昇宣尉，加炅特進太僕卿，不得入。日昇請單騎致命。中官請以兩騎助。仲犀益騎凡十輩，賊望見，知皆鋭兵，不敢擊，遂入致命。人心益固。日昇復以騎趨襄陽，領兵千，由音聲道運糧餉。新書列傳。又得相持數月，炅在圍中一年，舊書列傳。晝夜戰，至人相食，卒無救。至德二載五月，乃率衆突圍，走襄陽。承嗣尾擊，炅殊死戰二日，斬獲甚衆，賊引去。拜御史大夫，襄、鄧十州節度使。會二京平，賊走河北。時襄陽數百里，鄉聚蕩然，舉無樵煙。初，賊欲剽亂江湖，賴炅適扼其衝，故南夏以完。策勳封岐國公，實封二百户，新書列傳。加開府儀同三司。舊書來瑱傳。乾元二年，又加淮西節度使、鄧州刺史，與九節度圍安慶緒於相州。炅領淮西、襄陽兩鎮步卒萬人，騎三百。明年與史思明戰安陽，新書列傳。殺傷相半。通鑑二百二十一。炅中流矢，輒奔。新書列傳。大風忽起，吹沙拔木，天地晝晦。兩軍大驚。通鑑二百二十一。諸節度潰去。舊書：時諸節度以回紇戰敗，退散。所過剽奪，而炅軍尤甚。有詔來瑱節度淮西，徙炅鄭、陳、亳節度使。至新鄭，聞郭子儀整軍屯穀水，李光弼還太原，炅羞惴，新書列傳。仰藥而卒。炅竭節保邦，舊書列傳。蹈危效死，料敵雖非其良，事君不失爲忠。舊書列傳。年五十七。新書列傳。

張休，字祥，幽州范陽人。起家石亭别將，爲縣令軍司馬、州長史各一，入爲天子友，儲君臣。雖假以寵名，而迹實戎索。受命爲范陽節度安禄山判官。禄山以大權大寵，外示忠而内謀逆。太上皇推赤心而勿疑，敢有聞之者，死。休密言其戎狄豺狼，不可厭也。

當是時視鼎鑊如歸焉。牧濠、舒、潤三州及洪州，於是撤其帷帳薦蓐之具，便於身、悦於目者，二百餘物，歸之有司。減其俸錢，稍食，月幾十萬貫於軍府，平百貨之貴賤，議刑罰之等差，減承城吏卒幾三千，歸之隴畝，而擊柝之守無闕，賦豪富埒財數百萬賙於館餼，而含糗之徒，不知從政。三月，州人愛之如父母。昔張庭珪牧此州，甚得人譽；張九齡次之；迨休又有裕焉。故邦人有三張之目。拜御史中丞，廣州刺史，嶺南節度經略觀察使。國人懷慕罔極，揚名頌德。（崔佑甫張公遺愛碑頌。）廣德元年，官市舶使吕太一逐休，縱下大掠廣州。（舊書代宗紀。）

陳利貞，幽州范陽人。初爲平盧將，安禄山亂，從李光弼軍河南。（按：光弼傳，安史之亂，光弼皆轉戰河北。南疑北之譌。）張巡被圍睢陽，光弼遣郝廷玉及利貞救之，輕騎出入。廷玉稱爲勝己，以子妻之。及歸，薦於光弼。（新書李光弼附傳。按：通鑑，張巡被圍睢陽，一在至德二年正月，一在三月。正月之圍，時光弼方拒守太原，被圍孔亟，何暇遣救？至三月，尹子奇復攻睢陽。攷之巡傳，但言賀蘭進明屯臨淮，許叔冀、尚衡次彭城，皆觀望，莫肯救。巡使南霽雲如叔冀請師，不應；如臨淮告急，兵不出；至真源，李賁遺馬百匹；次甯陵，得城使廉坦兵三千，夜冒圍入。賊知外援絶，圍益急。巡亡三日，而張鎬救至，云云。未聞有光弼救兵。當時若果有此救兵，則睢陽何至於於陷？傳言恐未足據，姑仍之。）建中四年，李希烈反。（新書德宗紀。）詔哥舒曜東討，利貞爲前鋒，次郟城。賊衆大集，利貞出兵五百，横擣其右，（新書列傳。）破之，希烈勢沮。（通鑑二百二十八。）及希烈攻曜襄城，利貞登陴捍守，七十日未嘗櫛沐，非議事不下城。朱泚反，利貞及張廷芝所統士皆幽、薊、河、隴人，故與廷芝合謀應泚。而利貞麾下亦從爲亂。夜半難作，利貞拔劍當軍門大譟曰：欲過門者先殺我！衆畏其鋒乃止。廷芝出奔。德宗嘉之，擢汝州防禦使。貞元五年，疽發首卒。遺觀察使崔縱書，自陳受國恩，恨不得死所云。新書附傳。

盧同，范陽人。新書宰相世系表。明哲學問，孝不懈禮，不遺弱冠。舉孝廉，授舒州望江縣丞。宰相世系表及韓愈盧君墓誌銘皆作縣令。年四十四終。子東美，梁肅望江縣丞盧公墓誌。始冠，通詩書，與其徒羣日講説周孔，以相磨礲，浸灌婆娑嬉游。韓愈考功員外盧君墓誌銘。永泰中，與崔造、韓會、張正則爲友，皆僑居上元，好談經濟之畧，嘗以王佐自許，時人號爲四夔。舊書崔造傳。大曆初，御史大夫李栖筠由工部侍郎爲浙西觀察使，韓愈撰銘。引爲賓僚。崔造傳。其後爲太常博士、韓愈撰銘。協律郎、梁肅撰誌。監察御史、河南府司録、考功員外郎。在官舉其職。年六十六而終。韓愈撰銘。

蔡廷玉，幽州昌平人，與朱泚同里閈，少相狎近。新書忠義傳。大曆七年，泚拜盧龍節度使，新書朱泚列傳。奏署幕府。廷玉有沉畧，善與人交，内外愛附。泚多所咨叩，數遣至京師。是時幽州兵最强，財雄，士驕悍，日思呑并，不知有上下禮法。廷玉語泚曰：古未有不臣而能推福及子孫者。公南聯趙魏，北結奚虜，兵多地險，然非永安計。一日趙、魏反噬，公乃沸鼎魚耳。不如奉天子，剗多難，可勒勳鼎彝。泚善之。廷玉陰欲耗其力，諷泚出金幣禮士，又勸歸貢賦，助天子經費，獻牛馬係道，儲餼爲單，因勸泚入朝。諸校怒，縛辱之。因歲餘，廷玉無撓辭。泚不能屈，待之如初。廷玉有建白，泚腹心朱體微輒左右之，故泚愈信，桀傲稍革。廷玉遂蔵朝事。泚乃奏涿、薊、瀛、莫州爲軍，置團練使，以支郡隸屬，盧龍軍稍削，新書列傳。泚弟滔戍還，謀奪泚兵，詭説泚入朝。新書朱滔傳。泚乃以軍屬滔。廷玉、體微共白泚：公入朝爲功臣首，後務至重，須誠信者乃可付。滔雖大弟，多變不情，如假以兵，是嫁之禍也。泚不聽。二人隨泚到朝。德宗爲太子時，知廷玉名，及見，禮眷殊渥。泚統幽州行營，爲涇原鳳翔節度使。詔廷玉以大理少卿爲司馬，體微爲要籍。新書列傳。廷玉惡判官鄭雲逵，奏貶莫州參軍。新書雲逵傳作平州。雲逵妻，滔之女也。滔復奏爲掌書記。雲逵深構廷玉於滔。通鑑二百二十七。滔有請於泚，或不順，廷玉必折之，俾循故法。新書列傳。後滔南討有功，雲逵數激怒之。滔乃抗表論廷玉等離間骨肉，舊書鄭雲逵傳。數與泚書，請殺二人。通鑑二百二十七。泚恚滔奪其軍，不從。會滔以幽州叛，帝示滔表，而泚亦白發其書，乃歸罪於二人，貶廷玉柳州司户參軍、體微南浦尉以慰滔。滔使諜伺諸朝曰：上若不殺廷玉，當謫去，得東出洛，我且縛致麾下支解之。將行，帝勞廷玉曰：爾姑行，爲國受屈，歲中當還。廷玉至藍田驛。人白左巡使鄭詹，商於道險，不可往，詹追使趨潼關，通鑑言鄭詹誤遞文符至昭應送之，廷玉至藍田召還而東。與此畧異。廷玉以爲執己送滔，通鑑百二十七告子少誠、少良曰：我爲天子不血刃下幽十一城，欲裂其壤，使不得桀而敗於將成，天助逆邪？今吏使我出東都，此殆滔計，吾不可以辱國。比至靈寶，自投於河。帝閔廷玉忠，歸其柩，厚賻之。李晟平朱泚，少誠等適終喪，晟表丐追贈廷玉，并官二子。帝方招來滔，寢其奏，遂已。新書列傳。

盧峴，范陽人。直方謙厚。筮仕三次，不雜州縣之職，曰亳州、蒙城主簿、楚州保應縣尉、潤州丹陽縣丞，寬敬莅事，不希名譽，時議多之。大曆九年終，年五十五。權德輿盧君墓誌銘。

王仲堪，其先太原人。五代祖冲，徙居幽州安次縣，又爲邑人也。曾祖掞，王父幹，儒墨傳家，以孝弟自任。考令仙，蘊孫吴之術，好立奇功，累以勳伐，稍遷大理評事。仲堪生而奇嶷，齠年志學，弱冠爲燕、趙間人，經史該通，詞藻豔發。大曆七年，進士擢第，褐解，太原府參軍事。丁憂，服闋，授幽州大都督府户曹參軍，以能轉兵曹，名檢標舉局無留事，充節度參謀，拜監察御史，奉使於蒲，十三年旋車，暴殂，年六十四。王叔平太原王公墓誌銘。

盧羣，字載初，范陽人。少學於大安山。舊書列傳。新唐書作垂山。讀書業成，東遊淮海。南部新書。淮南節度使陳少遊聞其名，作爲從事。建中末薦於朝。南部新書言，羣求索得千縑，西之長安，聞桑道茂善相術，車馬闐門。羣傾囊奉之，曰：少爲業已就，西來求官，以天下人信先生之口，將求一言。於是桑生昌言于時賢，不旬辰之内，凡京國重位名士，皆造羣門，同力申薦。代宗聞其名，召見，拜拾遺。與此互異。蓋未足據，今不取。會李希烈反，詔諸將討之，以羣爲監察御史，江西行營糧料使。興元二年，江西節度嗣曹王皋奏爲判官。舊書列傳。皋徙荆襄，皆從其府，以勁正聞。新書列傳。貞元六年，入拜侍御史。舊書列傳。郭子儀家與嬖人張昆弟訟財，不平，又言嬖人宅匿珍寶。德宗促案之。羣奏言：子儀有大勳德，今所訟皆其家事，且嬖人宅，子儀昔畀之，非子弟所宜言，請赦勿問。從之。人謂羣識大體。累遷兵部郎中。新書列傳。淮西節度使吴少誠，擅開決司洧等水漕輓溉田，遣中使止之。少誠不奉詔。令羣使蔡州詰之。舊書列傳。少誠曰：是於人有利。羣曰：臣道貴恭恪，所以爲順也。專命廢順，雖利何有！且怠於事上者，固不能責其下矣。少誠聽命。新書列傳。羣有口辨，好談論，舊書列傳。又爲陳古今成敗事，逆順禍福，皆有效，所以感動之。少誠竦然，既置酒賦詩，又歌以慰之。少誠感悦不敢桀。新書列傳。羣博涉多所許與使反側之地，天子以爲任事，柳宗元先君石表陰先友記。遷檢校秘書監，兼御史中丞、義成軍節度行軍司馬。貞元十六年，節度姚南仲歸朝，拜羣義成軍節度使。舊書列傳。原作天成軍。按：地理志有義成，無天成。柳宗元先友記，亦作義成。姚南仲傳亦然。今據改。羣嘗客居於鄭，南部新書：居鄭之圃田。質良田以耕，至是則出券貸直，以田歸其人。卒，年五十九，贈工部尚書。新書列傳。

盧綸，字允言，新書文苑志。范陽人。後徙家於蒲。舊書盧簡辭傳。按：新書作河中蒲人，而宰相世系表仍列范陽四房，今從舊書收入。天寶亂，客鄱陽。新書列傳。舊書言，天寶末舉進士，遇亂不第。攷綸詩，自言：八歲始讀書，四方遂有兵。是月胡入洛，明年天隕星。因浮襄江流，遠寄鄱陽城云云。則天寶之亂，綸時尚幼，恐未舉進士也。今不取。與郡人吉中孚爲林泉友。舊書盧簡辭傳。大曆初，數舉進士，不第。元載取綸文以進。補閿鄉尉，累遷監察御史，輒稱疾去。新書列傳。宰相王縉奏爲集賢學士、秘書省校書郎。王縉兄弟有詩名於世，所辟皆辭人名士，以綸能詩，禮待逾厚。舊書盧簡辭傳。按：元載、王縉二事，新舊書各載其一。攷綸集有將赴閿鄉留別詩，及卧病寓居龍興寺詩，自注云：時予罷推官。又有元日早朝呈故省諸公詩，及元日朝回寄南宮二故人詩，自稱郎吏。則新舊書所載，皆不誤。今并取而次之。十二年，新舊書代宗紀及宰相表。縉得罪，坐累，久之，調陜府户曹、河南密縣令。建中初，爲昭應令。舊書列傳。渾瑊率河中，辟元帥判官，累遷檢校户部郎中。嘗朝京師。是時舅韋渠牟得幸，德宗表其才，召見禁中，帝有所作，輒使賡和。異日，問：渠牟、盧綸何在？答曰：綸從渾瑊在河中。驛召之，會卒。綸與吉中孚、韓翃、錢起、司空曙、苗發、崔峒、耿湋、夏侯審、李端皆能詩，齊名，號大曆十才子，新書列傳。而情辭捷麗，綸作尤工。舊書盧簡辭傳。憲宗詔中書舍人張仲素訪集遺文。文宗尤愛其詩，問宰相：綸文幾何？亦有子否？李德裕對：綸四子，簡能、簡辭、宏正、簡求，皆擢進士第，在臺閣。遣中人悉索家笥，得詩五百篇以聞。新書列傳。新書藝文志：盧綸詩集十卷。

簡能，字子拙。登第後，再辟藩府，入爲監察御史、駕部員外檢校司封郎中。舊書盧簡辭附傳。太和九年，李訓、鄭注謀誅宦官，舊書文宗紀。乃出注使鎮鳳翔，外爲助援。新書李訓傳。注請僚屬於訓。訓與舒元輿謀，終殺注，慮其豪傑爲助，更擇臺閣長厚者，以簡能爲判官。新書鄭訓傳。及訓敗，注誅，簡能爲監軍使所害。舊書附傳。子知猷，字子蕃，中進士第，登宏辭，補秘書省正字。蕭鄴鎮荊南、劍南，再辟掌書記。入遷右補闕，出爲饒州刺史，以政最聞。累進中書舍人。(新書盧簡辭附傳。)廣明二年，僖宗幸鳳翔，朱玫劫嗣襄王熅，奉爲帝。(新書高駢傳。)乃避地金州。駕還，徵拜工部侍郎、(舊書附傳。)史館修撰，歷太常卿，户部尚書，至太子太師。昭宗爲劉季述所幽，感憤。卒，贈太尉。知猷器量渾厚，世推爲長者，善書，有楷法，文辭贍麗。子文度亦貴顯。(新書附傳。)

簡辭，字子策，與兄簡能、弟宏正、簡求皆有文。(新書附傳。)元和六年登第，三辟諸侯府。長慶末，入爲監察，轉侍御史。(舊書列傳。)習知法令及臺閣舊事。寶曆中，黎幹子煟詣臺，請復葉縣故田。有司莫能知。簡辭獨詰曰：按幹坐黨魚朝恩誅，貲田皆没；大曆後數十年，比有赦令，無原洗之言，煟安得冒論？不爲治。福建鹽鐵院官盧昂坐贓，簡辭窮按，乃得金牀，瑟瑟枕大如斗。敬宗曰：禁中無此，昂爲吏可知矣。李程鎮太原，表爲節度判官，入授考功員外郎，(新書列傳。)轉郎中。大和中，坐事，自太僕卿出爲衢州刺史，(舊書列傳。)累擢湖南浙西觀察使。(新書列傳。)會昌中，入爲刑部侍郎，轉户部。大中初，轉兵部、檢校工部尚書、許州刺史、山南東道節度使。卒。(舊書列傳。按：新書敘爲節度於衢州刺史之前。攷宰相世系表，皆紀所卒之官，而簡辭下注山南東道節度使，則舊書所云較是。擢觀察使，舊書不載，新書亦敘於衢州刺史之前，據舊書簡求傳，時簡辭鎮漢南，宏正爲侍郎云云，當在會昌間。今改次之。)

宏正，(新傳作宏止，通鑑同。宰相世系表亦作宏正，今從舊傳。)字子强，性通敏，元和末登進士第。(舊書盧簡辭附傳。)魁梧富貴，未嘗言山水。(闕史。)佐劉悟府，累擢監察御史。沈傳師表爲江西團練副使，入拜侍御史。(新書盧簡辭附傳。太和中，華州刺史宇文鼎、户部員外盧允中坐贓，舊書附傳。詔宏正按訊。文宗將殺鼎。宏正執據罪由允中，鼎乃連坐，不應死。帝釋之。新書附傳。歷歙、鄭、楚三州刺史，度支、吏部郎中，南部新書。遷給事中。新書附傳。會昌三年，昭義節度使劉從諫卒，其子稹自稱留後，新書武宗紀。詔河北三節度討稹。何宏敬、王元逵先取邢、洺、磁三州，李德裕畏諸帥有請地者，乃以宏正爲三州團練觀察留後。制未下，稹平，即詔爲三州及河北兩鎮宣慰使，還拜工部侍郎。新書附傳。大中初，轉户部侍郎，充鹽鐵轉運使。前是，安邑、解縣兩池鹽法積弊，課入不充。舊書附傳。宏正使判官司空輿檢鉤釐正，新書附傳。立約數十條，莫不以爲宜。新書司空圖傳。即表輿兩池使，自是課入歲倍，用度賴之。新書附傳。檢校户部尚書，出爲徐州刺史，武甯軍節度使、徐泗濠觀察等使。舊書附傳。徐自王智興後，吏卒驕沓，銀刀軍尤不法。新書附傳。宏正至鎮，都虞候胡慶方復謀作亂，宏正誅之，撫循其餘，訓以忠義。軍府由是獲安。通鑑二百四十八。優詔褒勞。宏正羸病，匄身還東都。不許，徙宣武。卒於鎮。贈尚書右僕射。子虔灌，新書附傳。字子肅，新書宰相世系表。有俊才，進士登第，所著文筆，爲時所稱，終祕書監。舊書附傳。

簡求，字子臧，長慶元年登進士第。舊書盧簡辭附傳。始從江西王仲舒幕府，兩爲裴度、元稹所辟，又佐牛僧孺鎮襄陽，入遷户部員外郎。新書盧簡辭附傳。會昌中，討劉稹，武甯節度使傳作忠武節度，舊紀作徐泗節度。按：舊志，忠武治許，管陳、蔡三州，武甯治徐，管徐、泗、濠、宿四州，新，舊書紀與傳各異。新紀下書忠武節度王宰，則彥佐此時不得又爲忠武也。今從新紀。李彥佐，爲晉絳行營諸軍節度招討使。新唐書武宗紀。朝廷以簡求累佐使府，達於機畧，以爲副使，舊書附傳。俾知後務。歷蘇、壽二州刺史。大中九年，黨項擾邊，拜涇原渭武節度使，徙義武、鳳翔、河東三鎮，新書附傳以鹽州防禦押蕃落諸軍，防秋都知兵馬使，度支、烏池、榷税等使。舊書宣宗紀。簡求辭翰縱横，長於應變，所歷四鎮，皆控邊陲，屬雜虜寇邊，因之移授，所至撫御，邊鄙宴然。舊書附傳。太原統退渾、契苾、沙陀三部難馴制，它帥或與詛盟，質子弟，然寇掠不爲止。簡求歸所質，開示至誠，虜憚其恩信，不敢亂。久之，辭疾，以太子少師致仕，還東都，治園沼林艿，與賓客置酒自娱。卒，年七十六，贈尚書左僕射。新書附傳。子嗣業、汝弼最知名，舊書附傳。皆中進士第。新書附傳。嗣業，字子通，新書宰相世系表。檢校禮部郎中。舊書附傳。汝弼，字子諧，宰相世系表作子誥。少力學，不喜爲世胄，篤志科舉。宣和書譜。景福中，歷臺省，舊五代史列傳。文彩秀麗一時，士大夫稱之。宣和書譜。以祠部員外郎舊史作郎中。知制誥。從昭宗遷洛。方柳燦斲喪王室，汝弼懼燦，移疾去官，客上黨，後依李克用，表爲節度副使。新書附傳。太原使府有龍泉亭，簡求節制時，手書詩一章在亭西壁。汝弼復爲亞帥，每亭中讌集，未嘗居賓位，向西俛首而已，人士嘉之。舊書附傳。卒於晉，贈兵部尚書。舊史列傳。盧氏兩世，貴盛六卿，方鎮相繼。舊書附傳。簡辭昆仲，雲搏水擊，鬱爲鼎門，非德積慶鍾，安能及此！

辭人之後，不亦休哉！（舊書傳論。）

盧邁，字子元，范陽人。（新書作河南河南人。權德輿盧公行狀作河南洛陽縣。宰相世系表仍列之范陽四房，爲義僖八世孫。今從舊書載入。）以孝友謹厚稱，深爲叔舅崔祐甫所重，（舊書列傳。）舉明經，入第，補太子正字、（新書列傳。）藍田尉。（權德輿盧公行狀。）以拔萃調河南主簿、集賢校理。公卿交薦之，擢右補闕。三遷吏部員外郎。以族屬客江介，出爲滁州刺史。召還，再遷諫議大夫。數條當世病利，進給事中。（新書列傳。）言必削藁，自非成命頒行，而人莫知者。（行狀。）屬考課，邁固辭，以授官日近，未有政績，不敢當上考，時人重之。（舊書列傳。）遷尚書右丞。將作監元亙攝祠，以私忌不聽誓。御史劾之。帝疑其罰，下尚書省議。邁曰：按大夫士將祭於公，既視濯而父母死，猶奉祭。禮，散齋有大功喪，致齋有期喪，齋有疾病，聽還舍，不奉祭。無忌日不受誓者，雖令忌日與告，且春秋不以家事辭王事。今攝政，特命也，亙以常令拒特命，執非所宜。遂抵罪。（新書列傳。）貞元九年，同中書門下平章事。（新書宰相表。）歲餘，遷中書侍郎。（舊書列傳。）時陸贄、趙憬專大政，邁居中，治身循法無過。久之，暴眩省中，輿還第。詔大臣即問。固乞骸骨。罷爲太子賓客。（新書列傳。）十四年卒。時年六十。贈太子太傅。（舊書列傳。）邁寬舒宏重，有姿表風度，而憲章品式，政事成法。（行狀。）有功、緦喪必容，稱其服而情有加焉。叔下邽令，休沐過家，邁終日與羣子姓均指使無位貌之異。其從父弟起喪，還洛陽過都，邁奏請往哭之盡哀。時執政自以宰相尊，五服皆不過從問弔，而邁獨不徇時，議者重其仁亮。（舊書列傳。）早歲，以遊寓於南譙，與舅崔祐甫講學，至穀梁傳，因附經義以規。祐甫慚歎曰：吾以爾爲甥，亦以爾爲友，知免於大過矣。（行狀。）邁不食鹽醋，同列問之：足下不食鹽醋，何堪？邁笑而答曰：足下終日食鹽醋，復又何堪？（李肇國史補。）有寶瑟，各直數千萬，有寒玉、石磬、響泉、和志之號。（南部新書。）再娶，無子。或勸畜姬媵。對曰：兄弟之子，猶子也，可以主後。所得稟賜，皆賑孀舊之乏云。（新書列傳。）

李景畧，幽州良鄉人。父承悅，檀州刺史，密雲軍使。景畧以蔭補幽州府功曹參軍。大曆末，客河中，闔門讀書。（新書列傳。）景畧氣豪慷慨。（舊書傳論。）李懷光爲朔方節度使，署巡官。五原將張光殺其妻，以貲市獄，前後不能決。景畧覈實，論殺之。既而有若女厲者進謝廷中，如光妻云。（新書列傳。）遷大理司直、監察御史。及懷光屯軍咸陽，反狀始萌。（舊書列傳。）將襲東渭橋，召幕府計議。（新書列傳。）景畧曰：取長安，殺朱泚，散軍還諸道，單騎詣行在，如此臣節亦未虧，功名猶可保也。頓首懇請，至於流涕。懷光許之。都虞候閻晏等勸懷光東保河中，徐圖去就。懷光乃謂景畧曰：曏者之議，軍衆不從，子宜速去，不且見害。遣數騎送之。景畧出軍門，慟哭曰：不意此軍陷於不義。（通鑑二百三十。）遂遁歸。靈武節度杜希全表置於府，累轉侍御史、豐州刺史。豐州當回紇通道，前刺史輭柔，每虜使至與抗禮。時梅録將軍入朝，景畧欲折之，因郊勞，前遣人謂曰：可汗新没，欲弔使者。乃坐高壠待之。梅録俯僂前哭。景畧卽撫之曰：可汗棄代，助爾號慕。於是虜容氣沮索，不敢抗，以父行呼景畧。自此回紇使至者皆拜於庭，威名顯聞。希全忌之，奏貶袁州司馬。新書列傳。貞元十年，德宗紀作九年。希全卒。舊書杜希全傳。徵爲左羽林將軍，對於延英殿。舊書列傳。論奏衎衎有大臣風。河東節度使李説病，以景畧爲太原少尹、行軍司馬。時方鎮既重，故少召還者，惟不幸，則司馬代之。自説有疾，人心固屬景畧矣。會梅録復入朝，説大會虜人争坐，説不敢遏。景畧叱之。梅録識其聲，拜曰：非李豐州邪？遂就坐。將吏相顧嚴憚。説愈不平，賂中尉竇文場，謀毁去之。歲餘，塞下傳言，回紇南寇。文場方侍帝旁，卽言豐州當得良將，且舉景畧，乃拜豐州刺史，天德軍西受降城都防禦使。窮塞苦寒，地瘠鹵，邊户勞悴。景畧至，節用約己，與士同甘蓼。鑿咸應、永清二渠，溉田數百頃。儲稾器械畢具，新書列傳。公私利焉。舊書列傳。景畧用法嚴，新書任迪簡傳。威令肅然。聲雄北强，回紇畏之。新書列傳。貞元二十年，卒於鎮，年五十五。舊書列傳。天下惜用景畧才有所未盡。贈工部尚書。新書列傳。

盧景亮，字長晦，幽州范陽人。少孤，新書列傳。有志義。柳宗元先君石表陰先友記。學無不覽，第進士，宏辭，授秘書郎。張延賞表爲枝江尉，掌書記。入遷右補闕。朱泚反，景亮勸德宗曰：陛下罪己不至，則感人不深。帝然之。景亮鯁毅，（新書列傳。）多所激發。爲諫官，奏書如水赴壑。（柳宗元先友記。）帝以盧杞爲饒州刺史。景亮劾杞：輔政要位大臣，踰時月不得對。百官懍懍，常若兵在頸。陛下復用之，姦賊唾掌復興。帝不聽。争尤確，杞遂廢。（新書陳京傳。）以廷諫得失，貶朗州司馬。（册府元龜九百十五。列傳云：宰相李泌劾景亮，嘗衆會，漏所語言，引善在己，有惡歸君。帝怒，貶朗州。按：景亮鯁毅，恐不至此。）廢抑二十年。至憲宗時，由和州别駕召還，（柳宗元先友記作順宗時。按：順宗立未一年，即傳位憲宗，彼此非有異也。）爲尚書郎，升中書舍人。（柳宗元先友記。）景亮善屬文，根於忠仁，有經國志，嘗謂人君足食足兵，而又得士，天下可爲也。乃興軒、頊以來至唐，剟治道之要，著書上下篇，號三足記。又作答問，言輓運大較，及陳西戎利害，指切當世。公卿服其達古今云。元和初卒，贈禮部侍郎。（新書列傳。）

盧於陵，范陽人。父貽，爲河南法曹參軍。河南尹與人有仇，誣仇與賊通，收掠取服法。法曹曰：我官司也，我在，不可以爲是。廷争之以死。河南怒，命卒捽之。法曹争尤强。遂并收法曹，竟奏殺仇，籍其家，而釋法曹。法曹出，徑歸卧家，念河南勢弗可敗，氣憤弗食，嘔血卒。於陵少孤，母憐之，讀書學文，皆不待强教，卒以自立。在母側，油油翼翼，不忍去。母終，與幼弟、歸終之妹，經營勤甚，未暇進仕。元和二年卒，年三十六。（韓愈處士盧君墓誌銘。）

范陽盧殷，能爲詩，自少至老，可録傳者凡千餘篇。無書不讀，然止用以資其詩。與諫議大夫孟簡、協律孟郊、監察御史馮宿好，期相推輓。卒以病不能爲官，盡寫所爲詩，抵故宰相東都留守鄭餘慶。留守數以帛米周其家，書薦宰相，不能用。元和五年，年六十五以故登封尉，卒登封。韓愈盧殷墓誌銘。

高崇文，字崇文，其先自渤海徙幽州，新書列傳。爲潞人，七葉無分家異財，化行鄉黨。韋貫之南平郡王神道碑。開元中，再表其閭。崇文性樸重寡言，新書列傳。雅尚節義，學韜鈐，習騎射。神道碑。少籍平盧軍，新書列傳。貞元初，始授陳許節度都侯，隨韓全義鎮長武城，神道碑。治軍有聲。五年夏，吐蕃三萬寇甯州，崇文率甲士三千救之，戰於佛堂原，大破之。舊書列傳。累官金吾將軍，封渤海郡王。全義入朝，留知行營節度後務。新書列傳。十三年，全義代韓潭爲夏綏銀宥節度使，詔以長武兵赴鎮，軍中鼓譟爲亂，舊書韓全義傳。新書帝紀事在十四年，通鑑同。殺大將王栖巖。全義踰城走。崇文誅首亂者，衆然後定。以崇文爲長武城都知兵馬使，通鑑二百三十五。積粟練兵，軍聲大振。舊書列傳。西蜀帥佐劉闢反，神道碑。宰相杜黃裳薦其才。新舊列傳。元和元年，拜檢校工部尚書、左神策行營節度使，兼統左右神策、奉天麟遊諸鎮兵以討闢。舊書列傳。黃裳因奏罷中人監軍，專委崇文。新書杜黃裳傳。時顯功宿將，人人自謂當選，及詔出，皆大驚。新書列傳。崇文在鎮，繕甲兵，勵士卒，常如待敵。及奉詔，即日進路，神道碑。器良械完，無一不具。過興元，士有折逆旅匕箸者，即斬以徇。乃西自閬中出，卻劍門兵，解梓潼之圍，賊將邢泚退守梓州。詔拜崇文東川節度使。初，闢陷東川，執節度使李康，至是，歸康以丐雪。崇文數康失守罪，斬之。（新書列傳。）闢城鹿頭關，連八柵，屯兵萬餘人以拒。崇文擊敗之。闢置柵於關東萬勝堆，崇文遣驍將高霞寓攻奪之，下瞰關城，凡八戰皆捷，（通鑑二百三十七。）賊心始搖。大將阿跌光顔與崇文約，後期，懼誅，請深入自贖，乃軍鹿城西，斷賊糧道。（新書列傳。）賊大駭，（舊書列傳。）綿江柵將李文悅、鹿頭守將仇良輔，皆以城降。（通鑑二百三十七。）執闢子方叔、壻蘇疆。遂趣成都，餘兵皆面縛送款。闢走，追禽之，檻送京師。入成都，師屯大逵，市井不移，珍寶如山，秋毫無犯。邢泚已降而異，斬於軍。衣冠脅於汙者詣牙請命，爲條上全活之。（新書列傳。）草表薦房式、韋乾度、獨孤密、符載、郗士美等，（通鑑二百三十七。）目段文昌曰：公必爲將相，未敢奉薦。揖起。沈衍令梟首驛門，（通鑑考異引林恩補國史。）從容指撝，一境皆平。闢有二妾，殊色，監軍請獻之。崇文曰：天子命討平凶豎，當以撫百姓爲先，遽獻婦人以求媚，豈天子意邪？崇文不爲此。乃以配將吏之無妻者。（通鑑二百三十七。）初，崇文素憚劉澭。黃裳使人謂曰：若不奮命，當以澭代。由是得其死力。（舊書杜黃裳傳。）進檢校司空、西川節度副大使、南平郡王，實封三百户，刻石紀功於鹿頭山。崇文不通書，（北夢瑣言：高崇文授西川節度使，一旦大雪，諸從事吟賞有詩。渤海鄙言多呼人爲㑳兒，此日筵上，謂賓客曰：某雖武夫，亦有一詩，乃口占云：崇文崇武不崇文，提戈出塞號將軍，那箇㑳兒射雁落，白毛空裏落紛紛。其詩著題皆謂北齊高敖曹之比也。）厭案牘諮判以爲繁，且蜀優富無所事，請捍邊自力。乃詔同中書門下平章事、邠甯慶節度使，爲京西諸軍都統。崇文恃功而侈，舉蜀帑藏百工之巧者皆自隨。又不曉朝儀，憚於覲謁，有詔聽便之屯。居邠三年，戎備整修。新書列傳。四年，卒，年六十四。贈司徒，謚曰威武。舊書列傳。會昌六年，詔配享憲宗廟。子承簡。新書列傳。按：神道碑言，嗣子金紫光禄大夫、行思王傅、上柱國、上谷郡公，士政；次子檢校秘書兼御史中丞，士榮；季子左衛率府胄曹參軍，士明。而不見承簡名，豈士政即承簡歟？

承簡，少爲忠武部將，後入神策軍，以父征劉闢功，拜嘉王傅。舊書高崇文附傳。裴度征蔡，奏署牙將。蔡平，詔析上蔡、郾城、遂平、西平四縣爲溵州，舊書附傳，四縣作三縣，無西平。按：新書地理志郾城下云，元和十二年，以郾城、上蔡、西平、遂平置溵州，與傳合。舊書地理志西平下亦云元和十二年隸溵州，然則傳無西平作三縣者，誤也。今不取。拜承簡刺史，治郾城，始開屯田，列防庸，瀕溵綿地二百里，無復水敗，皆爲腴田。先是，賊築武宫以夸戰勞，承簡夷其邱，庀家財以葬。葺儒宫，備俎豆，歲時行禮，野有菼實，民得以食，將吏立石頌功。遷邢州刺史，觀察府責賦尤急，承簡代下户數百輸租，遷宋州。新書高崇文附傳。長慶二年，宣武軍逐其節度使李愿，衙門都將李㝏反，新書穆宗紀。遣使責財於宋。承簡囚之，前後數輩輒繫獄。一日，并出斬於牙門，威震部中。㝏悉兵攻之。宋有三城，南城陷，承簡保北二城，數與賊確。會徐州救至，新書附傳。斬首千餘級，餘衆遁去。通鑑二百四十二。汴牙將李質斬㝏，傳首京師，舊書韓宏附傳。授承簡檢校散騎常侍、兖海沂密節度使，舊書附傳。遷義成軍、檢校尚書左僕射。入拜右金吾衛大將軍，復節度邠甯。先是，虜多以盛秋犯邊，承簡請屯甯州以制其侵。

新書附傳。太和元年，舊書附傳。疾，還朝，道卒。贈司空，謚曰敬。新書附傳。

劉頗，字保極，元稹劉君墓誌銘。昌平人。其上三世有義烈。元稹劉頗詩序。拯爲清夷軍使，會侯希逸叛，軍亂害及，朝廷忠之，以平州刺史告其第。平州生表裏，官深州長史，亦用忠義戰死。長史生子蹇，官至銀青光禄大夫、唐州刺史，與周增等謀潰，李希烈覺，皆殺之。頗實唐州長子。希烈不忍其幼，養之麾下，凡攻戰必攜去。年十四五，始讀書。希烈死，得脱，舉進士，文詠詞調，有古人氣候，試一不中，遂不復試。元稹劉君墓誌銘。負氣，狹路間，病罌車蔽，拒盡碎之，罄囊酬置而去。元稹劉頗詩序。田於唐。唐刺史願得爲壻。頗不願。刺史怒，暴租其田。元稹劉君墓誌銘。頗自火其居，出契書投火中，元稹劉頗詩序。盡畀里中諸老。田棄，去汝上，讀書賦詩，厚自期待。刺史陸長源器異之，三十餘試，授秘書省校書郎，復以協律郎從事於鄜。元和初，高崇文方下蜀，宰相杜黄裳以爲大理評事，後爲壽安主簿。烏重允以懷汝之師伐蔡，請爲監察御史，判懷汝營田事，尋改節度判官，賜章服。時賊盛，始都統韓宏在大梁。乃請於烏曰：青陵故城，地高要，得之可以據賊矣。公能使我於韓，可以得。烏使之。韓一見奇之，竟夕與語。遂命陳、許、懷汝、大梁之衆據青陵，自是官軍大振。凡烏之戰陳謀取、案牘書奏之事皆咨之，常爲烏啟事京師。憲宗語及陣法曰：卿何以知戰？對曰：臣固淮西之戰者也，讀書餘事耳。遭喪，服闋，爲殿中侍御史、銀州長史、知刺史事。先是，銀之長不命於朝數十年，諸將攝理，奪其馬牛，夷人苦，益復叛遠。頗始受命，指贏輸之白四足者曰：此馬苟無死，不復易矣。至所治，黨項諸羌來會聚，頗告以忠信廉儉，皆出涕，無敢違告者。歲餘，受代，酋長拓跋建宗等七百餘衆，遮擁不欲去。頗馳去之。建宗等隨至境，果以贏輸之白四足者歸京師，自外無餘畜。及没，諸羌長不絶聘。尋授河西令，以水部員外郎兼侍御史。光和中，節度副史，尋除萬州刺史。頗善交人，凡志氣豪健，尚功名者，多師之，投分誓且死爲收長用慈儉，閭里皆愛惜。長慶三年卒。墓志銘。

盧鈞，字子和，本范陽人，舊書列傳。徙京兆藍田。新書列傳。元和四年進士，擢第，唐摭言載，鈞初及第，僕爲辦醵，感通神明一事，語近虛誕，今不取。又書判拔萃，調補校書郎，累佐諸侯府。大和五年，遷左補闕。舊書列傳。王守澄誣告宋申錫與漳王謀反。議抵申錫死。新書宋申錫傳。鈞伏奏，乞付法司。舊書文宗紀。議貸申錫於嶺表。新書宋申錫傳。由是知名，舊書列傳。進吏部郎中，出爲常州刺史，遷給事中，有大詔令，必反覆省審，駁奏無私。拜華州刺史。關輔驛馬疲耗，鈞爲市健馬，率三歲一易，自是無乏事。擢嶺南節度使。海道商舶始至，異時帥府爭先往，賤售其珍。鈞一不取，時稱絜廉，專以清静治。蕃獠與華人錯居，相婚嫁，多占田，營第舍，吏或撓之，則相挺爲亂。鈞下令，蕃、華不得通婚，禁占田産。闔部肅壹無敢犯。新書列傳。自貞元以來，衣冠得罪流放嶺表者，因而物故，子孫貧悴，遇赦不能自還。鈞減俸錢，爲營槥櫝（舊書列傳。）還葬，有疾苦喪，則經給醫藥、殯斂，孤女穉兒，（新書列傳。）爲之婚嫁，凡數百家。（舊書列傳。）南方服其德，不懲而化。又除采金税。華蠻數千走闕下，請爲鈞生立祠，刻石頌德。鈞固辭，以户部侍郎召判户部。會昌中，漢水害襄陽，拜鈞山南東道節度使，築隄六千步以障漢暴。王師伐劉稹，武宗以鈞寬厚能得衆，詔兼節度昭義軍。會稹死，敕乘驛往，進檢校兵部尚書，專領昭義。鈞及潞，石雄兵已入，而稹將白惟信率餘卒三千保潞，城未下。鈞次高平，惟信獻款，且曰：不卽降者，畏石尚書爾。鈞與約而遣。方雄欲盡夷潞兵，鈞不聽，坐治堂上，左右皆雄親卒，擊鼓傳漏。鈞自若甚安。雄引去，乃召惟信至，送闕下，餘衆悉原。（新書列傳。）人情大洽，昭義遂安。五年，詔發昭義兵戍振武。鈞至裴村餞之。潞卒素驕，憚於遠戍，乘醉囘旗入城，閉門大譟。鈞奔潞城以避之。（通鑑二百四十八。）迫大將李文矩爲帥。文矩投地僵卧，稍諭叛者，衆乃悔服，卽相與謝鈞，迎還府，斬首惡，乃定。詔趣戍者行，密使盡戮之。鈞請徐乘其變。戍人去潞一舍，鈞選卒夜趨，遲明至太平驛，盡斬之。卽拜檢校尚書，左僕射。宣宗卽位，改吏部尚書。會劉約自天平徙宣武，未至，暴死，家僮五百無所仰衣食，思亂。乃授鈞宣武節度使，人情妥然，召入，復爲吏部尚書，遷檢校司空、太子少師，封范陽公。（新書列傳。）河東節度使李業縱吏侵掠雜虜，又妄殺降者，由是北邊擾動。以鈞節度河東。鈞奏度支郎中韋宙爲副使，宙徧詣塞下，悉召酋長，諭以禍福，禁唐民毋得入虜境侵掠，犯者必死。雜虜由是遂安。通鑑二百四十九。大中九年，召爲左僕射。新書列傳。鈞踐歷中外，事功益茂，後輩子弟，多至台司，至是急徵，謂當輔弼。雖居端揆，心殊失望，常移病不視事，與親舊遊城南墅，累日一歸。宰臣令狐綯惡之，乃罷僕射，舊書列傳。以檢校司空守太子太師。帝元日大饗含元殿，鈞年八十，升降如儀，音吐鴻暢，舉朝咨歎，以鈞碩耆長者，顧不任職，咎綯爲媢賢。綯聞，言於帝，卽以鈞同中書門下平章事，爲山南西道節度使，俄檢校司徒，爲東都留守。懿宗初，復節度宣武，辭不拜，以太保致仕。卒，年八十七。贈太傅，謚曰元。鈞與人交，始若澹薄，既久乃益固。所居官，必有績。大抵根仁恕至誠而施於事，玩服不爲鮮明，位將相，没而無贏財。新書列傳。

盧宏宣，字子章，范陽涿人。新書列傳不言何郡人，今據宰相世系表補。元和中，擢進士第。鄭權帥襄陽，辟署幕府。李愬代權，二人交憾。宏宣始謁愬。愬敕左右謹衛，既與語，見其冲遠，不覺洗然。裴度留守東都，表爲判官，累遷給事中。駙馬都尉韋處仁拜虢州刺史，宏宣謂非所任，還詔不下。開成中，山南，江西大水，詔宏宣與吏部郎中崔璠，分道賑卹。使有旨還，遷京兆尹、刑部侍郎，拜劍南東川節度使。時歲饑盜贅，結酋豪自王，僞署官吏，發赦書，招亡命，聯蓬、瀘、嘉、榮諸州，誅蠻落搖亂，根株盤熾。宏宣下檄脅諭，賊黨稍降，其黠强者署軍，孱無能還之農，魁長逃入峽中，吏捕誅之。會昌五年，四字據通鑑補。徙義武節度使。宏宣性寬厚，新書列傳。政簡易，其下便之。通鑑二百四十八。然犯者不貸。河朔故法，新書列傳。軍中偶語者斬。宏宣至，通鑑二百四十八。除之。詔賜其軍粟三十萬斛，貯飛狐。宏宣計挽費不能滿直，敕吏守之。明年春大旱，教民隨力往取。時幽、魏饑甚，獨易、定自如，至秋悉收所貸，軍食以饒。歷工部尚書、秘書監，以太子少傅致仕。卒，年七十七。贈尚書右僕射，新書列傳。固安縣伯。宰相世系表。初，宗人貞白父曰老彭，有道術，兼號知人。宏宣、簡辭、宏正、簡求俱候焉。留坐，目之甚久，命貞亦序坐。又目之，曰：一行五節度使，可謂盛矣。卒如其言。趙璘因話録。宏宣患士庶人家祭無定儀，乃合十二家法，損益其當次以爲書。新書藝文志盧宏宣家祭儀注云，卷亡。子告，字子有，宰相世系表作友。及進士第，新書列傳。歷吏部侍郎，新書藝文志注。終給事中。新書列傳。與盧躭、蔣偕、王渢、牛叢撰文宗實録四十卷。見新書藝文志并注。

賈島，字浪仙，范陽人。初爲浮屠，名無本。來東都時，洛陽令禁僧午後不得出，島爲詩自傷。韓愈憐之，因教其爲文。遂去浮屠，舉進士。唐書韓愈附傳。王楙野客叢書云：唐遺史載，島初赴舉，在京，一日在驢上得句云云，引手作推敲之勢。時韓退之爲京兆尹，車騎方出，島不覺行至第三節，左右擁至尹前。島具道所以得詩句，退之遂并轡歸，爲布衣交。按：韓集有送無本師歸范陽詩，則島之交愈時猶是浮屠。攷韓譜，是詩當作於元和六年，而愈之爲京兆尹，在長慶二、三年，相去甚遠，遺史之言，未足據。今不取。六經、百氏，無不該覽。妙之尤者，屬思五言孤絶之句。

蘇絳賈司倉墓誌。元和中，元、白尚輕淺，島獨變格入僻，以矯浮豔，唐摭言。怪變平淡，韓愈送無本師歸范陽詩。高步出羣，墓誌。雖行坐寢食，吟詠不輟。嘗跨驢張蓋，横截天衢，時秋風正厲，黄葉可埽。島忽吟曰：落葉滿長安。重其衝口直致求之一聯，杳不可得，不知身之所從也，因衝突京兆劉棲楚，被繫一夕，釋之。唐摭言累舉不中第。文宗時，坐飛謗，貶長江主簿。唐書附傳。唐摭言，嘗遇武宗於定水精舍。島尤肆侮。上訝之。他日有中旨，令與一官謫去。乃授長江縣尉。與此互異。按：墓誌，島在長江三年，會昌三年卒。則其坐責，當在開成末年，傳所言較是。三年在任，卷不釋手。秩滿遷普州司倉參軍，轉授司户。墓誌。未受命，卒，年五十四。唐書附傳。墓誌：會昌癸亥七月二十八日，終於郡舍，春秋六十有四。與此互異。未詳孰是。癸亥，會昌三年也。島豐骨自清，冥搜至理，未嘗評人是非。工筆法，得鍾、張之奥。所著文篇，不以綺靡爲急，淡然躡陶、謝之蹤。墓誌。進士李洞慕島，欲鑄而頂戴。嘗念島佛。北夢瑣言。長江集十卷，小集三卷。唐書藝文志。北夢瑣言載，賈島遇宣宗微行，問秀才名。對曰：賈島。帝曰：久聞詩名。島曰：何以知之？後言於宰臣，與平曾相次謫授長江尉。按：島卒於會昌三年，何以有遇宣宗微行之事？此與長江祠中大中九年墨制石刻，同一謬誤。墨制之非，晁公武讀書志、陳振孫書録解題已辨之，今不贅。

盧士瓊，字德卿，范陽人。少好著文，精曉吏事。明經及第，歷甯陵、華陰主簿、協律郎、大理評事、監察御史、河南府尹曹司録參軍。嘗攝職同州。當徵官税錢時，民共出粟易錢以歸官，斗至十八九。士瓊白刺史，請倍估納粟。刺史行之，民用得饒。未一月，果被有司牒和收官粟，斗給六十，後刺史到，欲盡入其羨於官。士瓊既去職，猶止之曰：聖澤本以利民，民户知之，不可以獨享。刺史乃懸榜曉民，使請餘價，因以絹布高給之，民亦歡受，州獲六百萬。爲户曹，決斷精速，曹不擁事。及爲司録，吏請前例合錢餼人，與司録養馬。士瓊叱出之，召諸縣府望吏告曰：某居此歲久，官吏清濁，侵病人者每聞之，司録職當舉非法，往各白汝長，宜慎守廉静，以澠池令爲戒。其所改易，皆克己便人，堪爲故事。及卒，士君子相弔哭，咸以爲能高而位卑不副。李翺盧君墓誌。

劉蕡，字去華，幽州昌平人。新書列傳。博學，善屬文，尤精左氏春秋。好談王霸大畧，耿介嫉惡，舊書列傳。沉健於謀，浩然有捄世意。新書列傳。常看文中子，忿然而言曰：才非殆庶擬上聖述不亦過乎！若以人望人，文中子於六籍，猶奴婢之於郎主耳。南部新書。寶曆二年，進士擢第。舊書列傳。自元和末，宦官益横，建置天子，在其掌握，威權出人主之右，人莫敢言。通鑒百四十三。蕡常痛疾。文宗卽位，思洗宿恥。大和二年，舉賢良方正，能直言極諫，親策於廷。新書列傳。蕡條對激切，凡數千言，舊書元稹附傳。深究治亂之本，又多引春秋大義。唐摭言。其畧曰：陛下宜先憂者，宮闈將變，社稷將危，天下將傾，海内將亂。又曰：陛下將杜簒弑之漸，則居正位而近正人，遠刀鋸之賤，親骨鯁之直，輔相得專其任，庶職得守其官，奈何以褻近五六人，總天下大政？禍稔蕭墻，姦生帷幄，臣恐曹節、侯覽復生於今日。又曰：忠賢無腹心之寄，閽寺持廢立之權，陷先君不得正其終，致陛下不得正其始。又曰：威柄陵夷，藩臣跋扈，或有不達人臣之節。首亂者以安君爲名，不究春秋之微；稱兵者以逐惡爲義，則政刑不由乎天子，征伐必自於諸侯。又曰：陛下何不塞陰邪之路，屏褻狎之臣，制侵陵迫脅之心，復門户埽除之役？戒其所宜戒，憂其所宜憂，既不能治於前，當治於後，既不能正其始，當正其終，則可以虔奉典謨，克承丕構矣。昔秦之亡也，失於彊暴；漢之亡也，失於微弱。彊暴則賊臣畏死而害上；微弱則姦臣竊權而震主。伏見敬宗皇帝，不虞亡秦之禍，不翦其萌。伏惟陛下，深軫亡漢之憂，以杜其漸，則祖宗之鴻業可紹，三五之遐軌可追矣。又曰：臣聞漢元帝卽位之初，更制七十餘事，其心甚誠，其稱甚美，然而紀綱日紊，國祚日衰，奸宄日彊，黎元日困者，以其不能擇賢而任之，失其操柄也。又曰：陛下誠能揭國權以歸相，持兵柄以歸將，則心無不達，行無不孚矣。又曰：法宜畫一，官宜正名，今分外官、中官之員，立南司、北司之局，或犯禁於南，則亡命於北，或正刑於外，則破律於中，法出多門，人無所措，實由兵農勢異，而中外法殊也。又曰：今夏官不知兵籍，止於奉朝請；六軍不主兵事，止於養勳階，軍容合中官之政，戎律附内臣之職。首一戴武弁，疾文吏如仇讐；足一蹈軍門，視農夫如草芥。謀不足以翦除兇逆，而詐足以抑揚威福；勇不足以鎮衞社稷，而暴足以侵軼里閭。羈紲藩臣，干陵宰輔，隳裂王度，汨亂朝經。張武夫之威，上以制君父；假天子之命，下以御英豪。有藏姦觀釁之心，無伏節死難之義。豈先王經文緯武之旨邪！

又曰：臣非不知言發而禍應，計行而身戮，蓋痛社稷之危，哀生人之困，豈忍姑息時忌，竊陛下一命之寵哉！（通鑑百四十三。）是時，第策官左散騎常侍馮宿、太常少卿賈餗、庫部郎中龐嚴，見蕡對嗟伏，以爲過古晁、董，而畏中官眦睚，不敢取。士人讀其詞，至感慨流涕者。諫官御史交章論其直，於時被選者二十三人，（舊書三作二，通鑑同，唐摭言亦作三。）所言皆常務，類得優調。（新書列傳。）李郃謂人曰：劉蕡不第，我輩登科，實厚顔矣！（舊書列傳。）乃上疏，以爲蕡所對策，漢魏以來無與爲比，今有司以蕡指切左右，不敢以聞，恐忠良道窮，紀綱遂絶。況臣所對，不及蕡甚遠，乞回臣所授，以旌蕡直。不報。（通鑑百四十三。）其策大行於時，（舊書元稹附傳。）期月之間，屈聲播於天下。（唐摭言。）蕡對後七年，有甘露之難。令狐楚、牛僧孺節度山南東西道，皆表蕡幕府，授秘書郎，以師禮禮之。而宦人深嫉蕡，誣以罪，貶柳州司户參軍，卒。（舊書言終使府御史。）及昭宗誅韓全誨等，左拾遺羅袞上言，蕡當太和時，宦官始熾，因直言策，遂罹譴逐，身死異土，六十餘年。正人義夫，切齒飲泣。比陛下幽東内，幸西州，王室幾喪。使蕡策早用，則杜漸防微，逆節可消，甯殷憂多難遠及聖世邪！今天地反正，枉魄憤觜，有望於陛下。帝感悟，贈蕡右諫議大夫，訪子孫授以官云。（新書列傳。）

范陽盧霈，字子中。年二十，未知古有周公、孔子者，擊毬，飲酒，策馬，射走兔，語言習尚，無非攻守戰鬭之事。鎮州有儒者黄建，語以先王儒學之道。霈立悟其言，即陰約母弟雲，竊家駿馬，日馳三百里，夜抵襄國界，捨馬步行，徑入王屋山，請詣道士觀。道士憐之，置之門外廡下。席地而處，始聞孝經、論語。布褐不襪，捽草爲茹，或竟日不得食。如此凡十年，年三十，有文有學，日閑習人事，誠敬通達，汝洛間士人，稍稍知之。開成三年，來京師，舉進士，於羣輩中酋酋然，凡曰進士，知名者多趨之，願與之爲交。霈嘗曰：丈夫一旦得志，天子召於座前，以笏畫地，取山東一百二十城，惟我知其甚易耳。因言燕趙間山川夷險，教令、風俗、人情之所短長。三十年王師攻擊，利與不利，其所來由，明白如彩畫，一一可覩。開成四年，客遊代州，南歸於霍州縣界，晝日盜殺之。京師名進士聞之多有哭者。（杜牧盧秀才墓誌。）

張仲武，漁陽人，通左氏春秋。會昌初，爲雄武軍使。（新書列傳。）陳行泰殺節度使史元忠，權主留後。俄而行泰又爲次將張絳所殺，令三軍上表，請降符節。（舊書列傳。舊書帝紀：會昌元年閏月，幽州雄武軍使張絳，遣軍使吳仲舒入朝，言行泰慘虐，不可處將帥之任，請以鎮軍加討。許之。十月，誅行泰，遂以絳知兵馬使。二年春正月，以絳知留後，仍賜名仲武。與傳異。通鑑考異，謂其以兩人爲一人，誤，今不取。）仲武起軍擊絳，且遣軍吏吳仲舒奉表詣京師，稱絳慘虐，請以本軍討之。（新書列傳言，請以本軍擊回鶻。按：仲舒所言，未嘗及擊回鶻事，且下云會回鶻，逼漁陽，則非先請擊可知。故舊書亦只云請以本軍伐叛也。今從通鑑。）詔宰相問狀。仲舒言，行泰、絳皆遊客，故人心不附，仲武幽州舊將，性忠義，通書，習戎事，人心嚮之。曩者，張絳殺行泰，召仲武，欲以留務讓之。牙中一二百人不可。仲武行至昌平，絳復卻之。今計仲武纔發，雄武軍中已逐絳矣。李德裕問雄武士卒幾何，對曰：軍士八百，外有土團五百。德裕又問：萬一不克，如何？對曰：幽州糧食皆在嬀州及北邊七鎮，萬一未能入，則據居庸關，絶其糧道，幽州自困矣。通鑑二百四十六。德裕入白帝：行泰等邀節不可許。仲武求自效，用之有名，軍且無辭。乃擢馬兵留後，詔撫王遥領節度。詔下，絳果爲軍所逐。新書列傳。仲武入幽州，新書武宗紀。改節度副大使，知節度事，檢校工部尚書、幽州大都督府長史，兼御史大夫、蘭陵郡王。舊書列傳。新書，王作公。會回鶻特勒那頡啜擁赤心部七千帳偪漁陽，仲武使其弟仲至與别將游奉寰等，率鋭兵三萬破之，獲馬、牛、槖它、旗纛不勝計，新書列傳。悉得其衆。那頡啜走，烏介執而殺之。新書回鶻傳。遣吏獻狀。進檢校兵部尚書，新書列傳。兼東面招撫使。舊書列傳。仲武招降可汗下部落，前後三萬餘人，分配諸道。通鑑考異引伐叛記。始，回鶻常有酋長監奚、契丹以督歲貢，因詗刺中國。仲武使裨將石公緒等厚結二部，執諜者八百餘人殺之。回鶻欲入五原，掠保塞襍虜，乃先以宣門將軍四十七人詭好結歡，仲武賂其下，盡得所謀，因逗留不遣，使失師期，回鶻人馬多病死者，由是不敢犯塞。烏介失勢，往依康居，盡徙餘種，寄黑車子部。回鶻遂衰，名王貴種相繼降，捕幾千人。仲武請立石以紀聖功。帝詔德裕爲銘，揭碑盧龍，以告後世。新書列傳。遏捻可汗裒殘部，仰食於奚大酋碩舍朗。大中初，仲武討奚，破之。轉依室韋。仲武諭令羈致可汗等，遏捻懼，夜委衆西走。新書回鶻傳。擢累檢校司徒、同中書門下平章事。新書列傳。三年，卒。宣宗紀。謚曰莊。舊書列傳。仲武有政學，後漁陽有年八九十人識其面者，説之猶淚下。南部新書。

張允伸，字逢昌，范陽人。世仕幽州軍門，屢職至押衙，兼馬步都知兵馬使。大中四年，戎帥周綝寢疾，表允伸爲留後。舊書列傳。宣宗紀：周綝卒，軍人立其牙將張允伸。按：新紀言，盧龍軍亂，逐其節度張直方，衙將張允伸自稱留後。新紀亦言直方出奔，衆立爲留後。彼此互異。通鑑舍新書用舊書，今從之。天子報可。未幾，檢校散騎常侍，爲節度使，累進檢校司徒，兼太傅、同中書門下平章事，封燕國公。新書列傳。咸通九年，新書懿宗紀。龐勛以徐州反。上書欲遣弟允皋領兵討叛，不許。上米五十萬斛，鹽二萬斛佐用度。詔嘉美，賜玉帶、寶器、納錦，進兼侍中。新書列傳。十二年以風恙拜章，請就醫藥。詔許之，以子簡會檢校工部尚書，充節度副大使。舊書列傳。十三年，疾甚，上表納旌節。通鑑二百五十二。卒，年八十八，并贈太尉，謚曰忠烈。允伸領鎮凡二十三年，舊書列傳。勤儉恭謹，邊鄙無警，上下安之。通鑑二百五十二。

盧渥，字子章，范陽人。識致遠大，强學發文，未就鄉舉，時輩皆以爲傑出。中選甲科籍，累辟諸侯府。太夫人在洛，乞以散秩就養。拜國子博士，遷侍御史，專領東臺務，轉司封員外，知雜事。正色讜言，舉劾不撓。遷司勛郎中。時宰所忌，出倅宣武軍，入爲曹郎，拜萬年令。大京兆每引見，必優禮，言則稟規，諸曹請事，若奉嚴師。司空圖盧公神道碑。拜中書舍人，雲溪友議。知制誥。宰相詳議大政，亦俟入直乃行。前後六年，編録盈笥，實一時典則也。司空圖撰碑。先是，渥應舉之歲，偶臨御溝，見一紅葉上有絶句，命僕搴來，置於巾箱。及宣宗既省宫人，下詔許從百官。渥獲所退宫人，宫人覩紅葉，吁歎久之，曰：當時偶隨流水，不謂郎君收藏巾篋。驗其書迹，無不訝焉。雲溪友議。丁内憂，哀毁逾禮。免喪，拜陝虢觀察使，兼御史中丞。護軍劉重美，黨類豪侈，槖奸黷貨。及至鎮，舉壞政之甚者，面數以挫其鋒。卒俛首受教。遇江嶺宿兵，邊戍乏食，滑州軍奮臂標轆，開折天侶，及驟至牆下，吏士縮慄，請閉關扼守。渥曰：彼凍餒所迫，未聞肆毒，吾因而撫之，冀其返善；若首唱其惡，彼畏彰聞，則懷疑蜂潰。召主將，親諭之，果遽感悟而東，逮出境，人無罹其患。司空圖撰碑。盧氏衣冠第一，未嘗知舉，北夢瑣言。及盧攜在中書，深恥之。廣明元年，乃追渥入典貢帖經，後巢賊犯闕，天子幸蜀，南部新書。北夢瑣言亦載此事，凡二條，一以爲盧渥，一以爲盧沆。乃中輟。人惜之。明年春，自都潛出，至中條，拜御史丞，兼左丞。柬拔端良，風威益振。駕迴，未幾，又徒步扈從於寶鷄，至褒中歧蜀阻兵食俱困，乃拜渥户部尚書，領興元留事，知節度使事。渥躬自招撫，且徵賦食。山甿相勉貢輸，時議以爲蕭何大勛，非渥不濟。累授保、傅，尋以檢校司徒致仕。天祐二年薨，年八十六。渥友愛諸弟，孜孜指導，司空圖撰碑。伯仲四人，咸居清顯。乾符初，渥自中書舍人拜觀察使；又旬日，其弟紹自長安縣令除給事中；又旬日，弟沆自前集賢校理授左拾遺；又旬日，弟沼自前畿尉遷監察御史。士族榮之。（參寥子闕史。）紹，字子美，太子少保，（唐書宰相世系表。）尤檢剋，亦能率子弟，卑幼無逢者。（司空圈撰碑。）沼，（碑作治。）字明源，（宰相世系表。）考功郎中。（司空圖撰碑。）沆，（碑作沈。）字德遠，（宰相世系表。）右補闕從事，洛都留守府。（司空圖撰碑。）初，沆在舉場，甚有時稱，曾於滻水逆旅，遇宣宗微行，意其貴人，斂身迴避。帝揖與相見。沆乃自稱進士盧沆。帝請詩卷，袖之乘驢而去。他日對大臣語及盧沆，令主司擢第。沆不自安，恐僭冒之辱。宰臣問沆與主上有何偕緣，乃具陳因由，時亦不訝，以其文章非叨忝也。（北夢瑣言。）渥嗣膺刑部侍郎，敏材慎行，而囂競不能入。賡左補闕，整整唯謹，目爲令人。（司空圖撰碑。）

人物志四

先賢四

南海廖廷相纂　江陰繆荃孫覆輯

南唐

高越姪遠　盧文進　潘佑

前蜀

王宗瑶

後蜀

孫欽

宋

趙普　趙上交　趙匡贊

宋琪　宋雄　董遵誨

張暉　邊歸讜　馬全義子知節

竇儀弟儼偁　張藏英孫鑑　李瓊

劇可久　李懷忠　田重建

呂餘慶弟端　劉載　扈蒙

張佶　高彥暉　張玉

李淳頤　張世傑

後梁

盧曾，字孝伯，其先范陽人也。頗好書，有所執守，始爲齊州刺史舊傳原作防禦使。按新書梁紀及通鑑，皆稱朱瓊爲齊州刺史。今據改。朱瓊從事。舊五代史列傳。乾甯二年，瓊降，舊史梁太祖紀。與皆來。太祖辟爲宣義幕職。曾性忠狷，好戇直，不能取容於衆。每勳府讌語稍洽，曾率然糾正，輒又忤旨。左長直軍使劉捍，委任方重，曾不能平。舊史列傳。光化二年，陝州都將朱簡，殺留後李璠舊史太祖紀。來降。以簡爲保義軍節度使，新五代史梁紀一。更名友謙，通鑑二百六十一。舊傳原作冀王友謙，初定陝府。按新史朱友謙傳，太祖卽位，友謙始封冀王，其初來降時未也。今從新紀改書。命曾往議事。有使院小將從行，嗜酒荒逸過度。曾復命，欲發其罪，致疏袖中，累日未果言。小將恐事洩，先誣告曾使酒，幾敗軍事。劉捍證之，由是罷職，歸於齊之別墅。俄而王師範起兵，舊傳原作起兵叛。按：是時朱全忠圍鳳翔，韓全誨以詔書徵藩兵入援乘輿，師範以忠義自許，此舉自出有名，且素非梁臣，亦不得言叛也。今删去。太祖促召曾，謂之曰：予能緩頰，説青州使無背盟，吾不負子矣。曾持檄以往。既至，師範囚之，送於淮南，遇害。後太祖暴師範之罪曰：喪我骨肉，殺我賓僚。遂族誅之。因召曾二子，皆授以官。舊史列傳。

後唐

馬郁，其先范陽人。郁少警悟，有俊才智數，言辯縱橫，下筆成文。乾甯末，爲府刀筆小吏。李匡威爲王鎔所殺，鎔書報匡儔。匡儔遣使問鎔謀亂本末。幕客爲書，多不如旨。郁時直記室，卽起草爲之，使列事狀，云可疑者十，詞理俊贍，以此知名。（舊史列傳。）後爲燕帥劉仁恭幕客。鎮州記室韓定辭聘燕，仁恭舍於賓館，命郁延接，有詩酬贈。他日，郁持燕帥之命答聘常山，亦命定辭接於宮館。由是兩相悦服。（全唐詩話。）鎮州官妓有轉轉者，美麗善歌舞，因宴席，郁累挑之。幕客張澤亦以文章名，謂郁曰：子能座中成賦，可以此妓奉酬。郁抽筆操紙，卽時成賦，擁妓而去。（侍兒小名録，劉崇遠耳目記云：趙王鎔命馬或使燕，劉守光命定辭館之，時燕之酒妓者，一代名姝，韓所眷也。每當酒席，馬頻目之。韓曰：昔文公分叔隗於趙衰，伯符輟小喬於公瑾，蓋惟名色可奉名人，所慮娼婦不勝賢者，顧矚願垂一詠，故得奉之。或卽題命文，不停輟，作轉轉賦，遂載以歸。此又以馬爲趙使燕。按：馬贈韓詩有巏嵍山上望之語，據東坡記，山在趙州，耳目記誤。今不取。太平廣記亦作韓定辭請馬郁爲賦。）郁在武皇幕，累官至檢校司空、秘書監。武皇與莊宗禮賜優異。監軍張承業，權舊任事。人士低首候之。郁以滑稽狎侮，其往如歸。有時直造卧内。每賓僚宴集，承業出珍果陳列於前，食之必盡。承業私戒主膳者曰：他日馬監至，唯以乾藕子置前而已。郁至，窺其不可啖。異日韡中出一鐵檛，碎而食之。承業大笑曰：爲公設異饌，勿敗余食案。其後率如此。郁在莊宗幕，寄寓他土，年老思鄉，每對莊宗欷歔言家在范陽，乞骸歸國，以葬舊山。莊宗謂之曰：自卿去國以來，同舍孰在？守光尚不能容父，能容卿乎？孤不惜卿行，但卿不得死爾。郁既無歸路，哀懷嗚悒，卒於太原。舊史列傳。攷證云，按尹洙河南集，韓重華墓誌銘，作燕客馬彧。韓琦安陽集修五代祖塋城記，亦作幕吏馬彧。攷宋人説部，載韓定辭唱和詩，俱作馬彧，與是書異。惟雲谷雜記從通鑑作郁，與是書同。

李嚴，幽州人也。初名讓坤，事劉守光爲刺史從事。莊宗爲客省使，嚴爲人明敏多藝，能習騎射，頗知書而辨。同光二年，原作三年。攷新舊紀，伐蜀皆在三年。蜀世家言乾德六年，嚴聘蜀，歸獻策伐蜀。明年，魏王繼岌、郭崇韜伐蜀。乾德六年，即後唐同光二年也，通鑑列之二年，今據改。使於蜀，爲王衍陳唐興復功德之盛，音辭清亮，蜀人聽之皆竦動。新五代史列傳。王宗儔以其語侵蜀，請斬之。蜀主不從。通鑑二百七十三。衍樞密使宋光嗣召嚴，置酒，從容問中國事。嚴對曰：前年天子建大號於鄴宫，自鄆趨汴定天下，不旬日而梁之降兵猶三十萬，東西南北，四方萬里，莫不臣妾。而淮南楊氏，承累世之强；鳳翔李公，恃先朝之舊。皆遣子入侍，稽首稱藩。至於荆湖、吴越，修貢效珍，願自比於列郡者，至無虚月。天子方懷之以德，震之以威，天下之勢，不得不一也。光嗣曰：荆湖、吴越非吾所知，若鳳翔，則蜀之姻親也，其人反覆，可信乎？又聞契丹日益强盛，大國可無慮乎？嚴曰：契丹之强，孰與僞梁？唐滅梁如拉朽，况其不及乎唐兵布天下，發一鎮可滅虜，然而天生四夷，不在九州之内，自前古王者皆存而不論，蓋不欲窮兵黷武也。蜀人聞嚴應對，愈益奇之。新史列傳。嚴見其人物富盛，而衍驕淫，新史前蜀世家。還，具言可取之狀。新史列傳。初，帝令往市蜀中珍玩，而蜀法嚴峻，不許貨東出，其許市者，謂之入草物。嚴不獲珍貨，歸而奏之。帝怒曰：王衍甯免爲入草人邪！舊史莊家紀。三年，下制伐蜀，使魏王繼岌爲都統樞密使，舊史王建傳以嚴爲三川招撫使，使與康延孝以兵五千先行。所遇州縣，皆迎降。新史列傳。延孝與嚴乘馬浮江，軍士隨之濟者千餘人，遂入鹿頭關，下漢州。新史康延孝傳。王衍告曰：得李嚴來，卽降。衆皆以伐蜀之謀自嚴始，而衍怨嚴深，不宜往。嚴聞之喜，卽馳騎入益州。衍見嚴，以母妻爲託，卽日以蜀降。嚴還，明宗以爲泗州防禦使，客省使如故。其後，孟知祥崛强於蜀，安重誨稍裁抑之，思有以制知祥者。嚴乃求爲西川兵馬都監。將行，其母曰：汝前啟破蜀之謀，今行，其以死報蜀人矣。嚴不聽。初，嚴與知祥同事莊宗，時知祥爲中門使，嚴嘗有過，莊宗怒甚，命斬之。知祥戒行刑者少緩，入白莊宗。莊宗怒稍解，命知祥監笞嚴二十而釋之。知祥雖與嚴有舊恩，而惡其來蜀。人聞嚴來，亦皆惡之。新史列傳。掌書記母昭裔及諸將皆請止嚴毋納。知祥曰：吾將有以待其來。嚴至境上，使人持書候知祥。知祥盛兵見之，冀嚴懼而不來。嚴聞之自若。天成二年正月，舊傳言長興初，誤。攷新書紀、鑑誡録、通鑑皆言二年。嚴至成都。新史後蜀世家。知祥置酒，從容問嚴曰：朝廷以公來邪？公意自欲來邪？嚴曰：君命也。知祥發怒曰：天下藩鎮皆無監軍，安得爾獨來此！

此乃孺子熒惑朝廷爾。新史列傳。目客將王彥銖執嚴下，斬之。新史後蜀世家。明宗不能詰。新史列傳。贈太保。舊史列傳。舊史明宗紀，長興元年贈太傅。

范延策，舊史明宗紀策作榮。幽州人也。性剛直，累爲賓職。及佐高行珪，覩其貪猥，因强諫之。行珪不從。後延策因入奏，獻封章於闕下，事有三條：一、請不禁過淮猪羊，而禁絲綿疋帛以實中國；一、請於山林要害置軍鎮，以絶寇盜；一、述藩侯之弊。請敕從事，明諫諍之不從，令諸軍校列班廷諍。行珪聞之，深銜之，舊五代史高行珪傳。已而戍兵有謀叛者，行珪先覺，戍兵無所得潰去。行珪追而殺之，因誣奏延策同反，并其子皆見殺。新史高行周傳。舊史明宗紀，天成三年，前安州節度副使范延榮并男皆斬於軍巡獄，爲高行珪誤奏故也。聞者寃之。未幾，行珪卒，詔贈太尉。舊史高行珪傳。

趙鳳，幽州人也。少以儒學知名。燕王劉守光時，悉黥燕人爲兵。鳳懼，因髠爲僧，依燕王弟守奇自匿。守奇奔梁，梁以守奇爲博州刺史，鳳爲其判官。守奇卒，鳳去爲鄆州節度判官。新史列傳。龍德三年，唐取鄆州，新史梁紀三。莊宗聞鳳名，得之喜，以爲扈鑾學士。五代會要作護鑾書制學士。莊宗即位，拜鳳中書舍人、翰林學士。舊史，拜中書舍人，及入汴，改授禮部員外郎。莊宗及劉皇后幸河南尹張全義第，酒酣，命皇后拜全義爲父。明日遣宦者命學士作牋上全義，以父事之。鳳上書，極言其不可。全義養子郝繼孫犯法死，宦人伶官冀其貲財，固請籍没。鳳又上書言繼孫爲全義養子，不宜有別籍之財，而於法不至籍没，刑人利財，不可示天下。是時皇后及羣小用事，鳳言皆不見納。新史列傳。天成初，置端明殿學士，鳳與馮道俱任其職。舊史列傳。鳳好直言而性剛强，素與任圜善，自圜爲相，頗薦進之。明年，鳳遷禮部侍郎。圜爲安重誨所殺，而誣以謀反。是時重誨方用事，雖明宗不能詰也。鳳獨號哭，新史列傳。謂重誨曰：任圜義士，安肯爲逆！公濫刑如此，何以贊國！通鑑二百七十六。重誨慚不能對。新史列傳。初，晉陽相者周元豹嘗言，帝貴不可言。帝卽位，召欲詣闕。通鑑二百七十六。鳳諫曰：好惡，上所慎也。今陛下神其術而召之，則傾國之人皆將奔走吉凶之説，轉相惑亂，爲患不細。明宗遂不復召。朱守殷反，明宗幸汴州。守殷已誅，又詔幸鄴。是時從駕諸軍方至河南，徙家至汴，不欲北行，軍中爲之洶洶。而定州王都復以爲天子幸汴州，誅守殷，而又幸鄴以圖己，疑不自安。宰相率百官詣閣，請罷幸鄴。明宗不聽。人情大恐，羣臣不敢復言。鳳手疏責安重誨，言甚切直。重誨以白，遂罷幸。新史列傳。上問鳳：帝王賜人鐵券，何也？對曰：與之立誓，令其子孫長享爵禄耳。上曰：先朝受此賜者止三人，崇韜、繼麟，尋皆族滅，朕得脱如毫釐耳。因歎息久之。鳳曰：帝王心存大信，固不必刻之金石也。通鑑二百七十六。有僧游西域，得佛牙以獻。明宗以示大臣。鳳言：世傳佛牙，水火不能傷，請驗其真僞。因以斧斫之，應手而碎。時宮中施物已及數千，因鳳碎之乃止。天成四年，拜門下侍郎、同中書門下平章事。李之儀姑溪居士集，鳳爲莊宗實録、將何挺論劉昫疏不載。昫既相，引鳳共政事。秘書少監于嶠者，自莊宗時與鳳俱爲翰林學士，而嶠亦訐直敢言，與鳳素善。及鳳已貴，而嶠久不遷，自以材名在鳳上而不用，因與蕭希甫數非斥時政，尤詆訾鳳。鳳心銜之，未發。嶠與鄰家爭水竇，爲安重誨所怒。鳳卽左遷秘書少監。嶠因被酒，往見鳳。鳳知其必不遜，乃辭以沐髮。嶠詬直吏，又溺於從者直廬而去。省吏白鳳，嶠溺於客次，且詬鳳。鳳以聞。明宗下詔，奪嶠官，長流武州。天下寃之。新史列傳。長興元年，安重誨使河中衙内指揮使楊彦温，逐其節度使從珂。新史唐紀六。明宗疑其事。重誨固請用兵。明宗不得已，乃遣侍衛指揮使藥彦稠討之。彦稠希重誨旨，斬彦温以滅口。重誨諷宰相，言從珂失守，宜得罪。明宗怒曰：吾兒爲姦人所中，事未辯明，公等出此言，是不欲容吾兒人間耶？趙鳳因言春秋責帥之義，所以勵爲臣者。明宗曰：皆非公等意也。新史安重誨傳。後重誨爲邊彦温等告變。明宗詔彦温廷詰，具狀其詐，卽斬之。新史列傳。重誨因求解職。明宗慰之，重誨論請不已。明宗怒，趣馮道等議代鳳，以爲大臣不可輕動。遂以范延光爲樞密使，而重誨居職如故。新史安重誨傳。後數日，鳳奏事中興殿，曰：臣聞姦人有誣重誨者。明宗曰：此閑事，朕已處置之，卿可無問也。鳳曰：臣所聞，繫國家利害，陛下不可以爲閑。因指殿屋曰：此殿所以尊嚴宏壯者，棟梁柱石之所扶持也。若折其一棟，則一柱傾，危矣。大臣，國之棟梁柱石也。且重誨起微賤，歷艱危，致陛下爲中興主，安得使姦人動摇？

明宗改容謝之。其後重誨得罪，羣臣無敢言者，獨鳳數言重誨盡忠。明宗以鳳爲朋黨，罷爲安國軍節度使。鳳在鎮，所得俸禄悉以分將校賓客。廢帝入立，召爲太子太保。病足，居於家。疾篤，自筮，投蓍而歎曰：吾家世無五十者，又皆窮賤，吾今壽過其數而富貴，復何求哉！清泰二年，卒於家。新史列傳。鳳性豁達，輕財重義，凡士友以窮阨告者，必傾其資餉之，人士以此多之也。舊史列傳。

王思同，幽州人也。父敬柔，歷瀛、平、儒、檀、營五州刺史。思同母卽劉仁恭女也。舊史列傳。思同事仁恭爲銀胡䩮指揮使。仁恭爲其子守光所囚。思同奔晉，以爲飛騰指揮使。梁、晉相拒於莘，思同築壘楊劉，以功遷神武十軍都指揮使，累遷鄭州防禦使。思同爲人敢勇，善騎射，好學，頗喜爲詩，輕財重義，多禮文士，新史列傳。與人唱和，自稱薊門戰客，舊史列傳。然未嘗有戰功。明宗時，以久次爲匡國軍節度使，徙鎮雄武。是時吐蕃數爲寇，而秦州原作泰州，誤。今據新史改。無亭障，思同列四十餘栅以禦之。居五年，新史列傳。邊民懷惠，華戎甯息。長興元年入朝，舊史列傳。明宗問以邊事，思同指畫山川，陳其利害。思同去，明宗顧左右曰：人言思同不管事，能若是邪？於是始知其材，以爲右武上將軍、京兆尹、西京留守。石敬瑭討董璋，思同爲先鋒指揮使，兵入劍門，而後軍不繼。思同與璋戰，不勝而卻。敬瑭兵罷，思同徙鎮山南道，已而復爲京兆尹、西京留守。應順元年，潞王從珂反鳳翔，馳檄四鄰，言姦臣幸先帝疾病，賊殺秦王而立幼嗣，侵弱宗室，摇動藩方，陳己所以興兵討亂之狀。新史列傳。以思同當東出之道，尤欲與之相結，遣推官郝詡、押牙朱廷乂等，相繼詣長安，説以利害，餌以美女。不從，則令就圖之。思同謂將吏曰：吾受明宗大恩，今與鳳翔同反，借使事成而榮，猶爲一時叛臣，況事敗而辱，流千古之醜迹乎！遂執詡等，以狀聞。通鑑二百七十九。愍帝嘉其忠，卽以思同爲西面行營馬步軍都部署，新史列傳。加同平章事。舊史閔帝紀。會諸鎮兵圍鳳翔，破東西關城，從珂兵弱，而守甚堅，外兵傷死者衆。從珂登城，呼外兵而泣，新史列傳。告以己非反者。其語甚哀，外兵聞者皆悲之。新史楊思權傳。思同雖有忠義之志，而御軍無法。通鑑二百七十九。興元張虔釗攻城西，督戰甚急，士卒苦之，反兵攻，虔釗走，羽林指揮使楊思權呼曰：潞王吾主也，乃引軍自西門入，降從珂。而思同未知，猶督戰嚴衛。指揮使尹暉麾其衆曰：城西軍入城受賞矣，何用戰！士卒解甲棄仗，聲聞數里，遂皆入城降，諸鎮之兵皆潰。思同挺身走長安。西京副留守劉遂雍閉門不納。乃走潼關。從珂引兵東至昭應，前鋒執思同。從珂責曰：罪可逃乎？思同曰：非不知從王而得生，恐死終不能見先帝於地下。從珂媿其言，乃殺之。舊史言，潞王欲用之，而思權之徒恥見其面。又潞王入長安時，尹暉盡得思同家財及諸妓女，故尤惡思同，屢啟於劉延朗，言思同不可留，慮失士心，屬王醉不得報。殺思同并其子德勝。潞王醒，召思同，左右報已誅之矣。潞王怒延朗，累日嗟惜之。通鑑説同。漢高祖卽位，贈侍中。新史列傳。

許唐，薊州人。父信。唐世以財雄邊郡。後唐之季，唐知契丹將擾邊，白其父曰：今國政廢弛，狄人必乘釁而動，則朔易之地，民罹其災，苟不卽去，且爲所虜矣。信以資産富殖，不樂他徙。唐遂潛齎百金而南。未幾，晉祖革命，果以燕薊賂契丹。唐歸路遂絶，嘗擁商貲於汴洛間，見進士綴行而出，竊歎曰：生子當令如此。因不復行商。（宋史許驤傳。）

後晉

李承約，字德儉，薊州人也。性剛健篤實，少習武事。（舊史列傳。）事劉仁恭爲山後八軍巡檢使，將騎兵二千人。仁恭爲其子守光所囚，承約以其騎兵奔晉。晉王以爲匡霸指揮使，從破八寨，戰臨清，以功累遷洺、汾二州刺史，潁州團練使。（新史列傳。）天成元年，（舊史明宗紀。）邠州（原作華州，今據舊史及承約傳改。）節度使毛璋，在鎮多不法，議者疑其有異志。（新史毛璋傳。）明宗拜承約涇州節度副使，往伺璋動靜。承約見璋，諭以禍福。（新史列傳。）徙璋鎮昭義。璋欲不奉昭，（新傳言，卽時受代。按：新舊書毛璋傳，皆言判官邊蔚諫諭乃聽命，今從通鑑。）承約與觀察判官長安邊蔚，從容説諭，久之，乃肯受代。（通鑑二百七十五。）明宗喜，拜承約黔南節度使，（新史列傳。）加檢校太保。（舊史列傳。）承約以恩信撫諸夷落，勸民農桑，興起學校。居數年，當代黔南人詣京師乞留，爲留許一年，召爲左衛上將軍，改左龍武統軍，拜昭義軍節度使，復爲左龍武統軍。天福二年，遷左驍衛上將軍，新史列傳。進封開國公。舊史列傳。數請老，不許。卒，年七十五。贈太子太師。新史列傳。

張希崇，字德峯，幽州薊人也。少好學，通左氏春秋，新史列傳。復癖于吟詠。天祐中，劉守光爲燕帥，不喜儒士。希崇乃擲筆自效，舊史列傳。因事軍中爲偏將，將兵戍平州。新史列傳。八年，契丹陷平州，通鑑目録二十六得希崇，舊史言，守光敗，唐莊宗命周德威鎮其地。希崇以舊籍隸麾下，尋遣率偏師守平州。安巴堅南攻，陷其城，掠希崇而去。按：契丹陷平州，在莊宗攻幽州之先，其後未聞復得。德威鎮幽州，無緣遣師守平州也。舊史誤。今從新史及通鑑。知其儒者也，以爲盧龍軍行軍司馬。新史列傳。天成元年，舊史明宗紀。盧文進自平州亡歸契丹，因以希崇代文進爲平州節度使，遣其親將以三百騎監之。新史列傳。希崇性和易，通鑑二百七十六。居歲餘，虜將喜其爲人，監兵稍怠。新史列傳。因與其部曲謀南歸。部曲泣曰：歸，固寢食所不忘也。然虜衆我寡，奈何？希崇曰：吾誘其將殺之，兵必潰去。此去虜帳千餘里，比其知而徵兵，吾屬去遠矣。衆曰：善。乃先爲穽，實以石灰。明日召虜將飲，并從者殺之，投諸穽中。其營在城北，亟發兵攻之。契丹衆皆潰去。希崇悉舉其所部二萬餘口來奔。通鑑二百七十六。明宗嘉之，授汝州防禦使。既之任，遣人迎母赴郡。母及境，希崇親肩版輿行三十里，觀者稱歎。舊史列傳。歷靈武節度使。靈州地接戎狄，戍兵餉道，常苦鈔掠。希崇乃開屯田，教士耕種，軍以足食，而省轉饋。明宗下詔褒美。希崇撫養士卒，招輯夷落，自回鶻、瓜沙，皆遣使入貢。居四歲，上書求還内地。徙鎮邠甯。晉高祖入立，（新史列傳。）與契丹修好，恐其取靈武，復以希崇爲朔方節度使。（通鑑二百八十。）希崇歎曰：吾當老死邊徼，豈非命邪！希崇事母至孝，朝夕母食，必侍立左右，徹饌乃敢退。（新史列傳。）性雖仁恕，嫉惡若仇。在邠州有民與郭氏爲義子，因愎戾遣之。郭氏死，有嫡子已長，郭氏諸親與義子約，云是親子，欲分其財助而訟之，前後數政不能理。希崇覽其訴，判并付親子，所訟人與朋姦者委法官，以律定刑。聞者服其明。（舊史列傳。）爲將不喜聲色，好讀書，頗知星歷。天福三年，月掩畢口大星。希崇歎曰：畢口大星，邊將也，我其當之乎？明年正月卒，贈太師。（新史列傳。）

吕琦，字輝山，幽州安次人也。父兖，爲横海軍節度判官。節度使劉守文與其弟守光以兵相攻。守文敗死，其吏民立其子延祚而事之，以兖爲謀主，（新史列傳。）乘城拒守。（通鑑二百六十七。）已而延祚又爲守光所敗，兖見殺。守光怒兖，并族其家。琦年十五，（厚德録作年十四。）見執，將就刑，（新史列傳。）有趙玉者，（厚德録作李玉。）幽薊之義士也，久游於兖門下，（舊史列傳。）紿其監者曰：此吾弟也，（新史列傳。）勿妄殺。監者信之。遂挈以逃。（通鑑二百六十七。）琦足弱，不能行，玉負之逾數百里，變姓名，乞食於道以免。琦爲人美風儀，重節概，（新史列傳。）感家門殄滅，力學自立。（通鑑二百六十七。）游於汾晉，（舊史列傳。）唐莊宗鎮太原，（新史列傳。）聞其名，（通鑑二百六十七。）授代州軍事判官。秩滿，太原監軍使張承業重琦器量，禮遇尤厚。天成初，拜殿中侍御史，遷駕部員外郎，兼侍御史，知雜事。舊史列傳。河陽主藏吏盜所監物，下軍巡獄。獄吏尹訓納賄，反其獄。其冤家訴於朝。下御史臺。按驗得訓贓狀，奏攝訓赴臺。訓爲安重誨所庇不與。琦請不已。訓懼，自殺。獄乃辨。蒙活者甚衆。遷禮部郎中、史館修撰。長興中，廢帝失守河中，罷居清化坊，與琦同巷。琦數往過之。後廢帝入立，待琦甚厚，拜知制誥、給事中、樞密院直學士、端明殿學士。時晉高祖鎮河東，有二志。廢帝患之。琦與李崧俱備顧問，多所裨畫。琦言：太原之患，必因契丹爲助，不如先事制之，與契丹通和，如漢故事，歲給金帛，妻之以女，使强藩大鎮顧外無所引援，可弭其亂心。崧以琦語語三司張延朗，新史列傳。延朗曰：如學士計，不惟可制河東，亦省邊費之什九，計無便於此者，請於庫藏之外，捃拾以供之。通鑑二百八。因共建其事。廢帝大喜。佗日以琦等語問樞密直學士薛文遇。文遇以爲非，因誦戎昱社稷依明主，安危託婦人之詩以誚琦等。廢帝大怒，急召琦等，問：和戎計如何？琦等察帝色怒，亟曰：臣等爲國計，非爲契丹求利於中國也，新史列傳。願陛下察之。拜謝無數。帝詬責不已。琦氣竭，拜少止。帝曰：吕琦强項，肯視朕爲人主耶？琦曰：臣等爲謀不臧，願陛下治其罪，多拜何爲！帝怒稍解，止其拜，各賜巵酒罷之。通鑑二百八十。其議遂寢。因遷琦御史中丞。居數月，復爲端明殿學士。其後，晉高祖起太原，果引契丹爲助，遂以亡唐。新史列傳。帝幸懷州，趙德鈞駐軍於團柏谷。帝以琦嘗在德鈞幕下，因令齎都統使官告以賜之，且犒其軍。及覲軍於北陲，館於忻州，會晉祖降下晉安寨，遣使告於近郡。琦適遇其使，即斬之以聞。尋率郡兵千人，間道而歸。（舊史列傳。）晉祖入洛，琦匿於伊闕民家，召爲（舊史李崧傳。）秘書監，累遷兵部侍郎。（新史列傳。）琦以剛直聞，而內實仁恕。高祖數召琦於便殿，言當世事，甚奇之。（舊史列傳。）天福八年卒。趙玉仕至職方員外郎。（新史列傳。）琦常以玉免己於難，（孔平仲續世說。）事之如父。玉疾，親嘗藥扶持，及卒，爲其家主辦喪。玉子文度幼孤，琦教以學如己子，後舉進士及第。琦有子餘慶、端。（新史列傳。）時議者以非玉之義，不能存呂氏之嗣，非琦之仁，不能撫趙氏之孤。惟仁義，二公得之。燕趙之士流爲美談。（續世說。）

後漢

劉審交，字求益，幽州文安人也。少畧知書，通於吏事。爲唐興令，補范陽牙校。劉守光僭號，以審交爲兵部尚書。守光敗歸太原，唐莊宗以爲從事。（新史列傳。）同光初，趙德鈞鎮幽州，以內官馬紹宏爲北面轉運使，辟審交爲判官。（舊史列傳。）天成三年，義武節度使王都反，（新史唐紀六。）命王晏球進討，以審交爲轉運供軍使。王都平，以勞授遼州刺史。明年復爲北面轉運使，改磁州刺史。（舊史列傳。）以母老去官。母喪，哀毀過禮，不調累年。（舊史作不出累年。）晉高祖卽位，楊光遠討范延光於魏州，審交復爲供軍使。是時高祖分户部、度支、鹽鐵爲三使。歲餘，三司益煩弊，乃復合爲一。拜審交三司使議者。請校天下民田，宜得益租，審交曰：租有定額，而天下比年無閑田，民之苦樂，不可等也。遂止不檢，而民賴以不擾。遷右衛上將軍。（新史列傳。）六年，出爲陳州防禦使，（舊史列傳。）視民田，見耕器薄陋，乃取河北耕器爲範，爲民更鑄。安從進平，徙審交襄州，又徙青州，皆有善政。罷還，契丹犯京師，留蕭翰而去。翰復以審交爲三司使。（新史列傳。）時漢高祖已建號太原，翰懼，將北歸，慮京師無主則衆皆爲亂，乃遣蕃騎至洛，迎唐明宗幼子許王從益，知南朝軍國事。（舊史蕭翰傳。）高祖擁兵而南。從益遣人召高行周、武行德等爲拒。行周等皆不至。（新史唐明宗家人傳。）從益母王淑妃與羣臣謀迎高祖，或謂燕兵在京師者猶數千，可以城守而待行周。淑妃不從，議未決。審交曰：余燕人也，今爲燕守城，當爲燕謀。（新史列傳。）顧事有不可如何者，今城中大亂之餘，公私窮竭，遺民無幾，若復受圍一月，無噍類矣。願諸公勿復言，一從太妃處分。（通鑑二百八十七。）從益乃罷，不設備，遣人西迎高祖。高祖至，罷審交不用。隱帝時，爲汝州防禦使，有能名。乾祐三年卒，年七十四。州人聚哭柩前，上疏乞留葬近郊，使民得歲時祠祭。詔特贈太尉，起祠立碑。（新史列傳。）

龍敏，字欲訥，幽州永清人也。少仕州，攝參軍。劉守光亂，敏避之滄州，遂客於梁，久不調。敏素善馮道，道爲唐莊宗從事，乃潛往依之。監軍張承業謂道曰：聞子有客，可與俱來。道以敏見。承業辟敏監軍巡官，使掌奏記。莊宗卽位，召拜司門員外郎。敏父盛式，舊史作咸式。年七十餘，而其祖父年九十餘，皆在鄴。新史列傳。以家貧乏養，求爲興唐少尹。舊史列傳。新史無少字。事祖父以孝聞。丁母憂，去職。新史列傳。同光四年，鄴都軍將趙在禮反，新史唐紀五。逼敏起視事。明宗卽位，在禮鎮滄州，敏乃得復居喪。服除，拜吏部侍郎。時晉高祖起太原，乞兵契丹。唐廢帝在懷州，趙德鈞父子有異志。張敬達屯於晉安，勢甚危急。廢帝問計從臣，敏曰：晉所恃者契丹也。東丹王，失國之君，今在京師，若以兵送東丹自幽州而入西樓，契丹且有内顧之憂，何暇助晉？晉失契丹，大事去矣。新史列傳。帝深以爲然。而執政恐其無成，議久不決。通鑑二百八十。又謂李懿曰：君連姻帝戚，社稷之危，不俟翹足，安得默默苟全邪？舊史列傳。懿爲言德鈞必能破敵之狀。通鑑二百八十。敏曰：敏，燕人也，能知德鈞。德鈞爲將，守城嬰塹，篤勵健兒而已，使其當大敵，奮不顧身，非其能也，況有異志乎！新史列傳。今從駕兵尚萬餘人，馬近五千匹，若選精騎一千，使僕與郎萬金將之，自介休山路，夜冒虜騎入晉安寨，但使其半得入，則事濟矣。張敬達等陷於重圍，不知朝廷聲聞，若知大軍近在團柏，雖有鐵障可衝陷，況虜騎乎！通鑑二百八十。懿爲言之廢帝。新史列傳。帝曰：龍敏之心極壯，用之晚矣。人亦以爲大言。其慷慨感激皆此類也。舊史列傳。歷晉爲太常卿，使於吴越。是時使吴越者見吴越王皆下拜，敏獨揖之。還，遷工部侍郎。乾祐元年，瘍發於首，卒。贈右僕射。新史列傳。

後周

扈載，字仲熙，北燕人也。少好學，善屬文，新史列傳。賦頌碑贊，其所尤長。舊史列傳。廣順初，舉進士高第，拜校書郎，直史館，再遷監察御史。其爲文章，以辭多自喜。常次歷代有國廢興治亂之迹，爲運源賦，甚詳。又因遊相國寺，見庭竹可愛，作碧鮮賦，題其壁。世宗聞之，遣小黄門就壁録之，覽而稱善，因拜水部員外郎、知制誥、翰林學士，賜緋。而載已病，不能朝謝。居百餘日，乃力疾入直院學士。世宗憐之，賜告還第，遣太醫視疾。新史列傳。初，載以文章馳名宋史李穀傳。一時，樞密使王朴尤重其才，薦於宰相李穀，久而不用。朴以問穀曰：扈載不爲舍人，何也？穀曰：非不知其才，然載命薄，恐不能勝。朴曰：公爲宰相，以進賢退不肖爲職，何言命耶？宋史李穀傳，作王朴薦令知制誥，除書未下，朴詣中書言之，穀曰云云，與此畧異。已而召拜知制誥。及爲翰林學士，居歲中，病卒，年三十六。新史列傳。載自解褐至終，纔四年，有才無命，時論惜之。舊史列傳。

南唐

高越，字冲遠，幽州人。精詞賦，有名燕趙間。馬令南唐書云精警有才思。盧文進鎮上黨，具禮幣致之。初以客從，及文進徙安州，越又從之，遂爲其掌書記。文進仲女有才色，能屬文，號女學士，因以妻越。陸游南唐書列傳。晉高祖立，與契丹約爲父子。新史盧文進傳。文進以嘗背契丹，舊史盧文進傳。南奔，越與俱行，先投鄂帥張宣，久不見知，越題鷹詩以誚之。十國春秋列傳。馬令南唐書載，越以鷹詩誚張宣云：晴空不礙摩天翮，未肯平原淺草飛。遂不告而去。所説不同。奔吴，亦與俱。吴以爲秘書郎。烈祖受禪，遷水部員外郎，改祠部，浙西營田判官。與江文蔚俱以能賦擅名江表，時人謂之江高。保大初，文進卒，陸書列傳。馮延己誣以陰事收文進諸子，欲籍其家。越上書訟文進寃，指延己過惡，詞氣甚厲。時延已方用事，人頗壯之。元宗怒，以越屬吏，貶蘄州司士參軍，而盧氏亦賴以得全。陸書盧文進傳。就遷軍事判官，與隱士陳曙爲物外交，淡然不志榮利。久之，仍徙廣陵令，還判吏部，歷侍御史、知雜、元帥府掌書記、起居郎、中書舍人。淮南交兵，書詔多出越手，援筆立就，詞采温麗。元宗以爲稱職，不徙官者累年。後主立，始遷御史中丞、勤政殿學士、左諫議大夫，兼户部侍郎，修國史。卒，年六十二，謚曰穆。貧不能葬，後主爲給葬費。世歎其清。陸書列傳。越好釋氏，著有舍利塔記一卷。十國春秋列傳。兄子遠。陸書列傳。

遠，字攸遠。父操，袁州別駕。遠少孤，爲人夷雅冲淡，而遇事有奇節。杜門力學，不交人事。烈祖受禪，招來四方秀傑，得遠，以爲秘書省正字。保大初，遷校書郎，兼太常修撰，遂爲太常博士。淮南兵興，元宗召見，賜金紫，使典戎府書檄，歷禮部員外郎、樞密判官、侍御史、知雜、史館修撰、起居郎、知館事，遂爲勤政殿學士。國初，命兵部尚書陳濬修吴史，未成而卒，其後領史職者多貴游，或新進少年，纂述殆廢。遠自保大中預史事，始撰烈祖實録二十卷，敘事詳密。後主嗣位，遠猶在史館，與徐鉉、喬匡舜、潘佐共成吴録二十卷。遠又自撰元宗實録十卷。唐餘紀傳云，編緝昇元以來故事，爲一家之言。未及上，會屬疾，取史稿及他所著書凡百餘卷悉燔之。卒，年五十七。贈給事中，謚曰良。後主欲修國史，訪稿於其家，無復在者。遠有精識，方邊鎬入潭州，湖南悉平，百官入賀。遠獨曰：我乘楚亂，取之甚易，觀諸君之才，守之實難。聞者愕然，以爲過。及後如所料，乃皆服其先見。陸游南唐書高越附傳。

盧文進，字大用，舊五代史作國用。范陽人。新五代史列傳。身長七尺，飲啖過人，望之偉如也。少事劉守光爲騎將。唐莊宗攻燕，以文進首降，遥授壽州刺史。舊五代史列傳。莊宗以屬其弟存矩。存矩爲新州團練使，統山後八軍。莊宗與劉鄩相距於莘，召存矩會兵擊鄩。存矩募山後勁兵數千人，課民出馬，人皆怨，而兵又不樂南行，至祁溝關，聚而爲亂，新史列傳。殺存矩。

文進不能制，撫膺哭其尸曰：奴輩害郎君，使我何面見晉王！因爲衆所擁，通鑑二百六十。新史言，文進有女，幼而美，存矩求爲側室。文進不敢拒，心常歉之，因與亂軍殺存矩。與此小異。通鑑用舊史，今從之也。反攻新州，不克；攻武州，又不克；遂奔契丹。新史列傳。命爲幽州兵馬留後，舊史列傳。又以爲盧龍節度使，契丹國志。使守平州，新史列傳。娶虜公主。陸游南唐書列傳。明宗卽位，新史列傳。遣使間說之。文進所部皆華人，思歸，乃殺契丹戍平州者，通鑑二百六十九。帥衆數萬歸唐。明宗得之甚喜，以爲義成軍節度使。居歲餘，徙鎮威勝，加同平章事，入爲上將軍，出鎮昭義，徙安遠，頗有善政，兵民愛之。晉高祖立，與契丹約爲父子。文進懼不自安，新史列傳。且本燕人，尚氣不能屈於晉，乃決計歸吳。陸書列傳。將行，從數騎馳至營中，別其將士，告以避契丹之意。將士皆再拜爲訣。新史列傳。乃殺行軍司馬馮知兆、節度副使杜重貴等，率其部衆奔金陵。舊史列傳。拜大雄統軍、宣潤節度使。委任賓佐，政績甚美。潤州市大火，文進馬步使救之，益熾，文進怒，自出府門，斬馬步使，傳聲而火止。九國志云，使召馬步使將斬之，聲至，火卽滅。人皆異之。召還，以左衛上將軍兼中書令、范陽王奉朝請，猶給藩鎮俸。卒，馮延己惡文進，文進亦以素貴不少下，及卒，乃誣以陰事，盡收文進諸子，欲籍其家。陸書列傳。營田判官高越，文進女夫也，十國春秋列傳。上書訟之。陸書高越傳。元宗怒，以越屬吏，貶蘄州司士參軍，而盧氏亦賴以全。陸書列傳。先是，文進攻新州不克，夜走墜塹，一躍而出。明日視之，乃郡之黑龍潭也，絶岸數丈，深不可測。又嘗有大蛇徑至座間，引首及膝。文進取食飼之而去。由是自負，馬書列傳。反復南北，終無挫衄焉。十國春秋列傳。其奔契丹也，數引契丹攻掠幽薊之間，虜其人民，教契丹以中國織紝之作無不備，契丹由此益彊。及其南奔，始屈身晦迹，務爲恭謹，禮接文士，謙謙若不足。其所談論，近代朝廷儀制、臺閣故事而已，未嘗言兵。新史列傳。嘗云，陷契丹中，屢入絶塞，正晝方獵，天色晦黑，衆星燦然。問蕃人，云所謂笪却日也。陸書作笪日。以此爲常。頃之，乃明，方午也。又嘗於無定河見人脛骨一條，大如柱，長可七尺。南部新書。皆異事云。十國春秋列傳。

潘佑，幽州人。祖貴，事劉仁恭爲將。守光殺之。父處常脱身南奔，事烈祖，爲散騎常侍。佑生而狷潔，閉門苦學，不省人事。文章議論，見推流輩。陳喬輩薦於元宗，起家秘書省正字。後主在東宮，開崇文館以招賢，佑預其間。及嗣位，遷虞部員外郎、史館修撰。議納后禮，援據精博，遷知制誥，召草勸南漢書，文不加點，陸書列傳。累數千言，情辭款洽，識者稱之。十國春秋列傳。遷中書舍人。後主以潘卿稱之。酷喜老莊之言，陸書列傳。嘗作文，名曰贈別，其辭曰：十國春秋列傳。莊周有言，得者時也，失者順也，安時處順，則哀樂不能入也。僕佩斯言久矣。夫得者如人之有生，自一歲至百歲，自少至壯，自壯得老，歲運之來，不可卻也，此所謂得之者時也。失之者亦如一歲至百歲，暮則失早，今則失昔，壯則失少，老則失壯，行年之去，不可留也，此所謂失之者順也。凡天下之事皆然也。達者知我無奈物何，物亦無奈我何也。其視天下之事，如奔車之歷蟻蛭也。值之，非得也；去之，非失也。燕之南，越之北，日月所生，是爲中國。其間含齒戴髮，食粟衣帛者是爲人。剛柔動植，林林而無窮者是爲物。以聲相命是爲名。倍物相聚是爲利。彙首而芸芸是爲事。事往而記於心，爲喜、爲悲、爲怨、爲恩，其名雖衆，實一心之變也。始則無物，終復何有？而於是强分彼我，彼謂我爲彼，我亦謂彼爲彼；彼自謂爲我，我自亦謂爲我，終不知孰爲彼耶？孰爲我耶？而世方徇欲嗜利，繫心於物，局促若轅下駒，安得如列禦寇、莊周者，焚天下之轅，釋天下之駒，浩浩乎復歸於無物歟！陸書列傳。建州節度使李平習其説，因相與遊。陸書李平傳。開寶五年，更官名，改内史舍人。初，與張洎相親厚，及俱在西省，所趨既異，情好頓衰。每歎曰：堂堂乎張也，難與并爲仁矣！時南唐日衰削，用事者充位無所爲。佑憤，上疏，極論時政，歷詆大臣將相，詞甚激訐，陸書列傳。獨稱薦李平，請以判司會府。羣議益不平。陸書李平傳。後主雖數賜手札嘉歎，終無所施用。佑七疏不止，且請歸田廬。乃命佑專修國史，悉罷他職。而佑復上疏曰：三軍可奪帥也，匹夫不可奪志也。臣乃者繼上表章，凡數萬言，詞窮理盡，忠邪洞分。陛下力蔽姦邪，曲容諂僞，遂使家國愔愔，如日將暮。古有桀、紂、孫皓者，破國亡家，自己而作，尚爲千古所笑；今陛下取則姦回，敗亂國家，不及桀、紂、孫皓矣。臣終不能與姦臣雜處，事亡國之主。陛下必以臣爲罪，則請賜誅戮，以謝中外。詞既過切，張洎從而擠之。後主遂發怒，以佑素與李平善，意佑之狂直，多平激之，又以建白造民籍爲所排，乃先收平屬吏，併使收佑。佑聞命，自剄。年三十六。（陸書列傳。）佑有文而容陋，其妻右僕射嚴續之女，有絶態。一日晨妝，佑潛窺於鏡臺，面落鏡中，妻怖遽倒。怒其惡己，因棄之。（湘山野録。）佑母方娠，夢古衣冠人告曰：我顔延之也，與夫人爲子。及生七歲，始能語，曰：兒誤傷白龍，爲上帝所罰也。因吟詩云：朝遊滄海東，暮歸何太速！祇因騎折白龍腰，謫向人間三十六。（馬書列傳。）果當其歲死。（湘山野録。）饒州處士劉洞賦詩弔之，國中人人誦傳，爲泣下。及王師南征，下詔數後主殺忠臣，蓋謂佑也。（陸書列傳。）

前蜀

王宗瑶，字寶臣，燕人也。本姓姜，名郅。以騎射隸許昌軍籍中，王建擢爲隊長。建迎駕山南，宗瑶以勇伉得隸左神策軍，能馬上盤槊，長丈八尺，每臨陣馳突，人望而畏之，遷威猛副兵馬使。（九國志。）光啟二年，進攻閬州，（新史前蜀世家。）爲先鋒。十九都都頭左夙猛，都知兵馬使賜姓名。（九國志。志又言，軍至綿竹，誘諸蠻酋帥蹇諫等，得兵數千人，破常厚。按：綿竹去閬州絶遠，入閬州無由至綿竹。攷之通鑑，建軍綿竹在文德元年，其時與陳敬瑄相攻，其破常厚及前蜀世家，在大順二年，其時常厚執宗弼，攻梓州，時地皆不同。志合三事爲一，殊混。原其所以誤者，前蜀世家言建招集亡命，及溪洞夷落有衆八千以攻閬州，其事與軍綿竹時説土酋事相類故耳。今正之。）建又攻利州。西川節度陳敬瑄患之，以問監軍田令孜。令孜使人招建。新史前蜀世家。建帥麾下精兵二千與宗瑶俱西至鹿頭關。敬瑄悔，遣人止之，增修守備。建怒，破關而進，通鑑二百五十七。拔漢川，陷德陽，宗瑶之功爲多。十國春秋列傳。建攻成都不克，退軍新都。時綿竹土豪何義陽、安仁、費師懃等，所在擁兵自保，衆或萬人，少者千人。建遣宗瑶説之，通鑑二百五十七。皆帥衆來附，且饋以貲糧，一軍爲之大振。十國春秋列傳。天順二年，據前蜀世家補。破常厚，授蜀州刺史。九國志。景福初，官茂州刺史，將兵攻彭州，敗楊晟於城下。未幾，徙簡州。十國春秋列傳。乾甯二年，左右神策軍護軍中尉駱全瓘、劉敬宣，指揮使王行實、李繼鵬反，新書昭宗紀。昭宗幸蜀石門。建以宗瑶爲北路行營都指揮使，九國志。將兵赴難，通鑑二百六十。十國春秋言，三鎮犯闕，宗瑶帥師赴難。按：通鑑，王行瑜、李茂貞、韓建稱兵犯闕，聞李克用起兵河東，皆辭還鎮。其後李繼鵬之亂，昭宗幸石門鎮，建始遣宗瑶赴難。九國志所言較確。奏授嘉州刺史，九國志。屯兵綿州，軍容甚盛，國人莫不嘖嘖稱之。十國春秋。天復中，授武信軍節度使。建開國，加太子少傅。九國志。六年，建卽皇帝位，前蜀世家。唐天復四年改元天祐，建與唐隔絶不知，故仍稱天復。封臨淄郡王，九國志。十國春秋叙封王於後主嗣立之後，按前蜀世家言，建卽皇帝位，封其諸子爲王。九國志較是。兼中書令。永平五年，充東北面招討使，攻鳳州，遂克其地。十國春秋列傳。建病亟，以宗瑶爲金吾使，參預顧命。衍嗣位，授太傅。嘗自作高冢，遇暇則酣飲高歌於其中。無疾，忽一旦默坐而卒。年六十七。人以爲知死。九國志。

後蜀

孫欽，幽州安次人。性忠烈，善騎射。少遇亂，隸安義軍節度使，充衙内都頭，後改補合州衙内都頭，兼主客都虞侯。從本州刺史徐章入蜀，會孟知祥鎮成都，長興初，轉充右截山都頭。董璋來寇，戰鷄蹤橋，有功，遷普州刺史。昶襲位，累遷東州武德軍左奉聖都指揮使，九國志。廣政中，郭延鈞判武德軍，與監押王承丕不相協。承丕陰謀作亂，會欽以郭兵戍邊，過辭承丕，承丕挾與俱見延鈞。十國春秋列傳。欽不知其謀，從之。承丕至，則令左右擊殺延鈞，屠其家，稱奉詔處置軍府，卽開府庫，賞士卒，出繫囚，發屯戍。通鑑二百九十。明日，大會將校寮屬，九國志。欽謂承丕曰：今延鈞已伏辜，公宜出詔書以示衆。承丕曰：我能致公富貴，勿問詔書。通鑑二百九十。欽知其反也，因紿曰：今内外未安，我當以部兵爲公巡察，卽麾鞭躍馬而出。承丕連呼之，十國春秋列傳。不止。欽至營，曉諭其衆通鑑二百九十。曰：承丕不道，枉殺府公，非反而何！當共誅之。遂帥兵入府攻承丕。十國春秋列傳。丞丕左右欲拒戰，叱之，皆棄兵走，遂執承丕斬之，并其親黨，傳首成都。通鑑二百九十。加檢校太子賓客，二十五年寢疾，卒，年七十二。九國志。

宋

趙普，字則平，幽州薊人。（宋史列傳。）性深沉，有岸略。（通鑑輯覽七十一。）顯德初，辟永興劉詞節度從事，表薦於朝。范質征淮南，奏爲軍事判官。宣祖卧疾滁州，普奉侍藥餌。宣祖待以宗分。（宏簡録九十九。按：孫公談圃云，藝祖生西京夾馬營，營前陳學究聚生徒爲學，宣祖遣藝祖從之。上微時猶嫉惡不容人過，陳時時開論，後得趙學究，卽館于汴第，杜后録陳之舊，召至門下，與趙俱爲門客。然藝獨與趙計事，陳不與也。趙學究卽趙普。據此，則普從太祖已久，與宏簡録及宋史所載互異，今附録於此，以備考。）太祖嘗與語，奇之。時獲盜百餘，普疑有無辜者，啟太祖，訊鞫之，獲全活者衆。（宋史列傳。）淮南平，改渭州判官。自此太祖領同州，鎮宋州，日見親用，表爲掌書記。陳橋推戴，普先預聞，與匡義排闥入告，衆方擁入。及受禪，（宏簡録。）以佐命功授右諫議大夫，充樞密直學士。（宋史列傳。）征李筠，與吕餘慶留守，事平，遷兵部侍郎、樞密副使。（宏簡録。）建隆元年，宋主尊其母杜氏爲皇太后。后有疾，召普入受遺命。普卽榻前爲誓，書於紙尾，署曰：臣普記。（通鑑輯覽。按：誓書卽杜太后言百歲後傳光義，光義傳光美，光美傳德昭之命也。）三年，拜樞密使、檢校太保。宋主謂普曰：天下自唐季以後，數十年間，帝王凡易八姓，鬭戰不息，生民塗炭，其故何也？吾欲息天下之兵，爲國家長久計，其道何如？對曰：此無他，方鎮太重，君弱臣强而已。今欲治之，宜稍奪其權，制其錢穀，收其精兵，則天下自安矣。（通鑑輯覽。）乾德二年，范質等三相同日罷，以普爲門下侍郎、平章事、集賢殿大學士。宋史列傳。普既相，以天下爲己任。宋主倚任之，通鑑輯覽。相視如左右手，事無大小，悉咨決焉。每退朝，慮上微行，不敢便衣冠。宏簡錄。一日大雪，向夜，普意帝不出，久之，聞叩門聲，普亟出，帝立風雪中。普惶懼迎拜。帝曰：已約晉王矣。已而太宗至。設重裀地坐，堂中熾炭燒肉。普妻行酒，帝以嫂呼之。因與普計下太原。宋史列傳。普曰：太原當西、北二面，若下，我獨當之，不如姑俟削平諸國，則彈丸黑子之地將安逃乎？帝曰：吾意正如此，特試卿耳。又嘗以幽燕地圖示普，問進取之策。普曰：圖必出曹翰。上曰：然。因問：翰可取否？對曰：翰可取，孰可守？上曰：以翰守之。又曰：翰死，孰可代？其深慮類若此。宏簡錄。普嘗薦某人爲某官，宋主不許，明日復奏，亦不許，明日又奏，宋主大怒，裂碎奏牘擲地，普顏色不變，跪而拾之以歸。他日補綴舊牘，復奏如初。宋主乃悟，卒用其人。又有羣臣當遷官，宋主素惡其人，不與。普堅以爲請。宋主怒曰：朕固不與遷，卿若之何！普曰：刑賞天下之刑賞，陛下豈得以喜怒專之！宋主怒甚，起，普亦隨之。宋主入宮，普立宮門，久之不去。竟得俞允。其剛毅果斷又如此。通鑑輯覽。五年，加右僕射、昭文館大學士。至開寶中，獨任相位及十年，爲政頗自專，廷臣多忌者。宏簡錄。六年，帝幸其第，時錢王俶遣使致書於普，及海物十瓶，置廡下不及屏。帝顧問：何物？普以實對。上曰：海物必佳。卽命啟之，皆瓜子金也。普惶恐頓首謝曰：臣未發書，實不知。帝歎曰：受之無妨。彼謂國家事皆由汝書生耳。宋史列傳。太祖常與普議事，有不合，上曰：安得宰相如桑維翰者與之謀乎？普曰：使維翰在，亦不用，蓋維翰愛錢。太祖曰：苟用其長，亦當護其短，措大眼孔小，賜與十萬貫，則塞破屋子矣。東軒筆錄。未幾，出爲河陽三城節度、檢校太傅、同平章事。太平興國初，入朝，頗爲盧多遜所毀。奉朝請上書自陳，預聞太祖昭憲皇太后顧託之事，辭甚切。太宗感悟，召見，慰諭。俄拜司徒，兼侍中，封梁國公。宋史列傳。八年，復出爲武勝軍節度使。宏簡録九十九。帝作詩餞之，賜宴長春殿。普奉詩泣曰：陛下賜臣詩，當刻石，與臣朽骨同葬泉下。帝爲之動容。雍熙三年，大軍討幽薊，普具疏切諫，願罷伐燕之師。帝手詔褒答。四年，册拜太保，兼侍中。尋免朝，有大政則召對。淳化三年，以老病乞骸骨。拜太師，封魏國公。未幾，卒。宋史列傳。上聞之震悼，謂近臣曰：普盡忠國家，真社稷臣也。通鑑輯覽。普少習吏事，寡學術。及爲相，太祖嘗勸以讀書。晚年手不釋卷，每歸私第，闔户啟篋，取書讀之竟日。及次日臨政，處決如流。既薨，家人發篋視之，則論語二十篇也。宋史列傳。普嘗謂帝曰：臣有論語一部，以半部佐太祖定天下，以半部佐陛下致太平。通鑑輯覽。太祖嘗謂普曰：天下何物最大？普熟思，對曰：道理最大。上屢稱善。補筆談。真宗咸平初，追封韓王。宋史列傳。

趙上交，涿州范陽人，本名遠，字上交，避漢祖諱，以字行。祖光鄴，鄂州録事參軍。父簡章，涿州司馬。宋史列傳。上交色黑身長，美風儀，善談論，負才任氣，爲鄉里所推。宏簡録一百二十四。後唐同光中，嘗詣中山干王都。有和少微者，在都門下，忌之，頗毀訾上交。都遂不爲禮。上交不得志，宋史列傳。南游洛陽，爲中官馬紹宏北面轉運制置判官，遷殿中丞。宏簡録。秦王從榮開府，以上交爲虞部員外郎，累遷司封郎中，充判官。從榮素豪邁，不遵禮法，好昵羣小。上交從容言曰：宋史列傳。大王地居上嗣，當勤修令德，奈何所爲如是！勿謂父子至親爲可恃，獨不見恭世子、戾太子乎？通鑑二百九十一。從榮怒而出之。宋史列傳。歷涇、秦二鎮州節度判官。從榮後果及禍，僚屬皆斥，由是知名。通鑑補。晉初，召爲左司郎中，累遷刑部侍郎。奏言：長興中詔書，凡州縣官詳讞刑獄，昭雪人命者，不限歲月赴選，許令超資注官，仍賜章服，然未該及内外職司；乞自今但能雪活冤獄，不限中外官，並加旌賞，俟考滿，詣刑部投狀。從之。宏簡録。轉户部侍郎，拜御史中丞。彈舉無所阿避。漢祖卽位，授檢校禮部尚書、太僕卿，遷秘書監。全唐文。周祖監國，命太師馮道迎湘陰公于於州，以上交副之。宋史列傳。廣順初，拜禮部侍郎。會將試貢士，上交申明條制，頗爲精密，始復糊名考校，擢扈載甲科，及取梁周翰、董淳之流，時稱得士。轉户部侍郎。宋史列傳。明年，再知舉，拒樞密王峻所薦童子。峻怒，奏其選士失實。改太子詹事。

顯德初，遷賓客。二年，拜吏部侍郎，尋免官。入宋，全唐文。起爲尚書右丞。建隆二年卒，年六十七。洎官以幹密聞，時稱有公輔器。雅好吟詠，有集二十卷，張昭爲序。宏簡錄。子曮，字可畏，七歲喪母，過哀。十二能屬文，與兄晙同舉進士，未成名而兄夭，遂以蔭補千牛備身，歷秘書郎、殿中丞、著作郎。卒，年二十六，有集十卷。太宗嘗取以入內。宋史列傳。

趙匡贊，字元輔。本名美，遼史拾遺二十。後避宋太祖偏諱，遂去匡名贊云。幽州薊人也。十國春秋五十三。祖德鈞，父延壽，自有傳。贊幼聰慧，後唐明宗愛之，與諸子、外孫並育於六宅，稱爲令器。宏簡錄百五十七。德鈞奏：臣孫贊年五歲，默念論語、孝經，按：宋史趙贊傳，贊七歲誦書二十七卷，與此小異。舉童子於汴州，取解就試。詔曰：都尉之子，太尉之孫，能念儒書，備彰家訓，不勞就試，特與成名，宜賜別敕及第，附今年春榜。續世說。按：宋史云，附長興三年禮部春榜。久之，延壽出鎮宣武軍，因奏署牙內都校。宋史列傳。清泰末，德鈞父子降契丹，贊獨與母公主留西洛。遼史拾遺。天福三年，晉祖命贊奉母歸薊門。契丹署爲金吾將軍。宋史列傳。未幾，契丹主以延壽爲幽州節度使，舊史趙延壽傳。又署匡贊爲牙內都校。十國春秋。天福末，契丹與少帝絕好，契丹主委延壽以圖南之事。舊史延壽傳。及平原陷，匡贊復受契丹署爲河中節度使。延壽從契丹北歸，匡贊得留鎮河中。十國春秋。漢高祖起晉陽，匡贊奉表勸進。加檢校太尉，仍鎮河中。遼史拾遺。至霍邑，遣使諭匡贊，仍以契丹囚其父延壽告之。通鑑二十七。或傳延壽已死。郭威言於漢主曰：趙匡贊，契丹所署，今猶在河中，宜遣使弔祭。因起復，移鎮，彼既家國無歸，必感恩承命。從之。徙匡贊爲晉昌節度使。通鑑。匡贊懼漢疑己，十國春秋。潛謀歸蜀。判官李恕諫止。宏簡録。乃遣恕奉表於漢，請入朝。通鑑。漢祖見恕，問贊何以附蜀。恕曰：贊家在燕薊，身受契丹之命，自懷憂恐，謂陛下終不能容。招引西軍，蓋圖苟免。臣意國家甫定，務安臣民，所以令臣乞哀求覲。漢祖曰：匡贊父子，本吾人也，事契丹出於不幸。今聞延壽落陷穽，吾忍不容匡贊耶！恕未還，匡贊已離鎮。十國春秋。漢祖納之入朝，命爲左驍衛上將軍。仕周歷左右羽林，左龍武三統軍。世宗南征，初遣巡警壽州城外。歸京，留諸將分兵圍壽春，贊獨當東面。諸將戰不利，贊能特重，自秋涉冬，未嘗挫衄。宏簡録。及再征壽春，發近縣丁夫數千，城鎮淮軍，爲二城，夾淮水，徙下蔡浮梁於其間，扼濠、壽應援之路，會淮水漲，唐濠州都監彭城郭廷謂以水軍泝淮，欲掩不備焚浮梁。匡贊覘知之，伏兵邀擊，破之。通鑑紀事本末二百三十九。及世宗移兵趣濠，以牛革蒙大盾攻城，贊親督役，矢集於胄，雖被重傷，猶力戰，遂拔其羊馬城。宋史列傳。淮南平，以功授保信軍節度使。視事之日，盡去苛政，務從寬簡，居民便之。宋初，移忠正軍檢校太師，改鎮延州，許以便宜行事。乃分置步騎，前後不絶。羌渾來迎者，望見旌旗綿屬，無不攝服。宏簡録。太祖討晉陽，以爲行營前軍馬步軍都虞候。十國春秋。車駕薄城下，分軍四面，贊扼其西面。宋史列傳。北漢人乘晦，突門前犯西寨，贊率衆與戰，弩矢貫贊足，未退。續資治通鑑五。太祖勞問數四，宋史列傳。賜以良藥，改鎮鄜州。太宗時封衛國公。卒，年五十五。贈侍中。十國春秋。贊頗知書，喜爲詩，容止閑雅，接士大夫以禮，馭衆有方略，宋史列傳。爲政雖無異跡，而吏民畏服，亦近代之賢帥也。宏簡録。

宋琪，字俶寶，幽州薊人。少好學，宋史列傳。通書史。宏簡録九十九。晉祖割燕地以奉契丹，契丹歲開貢部，琪舉進士中第。天福六年，幽帥趙延壽辟琪爲從事。會契丹内侵，隨延壽至京師。延壽子贊領河中節度使，署琪爲記室。周世宗征淮南，贊自右龍武統軍爲排陣使，復辟琪從征。及金陵歸欵，以贊領廬州，表爲觀察判官，部有寃獄，琪辨之，免死者三人，特加朝散大夫。宋史列傳。宋初，拜左補闕。太平興國中，自員外郎累遷尚書，拜同平章事。一統志。九年九月，上幸景龍門外觀水磑，宋史列傳。因語侍臣：此水出於山源，清冷甘美，故餘潤所及，凡近河水味皆甘。琪對曰：亦猶人之善惡以染習而成也。上爲醒然。宏簡録。其年冬，郊祀禮畢，加門下侍郎、昭文館大學士。宋史列傳。未幾，以忤上意，罷守本官。宏簡録。端拱初，耕耤田，進吏部尚書。宏簡録。時契丹屢寇邊，詔羣臣上備戎策。琪請大軍於易州，循孤山，涉涿水，抵桑乾河，出安禮砦，按：孤山口在順天府房山縣、涿、易二州分道處，安禮砦在宛平縣南。東瞰燕城，纔及一舍，此周德威取燕之路，下視孤壘，取燕必克。通鑑輯覽。琪本燕人，以故究知蕃部兵馬山川形勢。俄又上奏曰：國家將平燕薊，臣敢陳十策：一、契丹種族，二、料賊衆寡，三、賊來布置，四、備邊，五、命將，六、排陣討伐，七、和蕃，八、饋運，九、收幽州，十、滅契丹。疏奏，頗采用之。淳化二年，詔百官轉對。琪首應詔，建明堂辟雍之議。五年，宋史列傳。朝廷討李繼遷及四川賊帥李順。又上書言，頃任延州判官，經涉五年，蕃部之事，熟於聞聽。又任西川數年，經歷山川，備見形勢要害。語多不録。上密寫其奏付軍中，令將士擇利而行。宏簡録。至道元年春，大宴於含光殿上。問琪年，對曰：七十有九。上因慰撫久之。宋史列傳。退，乃作多幸老民敘，謂洪範五福，宏簡録。人所難全，而已兼有之，實天幸也。宋史列傳。二年，拜右僕射，月給實俸，許五日一朝。九月被病，口占遺表而薨。贈司空，謚惠安。宏簡録。琪素有文學，頗諧捷，在使府前後三十年，周知人情，尤通吏治。在相位日，百執事有所求請，多面折之。以是取怨於人。宋史列傳。始爲程羽、賈琰所抑，繼爲盧多遜所忌，其後自員外郎，歲中四遷至尚書，居相位，卽此而觀，則守道蒙福者非幸致也。宋史列傳。子貽序，右贊善大夫；貽庥，大理評事；貽廣，童子出身。宏簡録。貽序嘗預修册府元龜，筆札遒勁。未幾，坐事左遷復州副使，爲殿中丞，卒。宋史列傳。

宋雄者，亦幽州人，初與琪齊名，（宋史列傳。）人稱二宋，在郊、祁之前。（陔餘叢考。）仕契丹，爲應州從事，至觀察判官。（宏簡録九十九。）雍熙三年三月丁亥，潘美攻應州，雄舉城降，授雄爲鴻臚少卿、同知州事，改光禄少卿，（遼史拾遺。）歷知均、唐二州。未幾，護河陰屯兵，以知河渠利害，命領護汴口，均節水勢，以達轉漕，京師賴之。改太子詹事，復爲光禄少卿，遷將作監。（宋史列傳。）所至職事修舉，公私倚任。頗涉文史，善談論，有氣節，士流多推許之。（宏簡録。）景德元年卒。（宋史列傳。）

董遵誨，涿州范陽人。父宗本，善騎射，隸契丹帥趙延壽麾下，嘗以事説延壽，不能用。及延壽被執，舉族南奔。（宋史列傳。）漢祖擢宗本隨州刺史，署遵誨牙校。入周，從其舅高懷德北征。師次高平，與晉人遇。遵誨先出奇兵逆擊，大軍繼進，遂敗之。又隨韓通克秦、鳳二州，（宏簡録一百二十。）戰於唐倉，先登陷陣，擒蜀招討使王鸞以獻。師還，録其前後功，補東西班押班，又遷驍武指揮使。（宋史列傳。）太祖始微時，客遊漢東，嘗依宗本。（宏簡録。）遵誨憑藉父勢侮之。（通鑑輯覽七十一。）嘗謂太祖曰：（宏中列傳。）每見城上有紫雲如蓋，又夢登高臺，遇黑蛇，約長百餘尺，俄化龍飛騰東北去，雷電隨之，是何祥也？太祖皆不對。他日論兵，遵誨理屈，拂衣起。太祖乃辭宗本去，（通鑑輯覽。）於是紫雲漸散。及即位，召見便殿，遵誨伏地請死。帝令左右扶起，因諭之曰：卿記往日紫雲化龍之夢乎？（宏簡録。）遵誨再拜，呼萬歲。（宋史列傳。）俄部卒訴其不法十餘事。帝釋不問。益惶愧待罪。諭曰：朕方赦過賞功，豈念舊惡！可勿復憂。遵誨感泣。（宏簡録。）遵誨母在幽州，患難睽離，太祖厚賞邊民，購得之，仍加優賜。（通鑑輯覽。）遵誨遣外弟劉綜貢馬以謝。太祖解其所服真珠盤龍衣，命賫賜之。綜曰：遵誨人臣，豈敢當此！太祖曰：吾方委以方面，不此嫌也。（宋史列傳。）乾德六年，以西夏近邊，授通遠軍使。（一統志。）遵誨至鎮，召諸酋長，諭以朝廷威德，衆皆感悦。後數月，復來擾邊。遵誨率兵深入其境，俘斬甚衆，獲羊馬數萬，夷落以定。（通鑑輯覽。）太祖嘉其功，就拜羅州刺史。太宗卽位，兼領靈州路巡檢。（宋史列傳。）在鎮十四年，（宏簡録。）安撫一面，夏人悦服，（一統志。）嘗有剽掠靈武，進奉使鞍馬兵器者，懼遵誨討，盡歸之，拜伏請罪。遵誨卽慰撫令去。自是不敢有所犯。（宏簡録。）遵誨不知書，豁達無崖岸，多方略，能挽强命中，武藝皆絶人，歷太祖、太宗朝，委遇始終不替。（宋史列傳。）卒，年五十六。帝軫悼，遣中使護葬，贈賻加等，録其子嗣宗、嗣榮爲殿直。（宏簡録。）

張暉，幽州大城人。後唐清泰初，隸控鶴軍，累遷奉國弩手都頭。（宋史列傳。）晉開運末，與武行德奪契丹甲船於河陰，爲河陽弩手指揮使。（宏簡録一百六十。）復令引兵趣懷州，契丹將遁去，因領州軍。（宋史列傳。）漢祖入汴，迎於滎陽，授懷州刺史。（宏簡録。）乾祐初，郢州刺史慕容業，治多不法，以暉爲緣漢都巡檢使，領唐州屯兵，至郢州，卽代業。還京，改郢州刺史。（宋史列傳。周廣順初，改沂州。宏簡録。三年，吏民詣闕舉留。俄改冀州。會詔築李晏口、束鹿、安平、博野、百八橋、武强等城，命暉護其役。踰月而就。從世宗征淮甸，充壕砦都指揮使。既拔楚泗，即授泗洲刺史，改耀州，俄爲西南面橋道使。宋史列傳。宋初，從征澤潞，爲行營濠砦使。先登陷陣，遷華州團練使。宏簡録。治有善狀。續資治通鑑三。建隆二年，太原未下，詔入覲問計。對曰：澤潞經李筠之叛，瘡痍未復，軍旅一興，恐人力重困，不如戢兵育民，俟富庶而後爲謀。乃賜襲衣、金帶、鞍馬，宋史列傳。慰勞遣還。於是始謀伐蜀。續資治通鑑。蜀主欲通使，王昭遠固止之，乃率兵屯峽路，增置水軍。帝聞之，以暉爲鳳州團練使。通鑑紀事本末。暉盡得其山川險易，上疏進取之計。帝覽之甚悦。續資治通鑑。乾德二年，大軍西下，乃以暉充西川行營先鋒都指揮使，宋史列傳。督兵開大散關路。躬撫士卒，且役且戰，人忘其勞。至青泥嶺，卒。天禧中，妻年百五歲，宏簡録。家貧，詣闕自陳。詔賜束帛，録其孫爲三班借職。宋史列傳。

邊歸讜，字安正，幽州薊人。宋史列傳。檀州刺史退思之子。宏簡録一百二十四。弱冠以儒學名。後唐末，客游并、邠。宋史列傳。晉祖鎮太原，召置門下，表爲河東節度推官、試秘書郎、大理評事。天福初，拜監察御史，宏簡録。歷殿中侍御史、禮部員外郎，充户部判官，遷水部郎中，賜金紫，宋史列傳。轉比部、知制誥，歷右諫議大夫、給事中，至右散騎常侍。宏簡録。嘗上言：使臣經過州、縣，券料外妄自徵需以豐傔從，多索人驢，用遞行李，挾命爲勢，淩下作威，供億稍遲，即加鞭箠，吏民受辱，甯免怨嗟，欲望察訪得情，嚴示懲戒。從之。漢初，歷禮部、刑部二侍郎。（宋史列傳。）是時，史宏肇爲都指揮使，與宰相樞密使共執國政。而宏肇尤專任，（新史康義誠傳論。）怙權專殺，閭里告訐成風。（宋史列傳。）有醉者，忤一軍卒，軍卒誣其訛言，坐棄市。李崧坐奴告變，族誅。（新史史宏肇傳。）歸讜言曰：邇來有匿名書及言風聞事，構害善良，有傷風化，遂使貪吏得以報復私怨，讒夫得以肆其虛誕，請明行條制，禁遏罔誣，凡顯有披論，具陳姓名，其匿名書及風聞事者，並望止絶。論者韙之。（宋史列傳。）周廣順初，復遷兵、户二部。世宗聞其亮直，擢尚書右丞、樞密直學士，轉左丞，（宏簡録。）以備顧問。（宋史列傳。）歸讜性剛介，號廉直，言多忤物。（宏簡録。）顯德三年冬，大宴廣德殿，歸讜酒酣，揚袂言曰：至於一栖而已。世祖令黄門扶出之歸。讜回顧曰：陛下何不決殺趙守微！守微者，本村民，因獻策擢拾遺，有妻復娶，又言涉指斥坐決杖配流，故歸讜語及之。翼日伏閤請罪。詔釋之，仍於閤門復飲，以愧其心。五年秋，歸讜與百官班廣德殿外，忽厲聲聞於帝，詔奪一季奉。（宋史列傳。）世宗以累朝以來，憲綱不振，（宋史列傳。）特命爲御史中丞。（宏簡録。）宋初遷刑部尚書。建隆三年，復轉户部尚書，致仕。（宏簡録。）乾德二年卒，年五十七。子定，雍熙二年，進士及第。（宋史列傳。）

馬全義，幽州薊人。十餘歲學擊劍，善騎射，隸魏帥范延光帳下。延光叛，晉祖征之，以城降，悉籍所部來上。全義在籍中，因補禁軍。不得志，遁去。李守貞鎮河中，召置帳下。宋史列傳。始，守貞聞杜重威死而懼，陰有異志，乃招納亡命，養死士。通鑑二百九十一。及守貞叛，宋史列傳。郭威督諸將圍守貞於河中，通鑑輯覽七十。發諸州民夫二萬餘人，刳長壕，築連城，偃旗卧鼓，番步卒以守之。通鑑。全義每率敢死士夜出，攻周祖壘，多所殺傷。守貞貪而無謀，宋史列傳。屢出兵，欲突長圍，皆敗而返。通鑑。性又忌克，全義屢爲畫策，皆不能用。城陷，遂變姓名亡命。周廣順初，世宗鎮澶州，全義往事之，從世宗入朝。按：通鑑作故李守貞騎士馬全乂，從榮入朝。全乂本名全義，當是避宋太宗諱，改義作乂耳。周祖召見，補殿前指揮使，宋史列傳。謂左右曰：全義忠於所事，昔在河中，屢挫吾軍，汝輩宜效之。通鑑輯覽。世宗卽位，遷右番行省。從世宗戰高平，宋史列傳。言於世宗曰：賊勢極矣，將爲我擒，願陛下按輿勿動，徐觀諸將破之。卽引數百騎進陷陣北，漢兵大敗。通鑑。以功遷散員指揮使。從攻淮南，以功遷殿前指揮使，右番都虞候。恭帝卽位，授鐵騎左第二軍都校，領播州刺史。宋史列傳。宋初，歷内殿直都知，控鶴左廂都校，領果州團練使。宏簡録一百十七。從征李筠，宋史列傳。太祖自帥大衆與石守信等會，大敗筠衆於澤州南，筠走保澤州。列栅圍之，通鑑輯覽。城小而固，攻之未下。召全義賜食御榻前問計，對曰：筠守孤城，若併力急攻，立可殄滅，儻緩之，適足長其姦耳。太祖曰：此吾心也。卽麾兵急擊之。（宋史列傳。）全義率敢死士數十人，攀堞而上，（通鑑輯覽。）爲飛矢貫背，流血蔽體。全義拔鏃臨敵，士益奮，（宋史列傳。）遂入其城。筠赴火死。（通鑑輯覽。）遷虎捷左廂都校領、睦州防禦使。又從征李重進，領控鶴、虎捷兩軍，爲後殿。（宋史列傳。）力戰有功，累改龍捷左廂都校、江州防禦使。（宏簡錄。）俄被疾。太祖遣太醫診視，仍諭密旨曰：俟疾閒，當授以河陽節制。全義疾已亟，但叩頭謝。數日卒，年三十八。特贈檢校太保、大同軍節度使。子知節。（宋史列傳。）

知節，字子元。七歲父卒。太祖軫念曰：眞羽林孤兒也。召入內，送國子監，賜今名。（玉壺清話一。）太宗時，以蔭補供奉官。年十八，監彭州軍，以嚴涖，衆憚之如老將。（宋史列傳。）又監潭州軍，慕何承矩以文雅飾吏治，因折節讀書。（宏簡錄一百十七。）雍熙間，護兵博州。契丹入邊，（宋史列傳。）知節完城繕甲，儲積芻粟。（宏簡錄。）契丹聞其有備，輒引去。徙知定遠軍，（宋史列傳。）儲峙多陳，時議調河南十三州轉他粟以餉軍。適轉運使樊知古至，知節謀曰：軍少粟多，汰其紅腐，尚當得十之六七。知古從之，（宏簡錄。）果獲粟五十萬斛，分給諸屯，遂省河南之役。（宋史列傳。）寇至，部民入保，卒有盜民婦首飾者，（宏簡錄。）護軍止笞遣之。知節曰：民避外患而來，反罹內寇，此而可恕，何以肅下！卽命斬之。（宋史列傳。）改知深、慶二州，遷西京作坊使，移梓州。王繼恩討李順，專權自恣，（宏簡錄。）惡知節不附己，（宋史列傳。）盡收其軍，使守彭州，付羸卒三百。宏簡錄。知節累請益兵，不從。賊衆十萬攻城，自晨抵晡，士多死。宋史列傳。乃橫槊潰圍出，招援兵，鼓譟復入，賊遂潰去。太宗聞而壯之，宏簡錄。授益州鈐轄，加益漢九州都巡檢使。宏簡錄。會韓景祐帳下劉旰，脅牙兵爲亂，連下州縣，衆踰二千。宋史列傳。知節引三百騎捕之，旰走邛州。知節乘勝急擊，行次方井鎮，與旰遇，盡殲其衆。宏簡錄。咸平初，領登州刺史，知秦州，宋史列傳。悉還諸羌質子。羌人感服，訖終任，不敢犯塞。宏簡錄。州有銀坑，歲久鑛竭，課額弗除，知節請蠲之，章三上，乃允。遷西上閤門使，兼本路轉運使。自乾德後，歲漕蜀物，動踰萬計，時籍富民以部舟運，坐沈覆破産者衆。知節請代督以省校，而程其漕事。自是蜀人賴以免患。宋史列傳。徙知延州兼鄜州，駐泊兵馬都總管。羌人以兵闚邊，遇上元節，遽命張鐙啟關，累夕宴會。寇不測，引去。徙鎮州。宏簡錄。詔發澶、魏等六州糧輸定武，時兵交境上，宋史列傳。知節曰：發糧適資盜耳。止令於舟車所至收之。寇無所得，遁去。車駕在澶淵，王超擁兵數萬屯真定，以中渡無橋爲辭，逗留不進。知節移書誚讓，且諭令度材，一夕而橋成。超兵始出。宏簡錄。景德中，徙知定州，拜東上閤門使。宋史列傳。大中祥符五年九月，以王欽若爲樞密使，知節爲樞密副使。時天下乂安，王欽若眷遇日隆，通鑑輯覽七十三。知節嘗斥其姦狀。宋史王欽若傳。欽若每奏事，必懷數奏，但出一二，匿其餘，退則以己意稱上旨行之。知節嘗於帝前顧欽若曰：懷中奏何不盡出之？嘗與欽若爭論上前。退見王旦，辭色猶怒甚，曰：知節幾欲以笏擊死之，但恐驚君相耳。通鑑輯覽。當是時，大臣方言符瑞，而知節每不然之，嘗言天下雖安，不可忘戰，自陳年齒未衰，尚可驅策，如邊方有警，願預其行。上以爲然，因命製銅鐵鎖子甲以賜焉。宋史列傳。七年，出爲潁州防禦使，知潞州，復移天雄軍，以疾乞罷。除彰德軍留後，知貝州，卒於相州，年六十五。贈侍中，謚正惠。宏簡録。知節，將家子，宋史列傳。慷慨以方略自任，所與善，必一時豪傑。性剛直敢言，不肯稍有卑屈，天下稱其直。通鑑輯覽。東封後，上每巡幸，必命爲都部署，許以專殺。部分嚴明，未嘗輒戮一人。宋史列傳。

竇儀，字可象，薊州漁陽人。曾祖遜，玉田令。祖思恭，嬀州司馬。父禹鈞，與兄禹錫，皆以詞學名。禹鈞，唐天祐末，起家幽州掾，宋史竇儀傳。爲左諫議大夫，致仕，范文正公竇諫議事跡記。生五子：儀、儼、侃、偁、僖等，相繼登科，時號竇氏五龍。玉壺清話一。儀年十五能屬文，及長，學問該博，風度峻整。宏簡録一百二十四。天福中，舉進士。景延廣爲侍衛軍帥，以儀爲記室。延廣歷滑、陝、孟、鄆四鎮，儀皆在幕府。東都事略三十。開運中，楊光遠以青州叛。時契丹南侵博州，刺史周儒以城降。儀謂執政曰：國家若不以良將重兵控博州渡，必恐儒引契丹踰東岸，與光遠兵合，則河南危矣。俄而儒果引契丹渡河，增置壘柵。宋史列傳。漢初，召爲左補闕、禮部員外郎。周廣順初，知制誥，遷翰林學士、禮部郎、權知貢舉。尋以父病，乞解官。（宏簡録。）世宗親加慰撫，手封金丹，俾賜其父。父卒，歸葬洛陽。終喪，拜端明殿學士。從征河南，判行在三司。恭帝卽位，遷兵部侍郎，使南唐。既至，將宣詔，會雨雪。李景請於廡下拜受。儀曰：將國命，不敢失舊禮。儻以沾服失容，請俟他日。景卽拜命于庭。（宋史列傳。）宋初，遷工部尚書，兼判大理，奉詔同修刑統。（宏簡録。）儀言：周刑統科條繁浩，或有未明，請別加詳定。凡削出令式宣勑一百九條，增入制敕十五條。又録律内餘條，准此者凡四十四條，附於各例之次，並目録，成三十卷，取舊削去格令宣勑及後來續降者，凡一百六十條，爲編勑四卷。（玉海。）判太常寺，議立四親廟。（通鑑輯覽七十一。）會翰林學士王著以酒失免官。（宋史列傳。）太祖謂宰相曰：深嚴之地，當以宿儒處之。范質曰：竇儀清介重厚，然已自翰林遷端明矣。太祖曰：禁中非此人不可，卿當諭以朕意。卽日再入翰林爲學士。（東都事略。）太祖初有事於太社，時國中墜典（中一作初。）多或未修，太社祝文，亦亡舊式。詔詞臣各撰一文，謄録糊名以進。上覽之，謂左右曰：皆輕重失中。獨御書親點一文，曰：惟此庶乎得體。開視之，乃儀撰者。（玉壺清話一。）乾德二年，范質等三相同罷，命趙普爲同平章事。上問：質等既罷，普勑孰當署？陶穀建議：今尚書乃南省六官之長，當署勑。儀曰：穀所陳非承平之策。皇帝開封尹同平章事，（宏簡録。）卽宰相之任也。太祖曰：儀言是。（東都事略。）嘗召儀草制，至苑門，見宋主岸幘跣足而坐。卻立，不肯進，曰：

陛下創業垂統，不以禮示天下，恐豪傑聞而解體。宋主歛容謝之。通鑑輯覽。初，周祖平兖州，議將盡誅脅從者。儀白馮道、范質，同請於周祖，皆得全活。顯德中，太祖克滁州，世祖遣儀籍其府庫。太祖復令親吏取藏中絹給麾下。儀曰：太尉初下城，雖傾藏以給軍士，誰敢言者？今既著籍，乃公帑物也，非詔不可取。後太祖屢對大臣稱儀有執守。宋史列傳。乾德改元，帝命宰相擇前代未有者。至三年平蜀，見入內宮人鏡背有乾德四年字，問廷臣，無知者。宏簡録。召儀問之。儀對曰：此必蜀物。蜀主王衍嘗有此號。通鑑輯覽。帝大喜曰：宰相須用讀書人。宏簡録。由是益重儒者。每對大臣，言欲用儀爲相。趙普忌其剛直。通鑑輯覽。陶穀在翰林，與儀不協。儀有公望，慮其軋己，嘗附普，與趙逢、高錫輩共排儀，儀終不至相位。宋史陶穀傳。及儀卒，太祖閔然謂左右曰：天何奪我竇儀之速耶！蓋惜其未大用也。宋史列傳。卒，年三十三。贈右僕射。宏簡録。

儼，字望之，宋史竇儼傳。儀之仲弟也。翰苑羣書。舉進士，爲天平軍掌書記，拜左拾遺。東都事畧。開運中，諸鎮恣用酷刑，儼上疏曰：案名例律，死刑二，絞、斬之謂也。大辟之目，不出兩端。淫刑之興，近聞數等，蓋緣外地不守通規，或以長釘貫人手足，或以短刀臠人肌膚，遷延信宿，不令就死，冤聲上達，和氣有傷。望加禁止。上從之。儼仕漢，爲史館修撰。宋史列傳。周廣順初，遷右補闕，與賈緯、王仲同修晉祖、少帝、漢祖三朝實録。改主客員外郎、知制誥。俄除金部郎中，拜中書舍人。宏簡録一百二十四。時儀自閤下入翰林，兄弟同日拜命，分居兩制，時人榮之。宋史列傳。周世宗顯德五年冬，將立歲仗，前一日親至於樂懸之下，問雅音於工師，皆不能答。因令儼知太常卿事，與樞使王朴同詳定之。乃用古累黍之法，以審其度，造成律，准其形如琴而巨，凡十三弦，以定六律、六吕，旋相爲宫之義。世宗善之。翰苑羣書。時世宗方切於治道，宋史列傳。儼上疏，請令有司討論禮儀，考正鐘律，作通禮正樂。又論政刑及勸農經武之要。通鑑輯覽。世宗多見聽納。宋史列傳。又以國家之方守，穀、帛而已。二者不出於國，而出於民，其道在天，其利在地，得其理者蕃阜，失其理者耗嗇。民之顓蒙，宜有勸教，請於齊民要術及四時纂要、韋氏月録中，采其關於田蠶園圃之事，集爲一卷，鏤版頒行，使之流布。疏奏，不報。宋史列傳。世宗觀大水泗州記，以問儼。儼以爲天地有五德：曰潤，曰暵，曰生，曰成，曰動。五德，陰陽之使。陰陽，水火之本。陰陽有常數，水火有常分，奇耦相半，盈虚有準，謂之通證。羡備過亢，極無不至，謂之咎證。陰之始主於淵水之行，紀於九六，凡千七百二十有八歲，爲浩浩之會，雖堯舜在上，不能免者，數也。若夫辟狂臣專，乂昏不明，苦雨數至，水不潤下，乃政之所致，非數也。唐貞元壬申之水是已。世宗甚善之，拜翰林學士。東都事略。按：宋史作加集賢殿學士判院事。又按：翰苑羣書學士年表云，正月自翰林學士，中書舍人遷禮部侍郎，六月卒。宋初，轉禮部侍郎。嘗與儀連翩知貢舉，直内署，時比之二陸焉。（翰苑羣書。）當是時祀事樂章，宗廟謚號，多儼撰定。議者服其該博。（宋史列傳。）年四十二，以疾卒。儼負俊才，對景覽古，皆形諷誦，與儀更迭唱和，多至三百篇。恆以道義相敦厲。性復夷曠，好賢樂善，優游策府，凡十餘年，撰周正樂成一百二十卷藏於史閣，有文集七十卷。（宏簡録。）顯德中，奉使荆南。荆南自唐季以來，高氏據有其地，雖名藩臣，車服多僭侈踰制，以至司賓賤隸。候館小胥，皆盛服彯纓，與王人抗禮。儼諷以天子在上，諸侯當各守法度，悉令去之，然後宣達君命。（宋史列傳。）太宗嘗晚坐崇政殿，召儼對。上時燕服。儼至屏間，見之不進，中使促，不應。上訝其久不出，笑曰：豎儒以我燕服爾！遽命袍帶，儼遂趨出。（王文正筆録。）尤善推步星歷，逆知吉凶。（宏簡録。）與盧多遜、楊徽之同在諫垣。預謂二公曰：丁卯歲，五星當聯珠於奎，奎主文，又在魯分，自此天下始太平，二拾遺必見之，老夫不與也。果在乾德丁卯歲，五星連珠於奎，太宗鎮兖海，其明博如此。（玉壺清話二。）又言：儼家昆弟五人，皆登進士第，可謂極盛，然無及輔相者，惟偁稍近之，亦不久居位。卒如其言。（宏簡録。）

偁，字日章，（宋史列傳。）儀之弟也。（續資治通鑑。）周廣順初，（宋史列傳。）舉進士，（東都事略三十。）補單州軍事判官，遷秘書郎，（宏簡録一百二十四。）出爲絳州防禦判官。（宋史列傳。）宋初，歷武甯軍掌書記，西京留守，天雄、歸德軍節度判官。（宏簡録。）開寶六年，拜右補闕，知宋州。嘗作遂命賦，以自悼。（宋史列傳。）

太宗領開封尹，以偁爲判官，賈琰爲推官。東都事略。賈能先意希旨，偁嘗疾之。帝與諸王燕射，賈侍帝側，稱贊德美，詞多矯誕。偁叱之曰：賈氏子巧言令色，豈不愧於心哉！坐皆失色。帝亦爲之不樂，因罷會。續資治通鑑。白太祖，黜爲彰義軍節度判官。東都事略。太平興國五年，車駕幸大名府，宋史列傳。按：東都事略作太平興國四年，太宗幸大名。考續資治通鑑、宏簡録，皆從宋史，作五年。今從之。帝思見偁，促召至行在，續資治通鑑。拜比部郎中。宏簡録。時方議北征。偁因抗疏請還都，休士養馬，徐爲後圖。帝悦其言，續資治通鑑。歸，以偁爲樞密直學士，賜第一區。六年，遷左諫議大夫，充職。宋史列傳。七年，拜參知政事。宏簡録。帝謂偁曰：汝自揣何以至此？偁曰：陛下念藩邸之舊臣，出於際會。帝曰：非也，乃汝嘗面責賈琰，賞卿之直爾。續資治通鑑。是秋卒，駕臨哭，贈工部尚書。明日，太宗宴會羣臣，以偁喪故罷。偁嘗與丁顥同幕，宋史作同官。顥子謂尚幼，偁見之，曰：此子後必以文致遠。卽以子妻之，後果至宰相。東都事略。太祖嘗謂宰相曰：近朝卿士竇儀質重，嚴質有家法，閨門雍睦，人無讕語，諸弟不能及。僖亦中人材爾。偁有操，尚可嘉也。宋史列傳。

張藏英，涿州范陽人。自言唐相嘉貞之後。宋史列傳。唐末，舉族爲賊孫居道所害。藏英年十七，僅以身免。一統志。後逢居道於幽州市，引佩刀刺之，不死，爲吏所執。節帥趙德鈞壯之，釋而不問，以補牙職。宋史列傳。聞居道遁關南，求爲都巡使。至則微服攜鐵撾潛匿舍側，伺居道出，擊仆於地，先齧其耳啗之，擒以歸，設父母位，縛居道筵前，號泣鞭之，臠其肉三日，刳心以祭。徐詣官首服。詔免死。燕薊間目爲報讐張孝子。契丹聞其名，宏簡録一百五十七。用爲盧臺軍使，兼權鹽制鹽使，領坊州刺史。周廣順三年，率内外親屬並部兵千餘人，及煮鹽户長幼七千餘口，牛馬萬計，舟數百艘，泛海至滄州。宋史列傳。刺史李暉以聞。周祖頗疑之，令館於封禪寺，賜襲衣、銀帶、錢絹、銀器、鞍勒、馬。世宗卽位，授德州刺史，召對便殿，詢以備邊之策。請於深州李晏口置砦，誘境上亡命，以隸軍，願爲主將，得便宜討擊。世宗悉從之，宋史列傳。除緣邊招收都指揮使，賜名馬、金帶，令募勁兵數千，築城李晏口。宏簡録。會鳳翔節度王彦超巡邊，爲契丹所圍。藏英率新募兵馳往擊之。契丹解去。改濮州刺史，仍領邊任。契丹將高牟翰以精騎數千擾邊，藏英逆擊於胡盧河，自旦至晡，殺傷甚衆。後領兵巡樂壽，契丹驍將姚内斌偵知藏英兵少，以精騎二千陣於縣之北，藏英率麾下擊之，士皆殊死戰，内斌遂解去。世宗降璽書褒美。宋史列傳。從世宗征契丹，涑水記聞。爲先鋒都指揮使。宋史列傳。藏英請不用兵，先往説下瓦橋關，乃單騎往城下，呼曰：汝識我乎？我張盧臺也。因陳世宗威德，曰：非汝敵也。不下，且見屠。藏英素爲燕人所信重，契丹遂自北門遁去，城人開門降，涑水記聞。敗契丹騎數百於關北，下固安縣，又改關南排陣使。宋初，遷瀛州團練使，并護關南軍。宋史列傳。建隆三年，卒於治所，年六十九。（宏簡録。）孫鑑。（宋史列傳。）

鑑，字德明，幼嗜學，（宏簡録一百五十七。）入衛州霖落山肄業，凡十餘年。太平興國三年，擢進士第。（宋史列傳。）官大理評事，監秦州柴壚榷務，升右贊善大夫，知婺州，遷著作郎、監察御史。（宏簡録。）奉詔決獄江左，頗雪冤滯。歷殿中侍御史。（宋史列傳。）太宗討幽州，鑑極言不可。時以燕人沮議非之，後果驗。命掌左藏，判三司度支。請併三部憑由，催欠爲一。從之。李惟清薦其能。擢江南轉運使。（宏簡録。）本部有大姓爲患者，鑑以名聞。太宗盡令部送魁首及妻子赴闕，以三班職名羈縻之，江左震肅。又建議割瑞州清江、吉州新淦、袁州新喻三縣，置臨江軍，時以爲便。（宋史列傳。）召還，特被慰奬，累遷樞密直學士，掌三班詔，磨勘供奉官以下，校其殿最，以爲沮勸。會三司奏分左右計，鑑以爲非便，尋詔復舊。（宏簡録。）許讓知益州，歸，首奏乞爲劍外之備。既而李順果叛。朝廷遣王繼恩討之，既平，除張詠知益州。繼恩等素失督御之略，師旅驕很，詠密奏，乞命近臣分屯師旅，以殺其勢。朝廷命鑑往按。（玉壺清話，張鑑，吴本作張鎰。考宋史及宏簡録，皆張鑑事，今從之。）上召對後苑，鑑奏曰：成都新復，軍旅未和，聞使命遽至，貿易戎伍，慮有猜懼，變生不測，乞假臣一安撫之命，臣至彼自措置。上嘉納。（玉壺清話。）至卽遣戍卒出境，令麾下使臣東還，督繼恩分捕殘寇，招輯反側。事平，拜左諫議大夫。久之，五路進兵討西夏，（宏簡録。）令鑑乘傳往環州，與李繼隆議護送芻糧入靈州。尋詔以軍興法，從事饋運，頗集。（宋史列傳。）還言：關輔民窮力盡，靈州僻居絶塞，實中夏蠹區，願陛下以賜繼遷，稍息飛輓之苦，無使重勞。（宏簡録。）真宗卽位，遷給事中。咸平初，改工部侍郎，出知廣州。二年，民條其政績上，請刻石。三年，移知朗州。溪洞羣居，蠻數寇擾。鑑召豪酋，諭以威信，皆俯伏聽命。（宋史列傳。）徙相州，有芝草生於監牧之室。鑑表其祥，以爲河朔弭兵欵附之兆。優詔答之。（宏簡録。）景德初卒，年五十八。（宋史列傳。）

李瓊，字子玉，幽州人。祖傳正，涿州刺史。父英，涿州從事。（宋史列傳。）瓊少好學，涉獵史傳，杖策走太原，欲干唐莊宗。會募勇士，（通鑑補一百九十三。）卽應募與周祖等十人約爲兄弟，（宋史列傳）各刺臂出血，誓曰：凡我十人，龍蛇混合，異日富貴，幸無相忘。瓊心知周祖非常人，情好尤密。（宏簡録一百五十六。）一日過瓊，見其危坐讀書，因問所讀何書。瓊曰：此閫外春秋，所謂以正守國，以奇用兵，較存亡治亂，記賢愚成敗，皆在此也。周祖令讀之，謂瓊曰：兄當教我。自是周祖出入皆袖以自隨，遇暇輒讀，讀輒問瓊，稱爲師。及討河中，乃脱瓊兵籍，令參軍事。守貞之滅，瓊有功焉。（通鑑補。）事平，（宏簡録。）表於朝，授朝散大夫、大理司直。（宋史列傳。）歲中，遷太子洗馬。（宏簡録。）周祖鎮鄴，表爲大名少尹。廣順初，拜將作監，充内作坊使，賜金紫，連知亳、陝二州，改濟州刺史。（宋史列傳。）世宗初，遷洺州團練、安州防禦使。治郡尚寬簡，宏簡録。民請立碑頌德，詔中書舍人竇儀撰文賜之。宋史列傳。宋初，召爲太子賓客。建隆三年，上章請老。改右驍衛上將軍，致仕。宏簡録。瓊信釋氏，明年四月八日，詣佛寺，遇疾歸，至暮卒。年七十三。贈太子少師。宋史列傳。

劇可久，字尚賢，涿州范陽人。沉毅方正，明律令，與馮道、趙鳳爲友。宋史列傳。後唐同光初，補徐州司法，以幹職聞。由大理評事遷寺正。仕晉，歷殿中少監、太子右諭德、大理少卿，賜金紫。宏簡録一百二十七。晉祖崩，可久方在病告，有司糾以不赴國哀，坐免。未幾復官，遷大理卿。周廣順初，改太僕卿，復爲大理卿。會鄭州民李思美妻詣御史臺，訴夫私鬻鹽，罪不至死，判官楊瑛寘以大辟。有司攝治瑛。瑛具伏。可久斷瑛失入，減三等，徒二年半。王峻欲殺瑛，召可久，謂之曰：死者不可復生，瑛枉殺人，其可恕耶？可久執議益堅，瑛得免死。宋史列傳。周主親録囚於内苑，有汝州民爲吏所寃，屢經覆按，不能自伸。周主臨問，始得其實，由是諸長吏無不親察獄訟。通鑑補。詔以律令文古難知，勑格煩雜不一，通鑑輯覽。以朝廷所用律疏三十卷，式二十卷，令三卷，開成格十卷，大中統類一十二卷，後唐以來至漢末編勑三十二卷，命可久及御史張湜、率汀，郎中鄧守中、王瑩、賈玭，博士趙礪、李光贊，大理正蘇曉，中允王伸，編集新格，勒成部帙。宏簡録。於是中書門下奏曰：伏以刑法者，御人之銜勒，救弊之斧斤，有國家者不可一日而廢也。雖堯舜之世，亦不能捨此而致治。今奉制旨删定律令，有以見明罰勑法之意也。竊以朝廷之所用者律令，則文辭古質，或難以詳明；格勑則條目繁多，或有所疑誤。將救舛文之弊，宜伸畫一之規。所冀民不陷刑，吏有所守。臣等商議，律令之有難解者，就文訓釋，格勑之有繁雜者，隨事删削，其有矛盾相違，輕重失宜者，盡從改正，無或拘牽。宋史列傳 候畢日，委御史臺、尚書省四品以上，及南省五品以上官，參詳可否，送中書門下議定。從之。五年，書成，凡三十卷，名曰刑統，頒之天下，與律疏令式並行。宏簡録。在廷尉四十年，用法平允，以仁恕稱。建隆三年，改光禄卿，致仕，卒。涿州吴志。按：州志云，可久仕周爲右庶子，與侍御史。考宋史，顯德三年所舉官犯贓，可久坐停任，明年復起爲右庶子，並不載爲侍御史。宏簡録亦不載，疑係州志之誤。 年七十七。宋史列傳。

李懷忠，涿州范陽人，初名懷義。太祖掌禁兵時，隸帳下爲散都頭，累遷殿前都指揮使、都虞候，領開州刺史。宋史列傳。乾德中，授東西班都指揮。從征晉陽，宏簡録一百十六。城未下，東都事略二十八。 契丹復遣南面大王者將兵引北漢軍，會暑雨，軍士多疾。宋史紀事本末。太祖深恤士卒，欲班師。懷忠言曰：賊嬰城自守，度其內無儲偫，豈足久抗王師？東都事略。若選勁兵急攻，破在旦夕。宋史紀事本末。臣願奮鋭，爲士卒先。宋史列傳。按：通鑑作都虞候趙廷翰請先登。今從宋史。 帝壯之，俾率衆攻城。戰不利，懷忠中流矢，幾死。宋史紀事本末。還，授散指揮、富州團練使。歷日騎左右廂都指揮使。宏簡録。太祖幸西京，東都事略。愛其形勢得天下中，有留都意。宏簡録。懷忠乘間言曰：汴都歲漕江淮米四五百萬斛，贍軍數十萬計，帑藏、重兵在焉。（東都事略。）根本安固已久，一旦遽欲遷徙，臣實未見其利。太宗卽位，改領本州防禦使，稍遷侍衛、步軍都虞候，（宋史列傳。）領大同軍節度使。三年，改步軍都指揮使。（宏簡録。）五月，卒。贈侍中。（宋史列傳。）

田重進，幽州人，（按：玉壺清話作范陽人。）形質奇偉，有武力。周顯德中，應募爲卒，隸太祖麾下。（宋史田重進傳。）陳橋還，遷御馬軍使，積功至襄州刺史。（宏簡録一百二十三。）太平興國四年，從征太原還，録功擢爲天德軍節度使。六年，改侍衛步軍指揮使。八年，改領静難軍節度使。（宋史列傳。）九年，河大決滑州之韓村，泛澶、濮、曹、濟諸州，壞民田廬。帝曰：韓村堤久不成，（通鑑輯覽。）安可重困吾民！當以諸軍代之。乃發卒五萬，以重進領其役，（通鑑紀事本末。）河遂塞。雍熙中，（宋史列傳。）賀懷浦將兵屯三交，與其子令圖上言：契丹主少，母后專政，寵倖用事，請乘其釁，以取燕薊。帝信之，以曹彬爲幽州道行營都部署，重進爲定州路都部署，出飛狐。契丹西南面招討使大鵬翼，率衆來拒。重進命部將荆嗣以五百騎禦之。契丹兵二萬，力不敵。時譚延美屯小沼，嗣請延美列隊平州，别遣二百人執白幟於道側。嗣以所部疾驅往鬭。契丹兵見旗幟綿亘，疑大軍繼至，欲遁去。重進乘之，契丹兵奔潰，生擒大鵬翼，飛狐、靈邱皆降。（通鑑輯覽。按：宋史云，用袁繼忠計，伏兵飛狐南口，擒契丹騎將大鵬翼及其監軍馬贇、副將何萬通并渤海軍三千餘人，斬首數千級，俘獲以萬計，逐北四十里。宏簡録云，以其縣爲飛狐軍。均與此所載互異。）進攻蔚州，其牙校李存璋等殺酋帥蕭啜理。執耿紹忠，率吏民來附。會曹彬之師不利，乃命重進董師駐定州，（宋史列傳。）遷駐泊兵馬都部署。明年，率師入遼境，攻下岐溝關，殺守城兵千餘及獲牛馬輜重以還。（宏簡録。）以功改彰信軍節度使，徙鎮成德、永興，改知延州，復還鎮。卒，年六十九。贈侍中。重進樸愿不知書，太宗在藩邸，愛其忠勇，嘗遣以酒炙，不受。（東都事略。）使者曰：此晉王所賜也。重進曰：爲我謝晉王，我知有天子爾。卒不受。太宗嘉之，既卽位，謂其無私交，故始終委遇焉。（東都事略。）後鄭文寶出漕陜右，上囑曰：田某先朝宿將，勇毅宣力，卿爲朕善待之。（玉壺清話七。）

吕餘慶，幽州安次人。名犯太祖諱，遂以字稱焉。（東都事略三十。）祖兖，父琦，自有傳。餘慶以蔭補千牛備身，歷開封府參軍，遷户曹掾。（宋史列傳。）晉少帝弟重睿領忠武節度，以爲推官。仕漢濮州録事參軍。顯德中，太祖領同州節制，聞其材，奏爲從事。（宏簡録九十九。）世宗問曰：得非嘗爲濮州糾曹者乎？卽以爲定國軍掌書記。世宗嘗鎮澶淵，濮爲屬郡，故知其爲人也。（宋史列傳。）太祖歷滑、許、宋三鎮，並在幕府。（按：宋史作太宗歷滑、許、宋三鎮。疑誤。宏簡録亦作太祖，今從之。）及卽位，召拜給事中、端明殿學士。（東都事略。）琦於清泰中亦居是職，官秩皆同，時人榮之。未幾，知開封府。太祖征潞及揚，並領上都副留守。建隆三年，遷户部侍郎。（宋史列傳。）母憂服除，當荆湖平，出知潭與襄州，（宏簡録。）遷兵部侍郎，知江陵府。（宋史列傳。）乾德二年乙丑，始置參知政事。（宋太祖紀。）宋主以趙普獨相，欲置副而難其名稱，問翰林承旨陶穀曰：下宰相一等，有何官？對曰：唐有參知政事。乃以餘慶以本官參知政事。通鑑輯覽。蜀平，知成都府。以知政蒞藩，自餘慶始也。東都事略。時盜賊四起，軍士恃功驕恣，大將王全斌等不能戢下。有軍士醉酒，持刀奪賈人物。餘慶立捕之以徇。軍中畏伏，民用安堵。宋史列傳。就加吏部侍郎，兼劍南、荆南諸道都提舉，三司水陸發運使。宏簡録。開寶六年，與宰相更知政事印。宋史列傳。初，靈德讓之貶商州也，知州奚嶼希趙普意，奏德讓怨望，坐削籍，流靈武。其子有鄰，意普害之，擊登聞鼓，訴中書不法事。宋主怒，悉下御史獄。鞫實，始疑普，詔餘慶與普更知印押班奏事，以分其權。通鑑輯覽。旋以疾，上表求解機務。拜尚書左丞。九年，卒。宋史列傳。年五十八。按：宋史、宏簡録皆作卒年五十。贈鎮南軍節度使。餘慶厚重有守，所至以寬簡治。東都事略。自太祖繼領藩鎮，餘慶爲元僚，及受禪，趙普、李處耘皆先進用，宋史列傳。餘慶畧不介意。東都事略。未幾，處耘黜守淄州。餘慶自江陵還。太祖問處耘事，餘慶以理辨釋，上以爲實。宋史列傳。餘慶知政事時，會普忤旨，左右争傾之。東都事略。餘慶獨辨明之。太祖意稍解，時稱其長者。至道中，以弟端爲宰相，特詔贈侍中。宋史列傳。

端，字易直，以蔭補千牛備身。仕周，爲直史館。歸宋，青箱雜記。遷太常卿，知浚儀縣，同判定州。開寶中，假太常少卿副郝崇信使契丹。太宗改司門員外郎，宏簡録一百。知成都府，爲政清簡，遠人便之。宋史列傳。秦王廷美尹京，端充開封判官。會征河東，王當居守。端曰：主上櫛風沐雨，以申弔伐，王地處親賢，當表率扈從。從之。宏簡録。出知蔡州，以善政，吏民列奏借留。遷考功員外郎，兼侍御史。使高麗，暴風折檣，舟人怖恐，端讀書若在齋閣時。宋史列傳。還，遷户部郎中，兼判禮院。俄拜右諫議大夫。許王元禧尹開封，又爲判官。王薨，坐裨贊無狀，左遷衛尉少卿。會置考課院，凡引對負譴、寘散秩者，皆涕泣爲請。端直陳無屈。上知其無他，命復舊。宏簡録。逾月，拜參知政事。時趙普在中書，嘗曰：吾觀吕公奏事，得嘉賞未嘗喜，遇抑挫未嘗懼，亦不形於言，真臺輔之器也。宋史列傳。至道元年夏四月，以端同平章事。續通鑑。或曰：端爲人糊塗。帝曰：端小事糊塗，大事不糊塗。端持重，識大體，慮與寇準同列，而己先正台揆，恐準不平，乃請參知政事與宰相同升政事堂。通鑑輯覽七十三。時同列奏對，多有異議，惟端罕所建明。一日内出手札戒諭，自今中書事必經吕端詳酌，乃得聞奏。端愈謙讓不自當。宋史列傳。李繼遷擾西鄙，名臣言行録。曹璨自河西還，言繼遷衆萬餘，方圍靈武，城中告急。端請發兵出麟府、鄜延、環慶三道以擣平夏，襲其巢穴，則靈武之圍解。通鑑輯覽。保安軍奏，獲繼遷母。宏簡録。帝獨與樞密副使寇準謀。準欲斬於保安軍北門外，以戒凶逆。端曰：必若此，非計之得也。遂覆奏曰：昔項羽得太公欲烹之，高祖曰：願分我一杯羹。夫舉大事，不顧其親，況繼遷悖逆之人乎？陛下今日殺之，明日繼遷可擒乎？若其不然，徒結怨讐，愈堅其叛心耳。

以臣之愚，宜置於延州，使善養事之，以招來繼遷，雖不能卽降，亦可以繫其心，而母死生之命在我矣。名臣言行録。上撫髀稱善，卽用其策，曰：微卿，幾誤大事。母後病死。繼遷子竟納款請命，皆端力也。宏簡録。進門下侍郎，兼兵部尚書。太宗不豫，真宗爲皇太子。端日與太子問起居。宋史列傳。宣政使王繼恩忌太子英明，陰與參知政事李昌齡、知制誥胡旦等謀立楚王元佐。及帝崩，皇后令繼恩召端。端知有變，卽給繼恩入書閣，鎖閉之，亟入宮。通鑑輯覽。后問所應立。端曰：先帝建儲，正爲今日。今始棄天下，豈可遽違命有異議耶？宏簡録。乃奉太子至福寗殿卽位，垂簾引見羣臣。端平立殿下不拜，請捲簾，升殿審視，然後降階，率羣臣拜焉。宋史紀事本末。貶昌齡忠武軍司馬，繼恩均州安置，旦除名流潯州。真宗每見輔臣入對，惟於端肅然拱揖，不以名呼。宋史列傳。又以端軀體洪大，宮廷陛峻，特令梓人爲納陛。以目疾求解政柄，授武信軍節度使。卒，年六十六。贈司空，謚正惠。通鑑輯覽。端有器量，厚多恕，屢經擯退，未嘗以得喪介懷。善與人交，輕財好施，未嘗問家事。名臣言行録。李惟清自樞密改中丞，意端抑之，構人訟堂吏過失，欲以中端。端曰：吾直道而行，何所愧畏耶！同郡趙玉常，脱端父於難。端感其恩，視玉孫紹宗如己子，宏簡録。表薦賜出身。馮道鄉里世舊子正之病廢，端分俸給之。端兩使絶域，其國歎重之。後有使往者，每問：端爲宰相否？其名顯如此。宋史列傳。子荀、藩、蔚，貧匱，又迫婚嫁，因質其居第。真宗出内府錢五百萬贖還之，又別賜金帛，俾償宿負，遣使檢校家事。名臣言行錄。藩、荀皆至國子博士，蔚至太子中舍。宋史列傳。按：宏簡錄作子四人，藩、荀、蔚、藹，藩太子中舍，荀大理評事，蔚千牛備身，藹殿中省。與此互異。

劉載，字德輿，涿州范陽人。宋史列傳。六世祖濟，唐盧龍節度。父昭，下蔡令。載清泰中舉進士。晉初，歷校書郎、著作佐郎，賜緋。由左拾遺拜集賢殿直學士。漢初，爲殿中丞、侍御史。宏簡錄一百五十七。丁内艱，服闋，復拜舊官，判西京留臺，改倉部員外郎。嘗著五論，曰爲君，爲相，爲將，去讒，納諫。爲文士所稱。世宗初，擢知制誥。宋史列傳。顯德三年，拜右諫議大夫，與拾遺鄭起、博士李甯同校道書。宏簡錄。世宗末年，通鑑紀事本末。留心農事，通鑑輯覽七十一。嘗命官詣諸州度民田，通鑑紀事本末。遷給事中，使許州，定田租，俄賜金紫，爲魏王符彦卿，加恩國信使。宋史列傳。宋初，命載護役，宏簡錄。濬五丈渠，續資治通鑑。按：宋史及宏簡錄皆作五丈河。畢沅續通鑑，從李燾長編改之。通東方之漕。續資治通鑑。建隆四年，貝州節度使張光翰來朝，遣載權知州事。光翰歸鎮，載還知貢舉。乾德初，掌建安榷貨物。宋史列傳。六年，爲江南國主生辰使，召還，知鎮州，坐與何繼筠不協，改山南東道行軍司馬。十年不召。嘗受詔權點檢州事。宏簡錄。太平興國初，復入爲給事中。三年，出知襄州。六年，代還，告老，宋史列傳。改工部侍郎，致仕，卒。年七十一。平生敦尚名節，好學，博通史傳，善屬文。嘗受詔撰明憲皇后、謚册文，又作弔戰國賦萬餘言行世。子宗言，賜出身，至比部郎中。宏簡錄。宗望，景德二年進士及第。祥符四年，其孫介以載文集來獻，以爲試將作主簿。宋史列傳。

扈蒙，字日用，幽州安次人。宋史列傳。曾祖洋，涿州別駕。祖智周，盧龍軍節度推官。父曾，内園使。宏簡録一百二十四。蒙少能文。晉天福中，舉進士。入漢，爲鄠縣主簿。宋史列傳。郭從義討趙思綰，命郡縣吏皆戎服見，獨蒙衣冠褒博，舉止舒緩。從義訝之。運使李穀言，蒙文學名流，遂不之問。宏簡録。周廣順中，從歸德軍節度趙暉爲掌書記，召爲右拾遺、直史館、知制誥。蒙從弟載，時爲翰林學士，兄弟並掌内外制，時號二扈。宋史列傳。宋初，由中書舍人遷翰林學士。宏簡録。坐請託於同年仇華，黜爲太子左贊善大夫，宋史列傳。遷左補闕，掌大名市征。建隆六年，復知制誥，充史館修撰。開寶中，與李穆等同修五代史，詳定古今本草，連知貢舉。上書言：昔唐文宗每召大臣問事，必命起居人及舍人執筆立於殿側，以紀時政，故文宗實録稍爲詳備。至後唐明宗，亦命端明、樞密學士等，輪修日歷送史官。宏簡録。近來此事都廢，每季雖有内殿日歷，樞密院録送史館，然所記者不過臣下對見辭謝而已，帝王言動，莫得而書。緣宰相以漏泄爲虞，昧於宣播，史官疏遠，何得與聞。宋史列傳。凡自今凡有裁制之官，優恤之言，發自宸衷，可書簡策者，並委宰臣、參政，每月輪知鈔録，以備史官撰集。從之。宏簡録。乾德九年正月，乾元殿受降，王朝蒙參定其議，有李朴請誅之制甚繁具本文，蒙繼上聖功頌次年將東封，又進御劄草。上愛之，批於紙尾，奬之云：聖功頌及此文，無一字可議。（玉壺清話七。）爲盧多遜所惡，出知江陵府。太宗卽位，召拜中書舍人，（宋史列傳。）復翰林學士。與李昉同修太祖實録。（宏簡録。）後應制後苑詩，有微臣自愧頭如雪，也向鈞天侍玉皇。上和以賜。（玉壺清話。）太平興國四年，從征太原，還，遷户部侍郎，加承旨。（宋史列傳。）雍熙三年被病，以工部尚書致仕，卒。年七十二。贈右僕射。爲人性沉厚，不言人是非，好釋典，不喜殺。（宏簡録。）搢紳稱善人。有笑疾，雖上前不自禁。（宋史列傳。）自張昭、竇儀後，典章儀注，皆所刊定，然南郊定議後，復以宣祖配天，爲識者所非。（宏簡録。）著述有鼇山集二十卷行於世。（宋史列傳。）

張佶，初名志言，字仲雅，（宏簡録一百六十一。）燕人。（畿輔唐志七十一。按：宋史作本燕人，後徙華州渭南。）父昉，有史才，歷知雜御史省郎，至殿中少監。（宏簡録。）佶少有志節，涉獵書史，善騎射，有方略。（畿輔唐志。）始用蔭補殿前承旨。以習儒業，獻文求試，換國子監丞，遷著作佐郎。監三白渠，知涇陽縣。（宋史列傳。）端拱初，爲太子右贊善大夫。命案曹州民被誣殺人者，發奸擿伏，民寃得雪。至道中，通判陝州，部送芻糧赴靈武，就改國子博士。（宏簡録。）咸平初，擢爲陝西轉運副使，賜緋魚。至延安，遇夏人入寇，親督兵擊敗之。三年，徙西川轉運副使。時詔討王均，（宋史列傳。）餽餉有勞，遷虞部員外郎。賊平，分川、陝爲四路，授利州路轉運使。有薦其武幹者，召還，授如京使。歷涇原、麟府鈐轄，兼知鎮戎軍。（宏簡録。）夏人來寇，佶率兵與戰，親射殺酋帥，俘獲甚衆。詔書褒之，賜錦袍、金帶。（宋史列傳。）景德中，徙益州鈐轄，領宜州刺史，遷文思使。御軍撫民，頗有威惠，蜀人懷之。（宏簡録。）大中祥符四年，車駕祀汾陰，以爲西京舊城巡檢鈐轄。禮成，加授北作坊使，充趙德明官告使，又爲鄜延鈐轄。會秦州李濬暴卒，上語近臣曰：天水邊要，宜速得人。馬知節稱佶可任，上然之，遂改麒驥使，就命知秦州。至州，（宋史列傳。）置大落門新砦。先是，佶欲遂近渭，置采木場，蕃族聞之，卽徙帳去，佶不能遂，撫之，戎人輒悔，因鄉導鈔劫。佶深入掩擊，悉敗走，至是求和，佶不許。（宋史吐蕃傳。）邊事數擾，朝廷始務甯遠。以佶輕言易事，徙邠甯路鈐轄。（宋史列傳。）天禧初，召爲契丹國信副使，再遷西上閤門使，涇原鈐轄，卒。年六十九。（宏簡録。）

高彦暉，薊州漁陽人。仕契丹爲瀛州守將。世宗北征，（宋史列傳。）帥步騎數萬，直趨契丹之境。（通鑑補二百九十三。）御龍舟至益津關，（通鑑輯覽七十。）登陸而西，至瓦橋關，侍衛親軍都指揮使李重進等引兵繼至，彦暉舉城降，（通鑑補。）遷耀、階二州刺史。（宋史列傳。）宋師伐蜀，爲歸州路先鋒都指揮使。（宏簡録。）既而帝詔發蜀兵赴汴，優給裝錢。王全斌等擅減其數。蜀兵忿怨，行至綿州，遂作亂，衆至十餘萬，推文州刺史全師雄爲帥。（通鑑紀事本末。）崔彦進遣彦暉與田欽祚共討之，至導江，與賊遇，（宋史列傳。）賊據要路，設伏竹箐中，官兵不利。彦暉語欽祚曰：日暮矣，賊勢益張，請收兵，詰朝與戰。（宏簡録。）欽祚欲遁，慮賊曳其後，乃紿之曰：公食厚位，遇賊畏縮，何也？宋史列傳。彦暉亟揮兵進。欽祚潛遁去。彦暉獨與部下十餘騎力戰，皆死之。時年七十。彦暉老將，練習邊事。上聞其没，甚痛惜之，命優卹，賜其家粟帛。宏簡録。

張玉，字寶臣，保定人。以六班散直隸狄青麾下。宋史列傳。夏元昊反，宋史狄青傳。築青澗招安砦，遇夏兵三萬，有馳鐵騎挑戰者，宋史列傳。玉獨身持鐵簡出鬪，取其首及馬回，宏簡録一百十九。軍中因號曰張鐵簡。以狀聞，仁宗曰：真勇將也。以爲本路同巡檢。宋史列傳。皇祐四年，廣源軍蠻儂智高反，東都事略六十二。狄青夜度崑崙關，通鑑輯覽七十五。出歸仁鋪，東都事略。玉爲先鋒。續資治通鑑五十三。賊悉其衆，列三鋭陣，以拒官軍，執大盾標槍，衣絳衣，望之如火。及戰，前軍稍卻，續資治通鑑。玉率右廂突騎，横貫賊壘，賊大潰，宋史列傳。斬首二千二百級。智高縱火焚城而遁，東都事略。廣南悉平。通鑑輯覽。帝召見，使作鋭陣於殿廷下，觀破賊之勢。擢爲廣西鈐轄，徙大名，進龍神四廂都指揮使，爲副都總管。宋史列傳。夏人攻大順城，玉乘夜率兵三千擊之，賊驚而去。宏簡録。累遷昭州防禦使，徙涇原。熙甯中，慶州卒叛，玉襲逐于石門，卒窮蹙請降，玉斬二百人，坐奪職，降爲陵州團練使，居數月，復之。宋史列傳。王韶開熙河，轉宣州觀察使，宏簡録。爲副都總管。河北置三十七將，按：宏簡録作二十七將。以玉爲第一。宋史列傳。終馬步軍都虞候，贈建雄軍留後。宏簡録。

李淳頤，字子修，香河劉志。按：畿輔唐志作子陰，疑誤。今據縣志改。香河人。知祥符縣。畿輔唐志七十二。熙甯中，青苗法行，香河劉志。以常平糴本作青苗錢，散與人户，令出息二分，春散秋斂，宋史王安石傳。司農符檄日夜下，青苗責保任追胥苛切，宋史安燾傳。計息不及，則黜降，諸吏畏罪，所散惟恐其少，畿輔唐志。奉行之吏，或迎合求進。宋史安燾傳。淳頤獨貸三之一，畿輔唐志。相怒，遂通判廣信軍，香河劉志。後官至刺史。畿輔唐志。按：香河志論云，淳頤香河人，而陽信志亦載諸鄉賢之内。萬曆間，知縣陳美申請入祠。豈昔曾流寓彼地耶？今據畿輔志、香河志立傳。

張世傑，范陽人。宋史列傳。少從張柔戍杞，宏簡録一百九十。坐法當死，亡命南奔，隸淮兵中，無所知名。阮思聰見而奇之，言之吕文德。南宋書。文德召爲小校，累功至黄州、武定諸軍都統制。宋史列傳。攻安東州，力戰，與高達援鄂有功，轉十官。宏簡録。尋從賈似道入黄州，戰薊草坪，奪還所俘，遷環衛官。宋史列傳。歷知高郵州、安東州。咸淳四年，北兵築鹿門堡，宏簡録。吕文德諸益兵於朝，調世傑與夏貴赴之。及吕文焕以襄陽降，命世傑守鄂州。南宋書。世傑將兵屯郢。郢在漢北，以石爲城，新郢城在漢南。續資治通鑑一百八十。世傑以鐵絙鎖兩城，南宋書。密植椿木，水中夾以礮弩，凡要津皆施杙，設守具。元軍襲城，世傑力戰，元軍不能前，遣人招世傑，不聽。續資治通鑑。伯顔陽攻嚴山隘，潛舟自唐港入漢東，宏簡録。攻鄂，鄂降。世傑提所部入衛，時方危急，徵諸將勤王，多不至，獨世傑來。上下歎異。南宋書。陳宜中疑世傑歸自元，易其所部軍。續資治通鑑。文天祥與世傑議，以爲淮軍堅壁閩廣，全城若與敵血戰，萬一得捷，則命淮師以截其後，國事猶可爲也。宋史紀事本末。世傑大喜，遂議出師。宋季三朝政要五。遣將取浙西諸郡復平江、安吉、廣德、溧陽諸城，兵勢頗振。宋史列傳。秋七月，世傑與劉師勇、孫虎臣等大出舟師萬餘艘，次于焦山，令十舟爲方，碇江中流，非有號令，無得發碇，示以必死。阿朮自石公山望之，遂遣健卒善彀者千人，載以艦，分兩翼夾射，繼以火矢，蓬檣俱焚，煙焰蔽江。諸軍死戰，宋史紀事本末無敢發碇，赴江死者萬餘人。宏簡録。世傑不復能軍，奔圌山，續資治通鑑。上疏請濟師，不報。宋史列傳。德祐二年正月，秀王與擇奉皇兄廣王昰、皇弟益王昺，出宮航海，世傑欲護駕入海，乃去朝。元丞相領兵進皐亭山。宋季三朝政要五。世傑入定海。石國英遣卞彪説之使降。世傑以彪來從己俱南也，椎牛享之。酒半，彪從容爲言。世傑大怒，斷其舌，磔之巾子山。南宋書。景炎元年通鑑輯覽九十三。二月，廣王、益王由海道趨温州。宋季三朝政要六。世傑亦以所部兵來温之江心寺。通鑑輯覽。四月，從二王入福州。按：宋季三朝政要作三月甲戌，二王至福州。微異。五月，與宜中奉昰爲主，拜簽事樞密院事。宋史列傳。元兵逼行都，世傑備海舟於岸，奉景炎帝、益王、楊淑妃等登舟。宋季三朝政要六。帝至泉州，泊於港。招撫使蒲壽庚來謁，請駐驛。世傑不可。初，壽庚提舉市舶，擅舶利者三十年，或勸世傑留壽庚不遣，則凡海舶不令自隨。世傑不從。既而舟不足，乃掠其舟，並没其貲。壽庚怒，宋史紀事本末。以泉州降。通鑑輯覽。世傑乃自將陳弔眼、許夫人諸翼軍攻蒲壽庚，不下。十月，元帥唆都遣人招益王，又遣經歷孫安甫説世傑降。世傑拘之軍中不遣。招討劉深攻淺灣，世傑兵敗，移王居井澳。深復來攻井澳。世傑戰卻之，因徙碙州。宏簡録。景炎三年，帝殂。衛王昺立。南宋書。拜世傑少傅、樞密副使，封越國公。世傑以碙州不可居，宋史列傳。復徙居新會之崖山。宏簡録。崖山在海中，兩山相對，中有一門，可以藏舟。宋季三朝政要六。世傑以爲天險可守，乃遣人入山伐木，造行宫三十間，軍屋三千間。正殿三，慈元楊太后居之。續資治通鑑。明年，元張宏範等兵至崖山。或謂世傑曰：北兵以舟師塞海口，則我不可進退。盍先據海口，幸而勝，國之福也；不勝，猶可西走。世傑恐久在海上有離心，動則必散，乃曰：頻年航海，何時已乎？今須與決勝負。悉焚行朝草市，宋史列傳。結大舶千餘，作一字陣，按：宋季三朝政要云，世傑不守三門，集舟千餘作一字陣禦之，而大兵入山門，作長蛇陣對之。碇海中。中艫外軸，貫以大索，四周起樓柵如城堞，奉帝居其間，爲死守計。人皆危之。宋史紀事本末。已而宏範兵至，據海口，宋史列傳。斷宋軍汲路。世傑舟堅，不能動。宏範乃舟載茅茨，沃以膏脂，乘風縱火焚之。世傑戰艦皆塗泥，縛長木以拒，火舟不爇。宏範無如之何。時世傑有韓氏甥在軍中，續資治通鑑。宏範三使韓招世傑。世傑不從，曰：吾知降生且富貴，但義不可移爾。因歷數古忠臣以答之。通鑑輯覽。二月，宏範等攻崖山。宋史列傳。世傑以淮兵殊死戰。俄有一舟檣旗仆，諸舟之檣旗皆仆。世傑知事去，乃抽精兵入中軍，諸軍皆潰。宏範麾軍進薄中軍，會日暮風雨，昏霧四塞，咫尺不相辨，世傑乃與蘇劉義斷維，以十六舟奪港而去。通鑑輯覽。後還，收兵崖山，劉自立擊敗之，降其將方遇龍、葉秀榮、張文秀等四十餘人。世傑復欲奉楊太后求趙氏後而立之，宋史列傳。乃舟艤南恩之海陵山，散潰稍集，宋史紀事本末。颶風復大作，將士勸世傑登岸。世傑曰：無以爲也。登柁樓，露香祝曰：我爲趙氏亦已至矣，一君亡，復立一君，今又亡，我未死者，庶幾敵兵退，別立趙氏以存祀耳，今若此，豈天意耶！風濤愈甚，世傑墮水溺死。續資治通鑑。按：考異云，元史以張世傑爲死於海陵山下，與經世大典同。宋史忠義張世傑傳，作平章山下，與元史異。癸辛雜志云，張世傑之戰海上也，嘗與祥興之主約曰：萬一事不可爲，則老臣必死於戰。有沉香一株，重千餘兩，是時當焚此香爲驗，或香煙及御舟，可卽遣援兵，或不然，宜速爲之所，無墮其計中也。及崖山之敗，張儼然立船首，焚香拜天，曰：臣死罪無以報國，不能翊運輔主，惟天鑒之！尚有將佐三十餘，亦立其後。如此者一晝夜，從者亦聳立不少動。既而北軍擁至，篙師亦皆乘小舟逃去。風起浪湧，舟遂沉，溺者甚衆。是以世傑與宋主爲同時溺死，疑係傳聞之誤也。據楊太后墓在崖山，則世傑復至崖山，當得其實。又據宋季三朝政要，張世傑奉楊太后以小舟奔，則世傑復至崖山，必奉太后以來可知。今從宋史，著崖山之再敗，而其遇風覆溺在海陵山下，則從宋史紀事本末諸書云。

華陽吳祖椿校